A SABEDORIA DE WINSTON CHURCHILL

PALAVRAS DE GUERRA E PAZ

A SABEDORIA DE WINSTON CHURCHILL

PALAVRAS DE GUERRA E PAZ

EDITADO POR
SEAN LAMB

The Wisdom of Winston Churchill - Words of War and Peace
Copyright © Arcturus Holdings Limited

Os direitos desta edição pertencem à
Pé da Letra Editora
Rua Coimbra, 255 - Jd. Colibri - Cotia, SP, Brasil
Tel.(11) 3733-0404
vendas@editorapedaletra.com.br / www.editorapedaletra.com.br

Esse livro foi elaborado e produzido pelo

(11) 93020-0036

Tradução Fabiano Flaminio
Design e Diagramação Adriana Oshiro
Revisão Larissa Bernardi e Thaís Coimbra
Coordenação Fabiano Flaminio

Impresso no Brasil, 2020

Dados Internacionais de Catalogação na Publicação (CIP)
Câmara Brasileira do Livro, SP, Brasil
Angélica Ilacqua - Bibliotecária - CRB-8/7057

A sabedoria de Winston Churchill : palavras de guerra e paz / editado por Sean Lamb ; tradução de Fabiano Flaminio. -- Cotia, SP : Pé da Letra, 2020.

384 p.

ISBN: 978-65-86181-69-2.

Título original : The Wisdom of Winston Churchill - Words of War and Peace

1. Churchill, Winston, 1874-1965 - Citações I. Lamb, Sean II. Flaminio, Fabiano

20-2355   CDD-828

Índices para catálogo sistemático:
1. Citações inglesas

Os editores reconhecem a contribuição de F.B. Czarnomski na compilação deste trabalho.

Todos os direitos reservados. Nenhuma parte desta publicação pode ser reproduzida, armazenada num sistema de recuperação, ou transmitida, de qualquer forma ou por qualquer meio, eletrônico, mecânico, fotocopiador, de gravação ou outro, sem autorização prévia por escrito, de acordo com as disposições da Lei 9.610/98. Qualquer pessoa ou pessoas que pratiquem qualquer ato não autorizado em relação a esta publicação podem ser responsáveis por processos criminais e reclamações cíveis por danos. Esta editora empenhou-se em contatar os responsáveis pelos direitos autorais de todas as imagens e de outros materiais utilizados neste livro. Se, porventura, for constatada a omissão involuntária na identificação de algum deles, dispomo-nos a efetuar, futuramente, os possíveis acertos.

 SUMÁRIO

Introdução 7-9

A 11-43
B 45-54
C 55-94
D 95-128
E 129-152
F 153-169
G 171-188
H 189-198
I 199-222
J 223-227
L 229-242
M 243-260
N 261-270
O 271-284
P 285-315
Q 317-319
R 321-336
S 337-350
T 351-360
U 361-363
V 365-374
Z 375-376

Linha do Tempo 377-384

INTRODUÇÃO

Winston Churchill foi um dos maiores oradores do século XX e ganhador do Prêmio Nobel. Sua maior realização foi liderar seu país à vitória na 2ª Guerra Mundial, onde seu adversário era outro grande orador, Adolf Hitler. Mas, Churchill não foi fulminante ou esbravejou. Seus grandes discursos em tempos de guerra foram entregues em tons comedidos a uma Câmara dos Comuns silenciosa ou por rádio, transmitidos diretamente para os povos do Império Britânico.

A Segunda Guerra Mundial foi uma terrível conflagração que consumiu a vida de mais de 60 milhões de pessoas. Foi uma guerra de bombas e balas, aeronaves e tanques, aço e sangue. Foi, também, uma guerra de ideologias políticas concorrentes – uma guerra de palavras. E foi por conta das palavras que Churchill foi reconhecido mestre.

Em uma transmissão de 1954, o veterano correspondente estrangeiro, Edward R. Murrow, que cobriu a *Blitz* de Londres para a CBS, disse sobre Churchill: "Ele mobilizou a língua inglesa e enviou-a para a batalha para estabilizar seus compatriotas e animar os europeus, sobre quem a longa noite escura de tirania tinha descido".

Esses sentimentos foram ecoados pelo presidente John F. Kennedy quando fez de Winston Churchill um cidadão honorário dos EUA, em 1963. Assinando a proclamação, disse: "Nos dias escuros e noites mais escuras, quando a Inglaterra ficou sozinha e a maioria dos homens, salve os ingleses, desesperou-se com a vida da Inglaterra – ele mobilizou a língua inglesa e a mandou para a batalha. A qualidade incandescente de suas palavras iluminou a coragem de seus compatriotas".

Após os ataques às torres do World Trade Center, no dia 11 de setembro de 2001, o prefeito de Nova York, Rudolph Giuliani, tirou força das palavras de

Introdução

Churchill. Ele estava lendo a biografia completa de Roy Jenkins, *Churchill: A Life* e, nas primeiras horas de 12 de setembro, voltou para a passagem onde Churchill, que tinha acabado de tornar-se primeiro-ministro, pastoreou seu povo através da Batalha da Grã-Bretanha, oferecendo-lhes nada além de "sangue, labuta, lágrimas e suor".

O domínio da linguagem de Churchill é surpreendente. Ele tinha feito tão mal o colégio que seu pai decidiu que ele estava apto para, apenas, uma carreira – o Exército. Mesmo assim, ele precisou de três tentativas para passar no exame de admissão para o Royal Military College, em Sandhurst. No entanto, depois de se formar no top 20 em uma classe de 130, mudou-se para o jornalismo, cobrindo a guerra de independência de Cuba, da Espanha, para o *Daily Graphic*. Na fronteira noroeste da Índia e com a força expedicionária de *Lord Kitchener* no Nilo, ele via mais serviço como um soldado e um correspondente de guerra. Ele escreveu livros sobre suas experiências, juntamente com um romance chamado *Savrola*.

Durante seu tempo no Exército, Churchill embarcou em um programa de leitura para compensar as deficiências de sua educação. Ele renunciou a seu meio para ganhar a vida por sua caneta, para entrar na política. Perdendo uma eleição em Oldham, em 1899, ele foi cobrir a Guerra Sul-Africana para o *Morning Post*. Rapidamente, ganhou fama por suas ações, incluindo uma ousada fuga depois de ser capturado pelos Bôeres. Voltando à Inglaterra, Churchill ganhou a cadeira parlamentar para Oldham, na eleição de 1900 – e fez £10.000 em suas turnês de escrita e palestra. Escreveu a biografia de seu pai, Lorde Randolph Churchill, em 1906 e *My African Hourney*, em 1908.

Na Câmara dos Comuns, foi reconhecido como o mestre de debate com o discurso definido como seu forte – apesar de um impedimento de fala. Mais tarde, teve suas dentaduras modificadas para manter sua famosa dicção.

No início da Primeira Guerra Mundial, em agosto de 1914, Churchill estava no Ministério da Marinha, mas renunciou em novembro de 1915, após a invasão fracassada de Gallipoli. Ele lutou na Frente Ocidental como tenente-coronel do 6º Fusileiros Reais Escoceses, retornando ao parlamento em junho de 1916 e ao governo em julho de 1917, onde começou o desenvolvimento do tanque. Como ministro da guerra, supervisionou a invasão aliada da nascente União Soviética.

Fora do cargo, na década de 1920, começou a escrever *The World Crisis*, o que lhe rendeu £20.000. Durante a Greve Geral de 1926, editou o *British Gazette*, uma folha de propaganda do governo. Entre 1933 e 1938, produziu uma biografia de seu ilustre ancestral John Churchill, o primeiro Duque de

Introdução

Marlborough, comandante britânico durante a Guerra de Sucessão Espanhola e vencedor em Blenheim, Ramillies e Oudenaarde.

Com a ascensão de Hitler na Alemanha, Churchill tornou-se um crítico vocal de política de apaziguamento de seu próprio governo. Ele pediu o rearmamento, particularmente o acúmulo da Força Aérea Real em face da ameaça da crescente Luftwaffe alemã. Quando o apaziguamento falhou e a Grã-Bretanha foi para a guerra, Churchill foi visto como o único homem que poderia enfrentar a ameaça nazista.

Tem sido frequentemente comentado que seu julgamento era, às vezes, errático, mas o poder de sua oratória reuniu o povo britânico em um momento quando eles pareciam condenados a perder. Então, quando os Estados Unidos entraram na Segunda Guerra Mundial, em dezembro de 1941, ele se dirigiu ao Congresso, enfatizando a necessidade de solidariedade anglo-americana e citando sua própria herança transatlântica: sua mãe era a herdeira de Jenny Jerome, de Nova York. Para ele, o componente vital não era o sangue compartilhado, mas a linguagem compartilhada.

Durante a guerra, o Gabinete Britânico criou um comitê para desenvolver uma forma simplificada de inglês que o mundo inteiro pudesse abraçar.

Embora Churchill tenha caído do poder em 1945, seu comando de retórica estava longe de acabar. Ele cunhou o termo "Cortina de Ferro" em um discurso em Fulton, Missouri, em 1946, marcando o advento da Guerra Fria. Retornando por um clamor popular, ele foi primeiro-ministro mais uma vez, de 1951 a 1955.

Determinando que a história iria julgá-lo favoravelmente, escreveu *The Second World War*, em seis volumes, entre 1948 e 1953. Ele ganhou o Prêmio Nobel de Literatura em 1953. Entre 1956 e 1958, escreveu *A History of the English-Speaking Peoples* que, novamente, enfatizou a importância da língua na política mundial.

Na época de sua morte, em 1965, Churchill tinha provado seu domínio tanto da escrita quanto da fala da língua – não apenas nos palcos de guerra dos pesos pesados e da política. Sua sagacidade única e acidez à parte, fizeram dele um dos mais perspicazes observadores do século XX.

Nigel Cawthorne

A

NUNCA SERÁ O SUFICIENTE ENQUANTO O MUNDO CONTINUA.

A quem muito foi dado, muito será cobrado.

É por isso que a vida é tão interessante.

Commons, 16 de junho de 1926

A Causa

Estamos todos defendendo algo que não digo mais querido, porém maior que um país, ou seja, uma causa. Essa causa é a raiz da liberdade e da justiça; é a causa dos fracos contra os fortes; da lei contra a violência, da misericórdia e da tolerância contra a brutalidade e a tirania severa. Essa é a causa pela qual estamos lutando. Essa é a causa que está se movendo lentamente, dolorosamente, mas, com certeza, inevitável e inexoravelmente para a vitória; e quando a vitória for conquistada, você descobrirá o que é - não direi em um mundo novo, mas em um mundo melhor; você está em um mundo que pode ser mais justo, mais feliz apenas se todos os povos se unirem para fazer a sua parte, se todas as classes e todas as partes se unirem para colher os frutos da vitória enquanto estiverem juntas para suportar, enfrentar, repelir os terrores e ameaças da guerra.

Prefeitura de Bradford, 5 de dezembro de 1942

Se estivermos juntos, nada é impossível. Se estivermos divididos, todos falharão. Por isso, prego, continuamente, a doutrina da associação fraternal de nossos dois povos, não para o propósito de obter vantagens materiais para qualquer um deles, não para engrandecimento territorial ou para a pompa vaidosa de dominação terrena, mas por causa do serviço à humanidade e para a honra que vem para aqueles que servem, fielmente, a grandes causas.

Universidade de Harvard, 6 de setembro de 1943

Nos assuntos diários, comuns da vida, homens e mulheres esperam recompensas por serem bem-sucedidos no esforço e, muitas vezes, isso é certo e razoável. Mas, aqueles que servem a causas tão majestosas e elevadas como as nossas, não precisam de recompensa; nem é esse o nosso objetivo limitado pelo período da vida humana. Se o sucesso vier até nós, em breve, nós seremos felizes. Se nosso propósito for adiado, se formos confrontados por obstáculos e inércia, ainda podemos ser de bom ânimo porque, em uma causa, na justiça que será proclamada pela marcha de eventos futuros e no julgamento de idades mais felizes, teremos cumprido nosso dever, feito o nosso melhor.
The Royal Albert Hall, Londres, 14 de maio de 1947

A Estaca
Se a cooperação entre os Estados Unidos e o Império Britânico na tarefa de extirpar o espírito e o regime da intolerância totalitária, onde quer que seja encontrado, falhar, o Império Britânico, robusto e preparado para o combate, pode, de fato, abrir caminho, preservar a vida e a força de nosso próprio país e de nosso próprio império para a inevitável renovação do conflito em condições piores, depois de tréguas desconfortáveis. Mas, a chance de definir a marcha da humanidade de forma clara e segura ao longo de estradas do progresso humano seria perdida e, talvez, nunca mais retornasse.
Discurso em Londres num Almoço dos Peregrinos, 9 de janeiro de 1941

A Grande Era
Estamos vivendo uma grande era que sempre será lembrada na Grã-Bretanha e nos Estados Unidos por lançar sobre as futuras gerações fardos e problemas sem comparação na história do mundo. Sob as tensões mais severas e sob os testes mais difíceis, ela não se mostrou indiferente a esses problemas. Ao contrário, triunfou sobre eles e, assim, abriu o caminho para o amplo avanço da humanidade para níveis que nunca atingiu e com garantias das quais nunca será privada.
A Cidadela, Quebec, 16 de setembro de 1944

A História Humana
A história humana, nem sempre, se desdobra como um cálculo aritmético no princípio de que dois e dois fazem quatro. Às vezes, na vida, eles fazem

cinco ou menos três; às vezes, o quadro negro cai no meio da soma, deixa a classe em desordem e o pedagogo assustado. O elemento inesperado e o imprevisível dão um pouco do seu prazer à vida e nos salvam de cair no trato mecânico da lógica.

Londres, 7 de maio de 1946

A Humanidade
Sempre fui da opinião que a sorte da humanidade, em sua tremenda jornada, é decidida, basicamente, para o bem ou para o mal – mas, principalmente, para o bem, pois o caminho é ascendente - por seus maiores homens e seus maiores episódios.

Londres, 9 de janeiro de 1941

A Idade Febril
Vivemos em uma idade tão febril e sensacional que apenas um mês ou dois são suficientes para fazer as pessoas não apenas mudarem suas opiniões, mas esquecerem as opiniões e sentimentos com os quais se entreteram antes.

Comuns, 24 de outubro de 1935

A J Balfour
Cargo a qualquer preço era seu lema, no sacrifício de qualquer amigo ou colega, no sacrifício de qualquer princípio, pela adoção de qualquer manobra, por mais miserável ou desprezível.

Comuns, 5 de abril de 1905

O honorável cavalheiro viu as horas passadas na Casa como uma magia sobre a esteira parlamentar e como parte do preço de compra de cargo e poder.

Comuns, 14 de agosto de 1903

A Justiça Primeiro
Devemos ser justos antes de ser generosos.

Belle Vue, Manchester, 6 de dezembro de 1947

A Juventude Não Pode Parar
Aos jovens da América, como aos jovens da Grã-Bretanha, digo: "Vocês não podem parar". Não há lugar de parada neste ponto. Chegamos, agora, a uma fase na jornada em que não pode haver pausa. É preciso seguir em frente. Deve ser a anarquia mundial ou a ordem mundial. Ao longo de toda essa provação e luta que é característica do nosso tempo, vocês encontrarão na comunidade e no Império Britânico bons camaradas, aos quais estarão unidos por outros laços além dos da política de Estado e das necessidades públicas. Em grande medida, são os laços de sangue e da história. Naturalmente, sendo uma criança de ambos os mundos, estou consciente disso.

Universidade de Harvard, 6 de setembro de 1943

A Linha Curzon

> Falamos da Linha Curzon. Uma linha não é uma fronteira. Uma fronteira tem que ser pesquisada e traçada no chão e não apenas colocada em um mapa com um lápis e régua.
>
> *Comuns, 27 de fevereiro de 1945*

Fui censurado por defender, erroneamente, as reivindicações russas para a Linha Curzon. No que diz respeito à Linha Curzon, considero fortemente que esta era uma legítima fronteira russa e que uma Polônia livre deve receber compensação às custas da Alemanha tanto no Báltico quanto no Oeste, indo até mesmo para a linha do Oder e da Neisse Oriental. Se eu e o meus colegas erramos nessas decisões, devemos ser julgados em relação às circunstâncias do conflito terrível em que estávamos envolvidos.

Comuns, 5 de junho de 1946

A Parte da Grã-Bretanha na Europa
Nosso país tem um papel muito importante a desempenhar na Europa, mas não é, assim, um papel tão grande como temos tentado desempenhar e eu defendo, no futuro, um papel mais modesto do que muitos dos preservadores da paz e pacificadores têm procurado nos impor.

Comuns, 13 de abril de 1933

A Queda do Império Italiano
Os eventos na Líbia são apenas uma parte da história: são apenas parte da história do declínio e da queda do Império Italiano, que Gibbon não terá tanto tempo no futuro para escrever como obra original.

Londres, 9 de fevereiro de 1941

A Resolução de Hitler
Herr Hitler não está pensando apenas em roubar os territórios de outras pessoas ou roubando seus bens para o seu pequeno confederado. Digo-lhes, realmente, em que se deve acreditar quando falo que este homem é mau, este aborto monstruoso de ódio e derrota está decidido a eliminar, completamente, a nação francesa e a desintegrá-la de toda a sua vida e futuro.

Londres, 21 de outubro de 1940

A Última Volta
Este é apenas o momento de não afrouxar. Todas as corridas do calendário se mantém, ou quase todos elas, são ganhas na última volta; e é então, quando é mais difícil, quando se está mais cansado, quando o sentido tedioso parece pesar sobre um, quando até mesmo o mais dos cintilante eventos, eventos emocionantes e excitantes são, por assim dizer, sufocados por saciedade, quando as manchetes nos jornais, embora perfeitamente verdadeiras, sucedem uma a outra em sua crescente ênfase e, ainda assim, o final parece recuar diante de nós - como escalar uma colina quando há outro pico além - é nesse exato momento que nós, nesta ilha temos que dar aquele senso extra de esforço, de esforço sem limites, energia inesgotável e dinâmica que temos mostrado, como os registros agora tornados públicos enfatizaram em detalhes. Incansáveis é o que nós temos que parecer agora.

Comuns, 29 de novembro de 1944

Abater
Você não quer abater um homem, exceto por pegá-lo em um melhor estado de espírito.

Ritz-Carlton Hotel, Nova York, 25 de março de 1949

Abismo
Entre nós e os socialistas ortodoxos há um grande abismo doutrinário que boceja e embasbaca-se... Não existe tal abismo entre conservadores e governos nacionais que formei, e os liberais. Quase não há um sentimento liberal que animou os grandes líderes liberais do passado que não herdamos e defendemos.

Londres, 4 de junho de 1945

Abordagens Ocidentais
Devido à ação do Sr. de Valera, muito na variação com o temperamento e instinto de milhares de sul-irlandeses que se apressaram no front de batalha para provar seus valores ancestrais, as abordagens que os portos e os campos de aviações sul-irlandeses poderiam, facilmente ter vigiado, foram destruídos por aeronaves hostis e submarinos. Este foi, realmente, um momento mortal em nossa vida e, se não fosse a lealdade e amizade dos norte-irlandeses, deveríamos ter sido forçados a chegar perto do Sr. De Valera ou perecer, para sempre, na terra. No entanto, com uma contenção e equilíbrio para o qual, eu digo, a história vai encontrar poucos paralelos, o Majestoso Governo nunca colocou uma mão violenta sobre eles, embora, às vezes, teria sido muito fácil e bastante natural, deixamos o governo de Valera brincar com os alemães e, mais tarde, com os representantes japoneses para a alegria de seus corações.

Londres, 13 de maio de 1945

Abundância

A característica marcante do século XX tem sido a enorme expansão nos números que têm a oportunidade de compartilhar na maior e mais variada vida, que em períodos anteriores era reservada a poucos e muito poucos. Esse processo deve continuar a uma taxa crescente. Se quisermos trazer à mesa da abundância as amplas massas populares de todas as terras, só pode ser pela incansável melhoria de todos os nossos meios da produção técnica e pela difusão em todas as formas de educação de uma qualidade melhorada para dezenas de milhões de homens e mulheres.

Instituto de Tecnologia de Massachusetts, Boston, 31 de março de 1949

> Nunca será o suficiente enquanto o mundo continua. A quem muito foi dado, muito será cobrado. É por isso que a vida é tão interessante.
>
> *Comuns, 16 de junho de 1926*

Academia Real

A função da Academia Real é, acho eu, manter um meio-termo entre a tradição e inovação. Sem a arte da tradição é um rebanho de ovelhas sem pastores e, sem inovação, é um cadáver. Não é a função da Academia Real correr, descontroladamente, depois de cada novidade curiosa.

Banquete da Academia Real, Londres, 30 de abril de 1953

Ação

Onde cada passo é repleto de graves consequências e com real perigo para a causa, ações conscientes e comedidas não são meramente prudentes, mas dignas.

Comuns, 22 de fevereiro de 1910

Quando você embarca em um curso de restrição ou opressão, a cautela e a hesitação devem, justamente, impor-se sobre você; mas, quando você está embarcado em um curso de alívio e libertação, avance com coragem.

Comuns, 7 de junho de 1928

Ação de Graças
É um coração pobre que nunca se regozija; mas nossa Ação de Graças, apesar de fervorosa, deve ser breve.

Congresso dos EUA, Washington, DC, 19 de maio de 1943

Acordo Anglo-Italiano
O Acordo, é claro, foi violado em todos os aspectos materiais pela Itália, mas sinto que nada pode ser ganho por uma denúncia com sino, livro e vela nesta conjuntura. Certamente, representa uma sincera, se até então não correspondida, tentativa por parte da Grã-Bretanha de refletir em termos de amizade com a Itália e com o povo italiano no Mar Mediterrâneo.

Comuns, 13 de abril de 1939

Acordo de Yalta
O Acordo que foi feito em Yalta, do qual eu fiz parte, foi extremamente favorável à Rússia soviética, mas foi feito numa época em que não podíamos dizer que a guerra alemã não se estenderia por todo o verão e outono de 1945 e quando era esperado que a guerra japonesa durasse mais 18 meses a partir do fim da guerra alemã.

Westminster College, Fulton, Missouri, 5 de março de 1946

Acordo Naval Anglo-Alemão
Sobre o Acordo Anglo-Alemão, nenhuma condição foi feita, como alguns de nós sugerimos que navios velhos devem ser contados em uma tonelagem menor do que os novos navios na estimativa da tonelagem da construção naval alemã. Se nós mantivermos os *Royals Sovereigns*, a Alemanha teria direito, baseada no Tratado, de construir dois navios de guerra adicionais no período de quatro anos e eles nos pediram para declarar com antecedência, como têm o direito

de perguntar, o que propomos fazer. Prometemos sucatear ou afundar os dois primeiros *Royals Sovereigns* e presumo que não há esperança de resgatar os outros a partir dessa decisão imprudente.

Comuns, 16 de março de 1939

Acordos

É uma espécie de ideia britânica que quando você chega à um acordo, você aceita o bruto com suavidade.

Comuns, 16 de fevereiro de 1948

> Quando um acordo é alcançado, todas as partes são vinculadas a ele, dúvidas anteriores e diferenças de opinião são apagadas e não devem ser citadas. Em cada caminhada da vida, em cada esfera da atividade humana esta é, invariavelmente, a única regra segura e honesta.
>
> Comuns, 5 de março de 1917

Administração Burocrática

A administração burocrática não pode se comparar, em eficiência, à uma gestão bem organizada em empresas privadas. Dizem que a administração por funcionários públicos é a gestão desinteressada. Isso pode ser verdade. Os burocratas não sofrem penalidades por julgamento errado; desde que frequentem seus escritórios pontualmente, façam seu trabalho honestamente e se comportem de maneira educada para com seus mestres políticos, estão seguros em seus empregos e suas pensões. Eles estão completamente desinteressados no julgamento. Mas, o comerciante privado comum, como vocês sabem em suas próprias vidas, enfrenta o empobrecimento ou, talvez, a falência, se não puder medir as coisas dia a dia e aqueles que se mostram incapazes de fazer isso são substituídos por homens e organizadores mais capazes.

Perth, 28 de maio de 1948

Adulação

O reitor mencionou as provações e tribulações pelas quais nós passamos e se referiu à minha contribuição aos nossos esforços durante aquele tempo de uma maneira que nenhum homem jamais viu. Devo, há muito tempo, lembrar-me das palavras eloquentes que usou e espero que não faça nada na vida que ainda me resta para que altere sua opinião.

Universidade de Oslo, 12 de maio de 1948

Adversidade como Estimulante

É inútil dizer que a ameaça de adversidade é um fator necessário para estimular a autoconfiança.

Comuns, 28 de abril de 1925

Advogados

> Não pude deixar de me sentir impressionado com o quão fácil deve ser para um advogado ilustre obter a condenação de um homem inocente.
>
> *Comuns, 30 de março de 1914*

Agressores

Eles [Hitler e Mussolini] não podem seguir seu curso de agressão sem provocar uma guerra geral de devastação sem medidas. Submeter-se às suas invasões seria condenar uma grande parte da humanidade às suas regras; resistir a eles, seja em paz ou em guerra, será perigoso, doloroso e difícil. Não adianta, nesta fase, esconder estes fatos contundentes de qualquer um. Ninguém deveria ir adiante neste negócio sem perceber, claramente, os custos e as questões em jogo.

Corn Exchange, Cambridge, 19 de maio de 1939

Agrupamento

Deixe-me tratar aqui de duas expressões de preconceito que, agora, são usadas em um esforço para evitar que os povos amigos se unam em uma vantagem mútua, sem hostilidade para mais ninguém no mundo. A primeira é a palavra "bloco". Ficar em termos bons, fáceis e simpáticos com seus vizinhos é formar um bloco. Formar um bloco é um crime, de acordo com todo comunista, em todas as terras, a menos que se trate de um bloco comunista. Lá se vai a palavra "bloco". Acontece, também, que estamos intimamente associados aos Estados Unidos. Nós pensamos de forma muito parecida nos grandes problemas mundiais, no dia seguinte da nossa vitória - porque os britânicos e os americanos têm algo a fazer com a vitória. O Secretário de Estado das Relações Exteriores se encontra, com frequência, nestas conferências de acordo com o Sr. Byrnes, assim como meu Honorável Amigo Direito Membro para Warwick e Leamington [Sr. Eden] esteve muitas vezes em acordo com o Sr. Hull, e tal como estava, frequentemente, de acordo com presidente Roosevelt e, depois dele, com o presidente Truman. Agora, todo esse processo, sem o qual posso assegurar aos Membros Honoráveis que não deveríamos estar sentados aqui esta tarde, é para ser condenado e descartado pela expressão "agrupamento". Se dois países que são grandes amigos, concordam em algo que está certo, eles estão "agrupando-se", então, não devem fazer isso. Nós devemos afastar estes termos de preconceito que são utilizados, apenas, para escurecer e que substituem, em certas mentes, os processos ordinários de pensamento e sentimento humano.

Comuns, 5 de junho de 1946

Águia Americana

Não pode ser do interesse da Rússia continuar irritando os Estados Unidos. Não há pessoas no mundo que sejam tão lentas para desenvolver hostis sentimentos contra um país estrangeiro como os americanos e não há pessoas que, uma vez distantes, sejam mais difíceis de ganhar de volta. A águia americana senta-se em seu poleiro, um pássaro grande e forte, com formidável bico e garras. Lá, ela se senta imóvel e o Sr. Gromyko é enviado, dia após dia, para cutucá-la com um pau pontiagudo afiado – agora, seu pescoço, suas asas, suas penas da cauda. O tempo todo, a águia continua bastante quieta. Mas, seria um grande erro supor que nada está acontecendo dentro do peito da águia.

Comuns, 5 de junho de 1946

Ajuda Americana
O presidente e o Congresso dos Estados Unidos, tendo recentemente se fortificado através de ligação com seus eleitores, prometeram, solenemente, sua ajuda à Grã-Bretanha nesta guerra porque eles acham que a nossa causa é justa e porque reconhecem que seus próprios interesses e sua segurança estariam em perigo se fôssemos destruídos. Eles estão se tributando pesadamente. Aprovaram muito bem a legislação. Transformaram uma grande parte de sua gigantesca indústria para fazer as munições de que precisamos. Eles até nos deram ou nos emprestaram suas próprias armas valiosas.

Londres, 27 de abril de 1941

Ajuste de Ideias
Está no bom ajuste das respectivas ideias de coletivismo e individualismo que os problemas do mundo e suas soluções repousam nos anos que estão por vir.

Kinnaird Hall, Dundee, 14 de maio de 1908

Alamein
Dois domingos atrás, todos os sinos tocaram para celebrar a vitória do nosso exército de deserto em Alamein. Foi um episódio marcial na história britânica que merecia um reconhecimento especial. Mas, os sinos também carregavam com seus alegres repiques o fato de que, apesar de todos os nossos erros e deficiências, fomos trazidos mais para perto das fronteiras de libertação. Ainda não chegamos a essas fronteiras, mas estamos tornando-nos cada vez mais habilitados a ter certeza de que os perigos terríveis que poderiam ter apagado nossa vida e tudo o que amamos e prezamos, serão superados e que devemos ser preservados para serviços adicionais na vanguarda da humanidade.

Londres, 29 de novembro de 1942

Alarme

> Nos disseram que não devemos interferir no curso normal do comércio, que não devemos alarmar o eleitor tranquilo e o público. Quão estreitos e insignificantes esses argumentos soarão se formos pegos um ano ou dois daí, gordos, opulentos, de fala livre - e indefesos. Não peço que essas condições de guerra sejam estabelecidas para executar esses programas. Tudo o que peço é que esses programas aos quais o governo tem anexado sua confiança sejam pontualmente executados, o que pode ser a perturbação de nossa vida diária.
>
> *Comuns, 21 de maio de 1936*

Albânia

O que aconteceu com as negociações com a Albânia onde tivemos o assassinato de 40 marinheiros britânicos e grave lesões a outros mais por um estado que temos ajudado e nutrido com nossas melhores habilidades? Isso não é uma questão que pode ser ignorada ou esquecida porque ocorreu em tempo de paz e não pode ser, como foi varrido para o esquecimento, um confuso inventário de lesões humanas e atos errados que foram feitos em ambos os lados no curso da grande guerra.

Comuns, 23 de janeiro de 1948

Quase dois anos se passaram desde que a Albânia, que tínhamos ajudado e nutrido durante a guerra, assassinou mais de 40 marinheiros britânicos, afundando os nossos navios no Canal Corfu. Nem a menor satisfação tem sido obtida pela indignação de ingratidão e traição. Poderia dar-lhes muitos outros exemplos que provam como os direitos e vidas britânicas estão sendo desconsiderados por estados estrangeiros menores, em um grau nunca conhecido antes na história do nosso país.

Luton Hoo, 26 de junho de 1948

Alegria
A sobriedade e a contenção não impedem, necessariamente, as alegres expressões do coração humano.

Comuns, 1º de maio de 1945

Alemanha na Europa
Minha esperança é que a liberdade, civilização liberal e parlamentar democrático ganharão a alma da Alemanha para a Europa, e que as grandes harmonias subjacentes das famílias europeias irão predominar sobre as rixas que, até agora, têm alugado nosso famoso continente e trazido misérias e humilhações, além do poder da estatística para medida ou linguagem a descrever.

Comuns, 28 de outubro de 1948.

Alerta das Sirenes
Não há, realmente, nenhum bom senso em ter esses uivos prolongados das sirenes, duas ou três vezes ao dia, em áreas amplas, simplesmente porque aeronaves hostis estão voando para ou de algum alvo que ninguém pode saber ou até mesmo adivinhar. Todas as nossas normas de precaução têm sido baseadas, até o momento, nesta sirene e devo dizer que se deve admirar a engenhosidade daqueles que a conceberam como um meio de difundir o alarme. De fato, a maioria das pessoas, agora, vê como Ulisses foi muito sábio quando tapou os ouvidos de seus marinheiros das canções de sereias e amarrou-se, firmemente, ao mastro do dever.

Comuns, 5 de setembro de 1940

Aliança com a América
Faria um à parte, por um momento, para enfatizar quão perfeita é a cooperação entre os comandantes dos exércitos britânico e americano. Nada como isso foi visto antes entre os aliados. Sem dúvida, a língua é uma grande aliada, mas há mais do que isso. Em todas as alianças anteriores, os funcionários trabalhavam com números opostos em cada departamento e cargo, mas a África General Eisenhower desenvolveu um staff uniforme, onde cada lugar estava cheio dos melhores homem e todos eles ordenavam uns aos outros de acordo com sua patente, sem a menor consideração a que país pertenciam. A mesma unidade e fraternidade está sendo instituída aqui através das forças que estão se reunindo neste país e, não tenho dúvida de que foi o achado mais útil e único em toda a história de alianças.

Comuns, 22 de fevereiro de 1944

Aliança contra Agressores
Vamos, portanto, fazer tudo ao nosso alcance para adicionar nossa força e usar essa força com o propósito de ajudar a reunião das nações com base na Sociedade das Nações. Sobre a rocha da sociedade, muitas nações, grandes e pequenas, estão se estabelecendo constante e rapidamente juntas. Apesar das decepções do passado, apesar de muitas dúvidas, dificuldades e ridicularizações, esse processo continua e essas nações estão soldando-se no que, algum dia, será uma aliança formidável, mas benigna, prometendo resistir à maldade e à violência de um agressor.

Comuns, 4 de março de 1937

Alianças
Quando se olha para as desvantagens nas alianças, não se deve esquecer o quão superiores são as vantagens.

Comuns, 21 de setembro de 1943

Alimentos em Guerra
Muitos dos alimentos mais valiosos são essenciais para a fabricação de materiais vitais de guerra. As gorduras são usadas para fazer explosivos. As batatas fazem o álcool para a alma dos motores. Os materiais plásticos, tão amplamente utilizados na

construção de aeronaves, são feitos de leite. Se os alemães utilizam estas commodities para ajudá-los a bombardear nossas mulheres e crianças, em vez de alimentar as populações que as produzem, podemos ter certeza de que os alimentos importados seguem o mesmo caminho, direta ou indiretamente, ou seriam empregados para aliviar o inimigo das responsabilidades que assumiu tão despropositadamente.

Comuns, 20 de agosto de 1940

Alma do Homem

> As leis justas ou injustas podem reger as ações dos homens. Tiranos podem restringir ou regulamentar suas palavras. A maquinaria da propaganda pode embalar suas mentes com falsidade e negar-lhes a verdade por muitas gerações. Mas, a alma do homem mantida em transe ou congelada em uma longa noite pode ser desperta por uma centelha vinda de Deus e, em um momento, toda a estrutura de mentiras e opressão cai em julgamento para sempre.
>
> *Instituto de Tecnologia de Massachusetts, Boston, 31 de março de 1949*

Almirante Tojo

As reverberações dos acontecimentos no Japão, a sensação de fraqueza crescente no mar e no ar, o sentido da vã dispersão de suas forças e de tribulação econômica em casa produziram a queda do Almirante Tojo, o principal líder de guerra do Japão, cujo cúmplice e colega próximo, o Almirante Yamamoto, declarou, em uma ocasião, que ditaria seus termos de paz para os Estados Unidos, em Washington. Não é fácil medir o caráter das forças sísmicas que produziram notável convulsão política e militar no Japão, mas, dificilmente, poderá surgir uma convicção entre os japoneses de que o programa do Almirante Yamamoto está sendo realizado tão plenamente quanto ele e o Almirante Tojo esperavam. Devo repetir que sou, cada vez mais, levado a acreditar que o intervalo entre a derrota de Hitler e a derrota do Japão será mais curto – talvez, muito mais curto - do que alguma vez havia suposto.

Comuns, 2 de agosto de 1944

Alternativas

As perguntas que têm que ser resolvidas, nem sempre, são perguntas entre o que é bom e ruim; muitas vezes, é uma escolha entre duas alternativas muito terríveis.

Comuns, 10 de dezembro de 1948

Amanhecer de 1943

O amanhecer de 1943, logo, parecerá vermelho diante de nós e devemos nos preparar para lidar com as provações e problemas do que deve ser um austero e terrível ano. Façamos com a garantia de uma força cada vez maior, como uma nação com uma vontade forte, um coração corajoso e uma boa consciência.

Londres, 29 de novembro de 1942

Ambições

Na minha vida não tenho ambições pessoais, nem futuro para sustentar. Sinto que posso dizer, sinceramente, que só quero fazer o meu dever por toda nação e império britânico, desde que seja pensado para ser de qualquer uso para isso.

BBC, 21 de março de 1943

Ambos

Algumas pessoas dizem: "Confie na Liga das Nações". Outros dizem: "Confie no rearmamento britânico". Eu digo que queremos os dois. Coloquei a minha confiança em ambos.

Comuns, 24 de outubro de 1935

América e Europa

Duas vezes em minha vida, o longo braço do destino alcançou através dos oceanos e envolveu toda a vida e masculinidade dos Estados Unidos em uma luta mortal. Não adianta dizer: "Nós não queremos isso; nós não vamos tê-lo: nossos antepassados deixaram a Europa para evitar essas discussões; nós fundamos um novo mundo que não tem contato com o velho". Isso não serviu de nada. O longo braço estende-se sem remorsos e a existência, o ambiente e as perspectivas de todos passam por uma mudança rápida e irresistível.

Universidade de Harvard, 6 de setembro de 1943

Neste ponto, devo recorrer aos Estados Unidos, com quem nossas fortunas e interesses estão entrelaçados. Estava arrependido que o honorável membro da Nelson e Colne [Sr. S Silverman], que vejo em seu lugar, disse algumas semanas atrás que eles eram "agiotas pobres". Isso não serve ao nosso país, nem é verdade. Os americanos levaram pouco quando emigraram da Europa, exceto o que eles levantaram e o que eles tinham em suas almas. Eles vieram, domaram o deserto, tornaram-se o que o velho John Bright chama de "um refúgio para os oprimidos de cada terra e clima". Eles se tornaram, hoje, a maior e mais poderosa nação do mundo falando a nossa própria língua, apreciando nossa lei comum e perseguindo, como o nosso grande dominador, em princípio amplo, os mesmos ideais.

Comuns, 28 de outubro de 1947

Devo prestar meu tributo ao Exército dos Estados Unidos, não só em suas qualidades dignas de batalha, valentes e implacáveis, mas, também, na habilidade de seus comandantes e na excelência de seus arranjos de fornecimento. Quando alguém lembrar-se de que os Estados Unidos, quatro ou cinco anos atrás, eram um amante da paz, sem qualquer grande quantidade de tropas, munições e com apenas um pequeno exército regular para estabelecer seus comandantes, a realização americana é realmente incrível. Após o intenso treinamento que eles receberam por quase três anos ou por mais de três anos, em alguns casos, suas tropas são, agora, compostas de soldados profissionais regulares cujas qualidades militares estão fora de qualquer comparação com taxas de guerra levantadas às pressas.

Comuns, 28 de setembro de 1944

América e Grã-Bretanha

> Sempre achei que deveria ser o fim da principal diplomacia inglesa, durante um longo período de anos, cultivar boas relações com os Estados Unidos.
>
> *Comuns, 22 de junho de 1903*

Sem dúvida, este processo [cinquenta *destroyers* americanos entregues à Grã-Bretanha] significa que essas duas grandes organizações democráticas de língua Inglesa – o império britânico e os Estados Unidos – terão que ser um pouco misturados em alguns de seus assuntos para uma vantagem mútua e geral. De minha própria parte, olhando para o futuro, não vejo o processo com quaisquer dúvidas. Não poderia pará-lo, se quisesse – ninguém pode pará-lo. Como o Mississipi, continua rolando. Deixe-o rolar! Deixe-o rolar em pleno dilúvio, inevitável, irresistível, benigno para terras mais amplas e dias melhores.

Comuns, 20 de agosto de 1940

Amizades

Aqui, neste país, o precursor de todas as concepções democráticas e parlamentares dos tempos modernos, nós, neste país, somos muito velhos no jogo da difícil luta político-partidária, aprendemos como levar adiante e debater grandes questões políticas ferozmente disputadas sem o rompimento de amizades pessoais e privadas.

Comuns, 9 de novembro de 1944.

Anel da Desgraça

Eu sempre esperei que essa guerra se tornasse pior em gravidade, pois os nazistas culpados sentem o anel da desgraça sem se aproximar deles.

Usher Hall, Edimburgo, 12 de outubro de 1942

Aneurim Bevan
Deveria acreditar não ser possível afirmar o oposto da verdade com mais precisão. Eu apoio aqueles que buscam estabelecer a democracia e a civilidade. O Membro Honorável deve aprender a receber tão bem como doar. Não há ninguém mais isento com interrupções, provocações e piadas do que ele. Eu o vi – o ouvi, não o vi – quase atacando algumas das figuras veneráveis em posição logo abaixo dele. Ele não precisava irritar-se porque a Casa ria dele: devia estar satisfeito quando eles só riam dele.

Comuns, 8 de dezembro de 1944

Animais, Mar e Terra
É difícil fazer com que os russos compreendam todos os problemas do mar e do oceano. Somos animais marinhos e os Estados Unidos são, em grande parte, animais oceânicos. Os russos são animais terrestres. Felizmente, nós três somos animais aéreos. É difícil explicar todas as diferentes características do esforço de guerra de vários países, mas tenho certeza de que nós fizemos seus líderes sentirem confiança em nossa determinação leal e sincera para vir em sua ajuda o mais rápido possível e da maneira mais eficaz, sem levar em conta as perdas ou sacrifícios envolvidos, desde que a contribuição fosse para a vitória.

Comuns, 8 de setembro de 1942

Ansiedades
Temos muitas ansiedades e uma cancela a outra com muita frequência.

Comuns, 22 de setembro de 1943

Antes da Batalha
Nessa suprema emergência, não hesitaremos em dar todos os passos, mesmo o mais drástico, para chamar nosso povo à última gota e ao último centímetro de esforço do qual ele é capaz. Os interesses da propriedade, as horas de trabalho, não são nada em comparação com a luta pela vida e honra, pelo direito e pela liberdade, aos quais nos comprometemos.

Londres, 19 de maio de 1940

Anthony Eden
Ele é a única figura fresca da primeira magnitude surgida de uma geração que foi assolada pela guerra.

Comuns, fevereiro de 1938

Aqui é o momento em que a Casa deve prestar sua homenagem ao trabalho de meu Honorável Amigo, o Ministro das Relações Exteriores. Não posso descrever para a Casa a ajuda e o conforto que ele tem sido para mim em todas as nossas dificuldades. Sua vida difícil, quando muito jovem na infantaria, na última guerra, sua constante autopreparação para as tarefas que lhe couberam, sua inigualável experiência como ministro no Ministério das Relações Exteriores, seus conhecimentos sobre sua história passada, sua experiência em conferências de todos os tipos, sua amplitude de visão, seus poderes de exposição, sua coragem moral ganharam, para ele, uma posição ímpar entre os Secretários das Relações Exteriores da Grande Aliança. Não é apenas a minha dívida pessoal, mas, mais ainda, da Casa para com ele, que agora reconheço.

Comuns, 27 de fevereiro de 1945

Anticomplacência
Todas as desvantagens não estão de um lado e, certamente, elas não estão todas ao nosso lado. Eu acredito que está de acordo com os padrões de opinião anticomplacente neste país.

Comuns, 11 de fevereiro de 1943

Antiguidades
Na legislação de um país, é importante estabelecer uma distinção clara entre arte e luxo, entre a obra de arte – "uma coisa de beleza e uma alegria para sempre" – e um mero artigo consumível de indulgência ou ostentação.

Comuns, 26 de abril de 1926

Apaziguamento
O apaziguamento pode ser bom ou ruim de acordo com as circunstâncias. Apaziguamento da fraqueza e do medo é igualmente inútil e fatal. Apaziguamento

da força é magnânimo, nobre e pode ser o mais seguro, talvez, o único caminho para a paz mundial. Quando nações ou indivíduos ficam fortes, muitas vezes, são truculentos e intimidadores, mas, quando eles são fracos, tornam-se mais bem educados. Mas, este é o inverso do que é saudável e sábio.

Comuns, 14 de dezembro de 1950

Aposentadoria

> Seria fácil para mim me aposentar graciosamente em um odor de liberdade cívica.
>
> *Brighton, 7 de setembro de 1946*

Aquartelamento

Devo dizer que não me lembro de nenhum homem público encarregado de uma missão de alta importância deste país ser aquartelado de sua terra natal – sem querer, posso muito bem acreditar – na medida em que me aconteceu durante esta visita aos Estados Unidos; e somente minha confiança inabalável nos laços que me ligam à massa do povo britânico me apoiou naqueles dias de julgamento.

Comuns, 2 de julho de 1942

Aquisições Territoriais

Temos tudo o que queremos no território, mas nossa reivindicação de sermos deixados em inquestionável usufruto de posses vastas e esplêndidas, em grande parte mantidas à força, é aquela que, muitas vezes, parece menos razoável para os outros do que para nós.

Comuns, 17 de março de 1914

Argentina durante a Guerra

Todos nós sentimos profundo pesar e ansiedade, como amigos da Argentina, que neste tempo de teste para nações, ela não tenha visto-se apta para tomar seu lugar, sem reserva ou qualificação, ao lado da liberdade e optou por brincar com o mal, não só com o mal, mas com o lado perdedor. Confio que as minhas observações serão notadas porque esta é uma guerra muito séria. Não é como algumas pequenas guerras do passado, onde tudo poderia ser esquecido e perdoado. Nações devem ser julgadas pelo papel que desempenham. Não somente as beligerantes, as neutras descobrirão que sua posição no mundo não pode permanecer totalmente intacto pelo papel que escolheram desempenhar na crise da guerra.

Comuns, 2 de agosto de 1944

Argumentos
O honorável e aprendiz de cavalheiro [O Procurador Geral, Senhor Hartley Shawcross] pode balançar a cabeça até que ela caia, mas isso não afeta o argumento.

Comuns, 15 de julho de 1948

A visão alemã de que Herr Hitler compartilha uma Alemanha e uma Áustria pacíficas caíram em 1914 por um bando de nações malfeitoras, encabeçadas pela Bélgica e pela Sérvia, e teriam se defendido com sucesso se não tivessem sido apunhaladas pelas costas pelos judeus. Contra tais opiniões, é inútil argumentar.

Londres, 28 de abril de 1939

Parece-me – e tenho uma longa experiência na Câmara – que argumentos falsos, muito raramente, entram em debate. [Um membro honorável: "Você está usando-os agora."] Eu sempre tento economizar o uso de falso argumento tanto quanto possível, porque falso argumento é tantas vezes detectado e sempre repele qualquer ouvinte que já não é um partidário convencido e entusiasmado.

Comuns, 28 de abril de 1926

Aritmética

Não permitiremos qualquer preconceito contra personalidades individuais engajadas neste conflito [Greve Geral] para complicar nossa tarefa. Mas, você não pode nos questionar por tomarmos partido contra aritmética.

Comuns, 31 de agosto de 1926

Armageddon

> Quando um continente inteiro está se armando febrilmente, quando nações poderosas estão deixando de lado cada forma de facilidade e conforto, quando dezenas de milhões de homens e armas estão sendo preparados para a guerra, quando populações inteiras estão sendo levadas para a frente ou conduzidas para a frente em condições de excepcional pressão, quando as finanças dos ditadores mais orgulhosos estão na mais desesperadora condição, você pode ter certeza de que todos os seus programas tão tardiamente adotados serão, de fato, executados a tempo?
>
> *Comuns, 4 de março de 1937*

Armamento Aéreo Alemão

Aqui, mais uma vez, o mistério envolve todos os preparativos alemães. Em vários pontos fatídicos que permitem ter uma visão geral. Enormes somas de dinheiro estão sendo gastas na aviação alemã e em outros armamentos. Eu gostaria que pudéssemos chegar aos números que estão sendo gastos em armamentos. Acredito que nos desconcertariam com a terrível história que contariam da imensa panóplia que aquela nação de quase 70.000.000 de pessoas está assumindo ou já assumiu.

Comuns, 19 de maio de 1935

Armamentos

Ninguém mantém os armamentos por diversão. Eles os mantêm por medo.

Comuns, 23 de novembro de 1945

Eu não sou entendido para dizer que as possibilidades de uma guerra gigantesca estão mais perto, mas a posição real da Grã-Bretanha é muito menos satisfatória do que era há 20 anos, pois, pelo menos, tivemos um suprema frota; ninguém poderia chegar a nós nesta ilha e tivemos amigos poderosos no continente europeu que, provavelmente, estariam envolvidos em qualquer briga antes de nós. Mas, hoje, com nossa aviação em sua condição atual, nós estamos em uma posição muito pior. A Conferência de Desarmamento foi realizada ano após ano e se tornou cansativa. Ela não deve mais atrasar nossa tomada de medidas necessárias para nós mesmos.

Comuns, 13 de julho de 1934

Se você deseja desarmamento, será necessário ir atrás das causas políticas e econômicas que estão por trás da manutenção de exércitos e marinhas. Há sérios perigos políticos e econômicos no momento e antagonismos que não são, de forma alguma, atenuados.

Comuns, 13 de maio de 1932

Costumava-se dizer que os armamentos dependem da política. Nem sempre é verdade, mas acho que nesta conjuntura é verdade dizer que a política depende, para uma grande extensão, de armamentos. É verdade dizer que chegamos a uma posição onde a escolha da política é ditada por considerações de defesa.

Comuns, 2 de maio de 1935

Armamentos Aéreos

Armamentos aéreos não são expressos apenas pelos esquadrões aéreos existentes ou pelos aviões que foram feitos; eles não podem ser considerados separados da capacidade de fabricação. Se, por exemplo, havia dois países que tinham 1.000 aviões de primeira linha cada um, mas um dos quais tinha o poder de fabricar à taxa de 100 por mês e o outro à taxa de 1.000 por mês, é perfeitamente claro que a paridade aérea não existiria entre esses dois países por muito tempo.

Comuns, 31 de maio de 1935

Armas

Há uma característica geral que tem surgido na luta na Normandia para a qual devo chamar a atenção da Casa. Não há uma nova arma ou um tipo de munição sendo utilizada pelo inimigo. Eles não trouxeram nada de novo até agora, enquanto nós colocamos em operação, pela primeira vez, o tanque Sherman acrescido de 17 libras, o último tanque Churchill e o novo tanque Cromwell, e temos, também, uma série de variantes de grande engenhosidade interessantes, que não posso contar à Casa hoje, porque não sabemos se os inimigos tiveram a oportunidade de testá-las e degustá-las. Apenas quando souber o que eles sabem, os segredos poderão ser desvendados. Tem que ter muito cuidado porque as pessoas desaprovam muito se alguma coisa é revelada, parece tirar qualquer oportunidade que nossas tropas possam desfrutar neste país e com os nossos Aliados.

Comuns, 2 de agosto de 1944.

Não devemos, em nenhuma circunstância, permitir estas tendências favoráveis para enfraquecer nossos esforços, para nos levar a supor que nossos perigos já passaram ou que a guerra está terminando. Pelo contrário, devemos esperar que o terrível inimigo, o qual temos ferido tanto, fará esforços frenéticos para retaliar. Os discursos dos líderes alemães, de Hitler para baixo, contêm misteriosas alusões a novos métodos e a novas armas que serão testadas contra nós. Seria, é claro, natural para a inimigo espalhar tais rumores a fim de incentivar seu próprio povo, mas, provavelmente, há mais do que isso.

Comuns, 21 de setembro de 1943.

Armas atômicas

Às ameaças de sangue que a propaganda alemã tem utilizado para manter o espírito do seu povo e de seus pelotões, foram acrescentadas às afirmações mais absurdas sobre os resultados do primeiro uso da arma secreta. Eu não minimizo nada, asseguro à Casa, mas acho certo corrigir esses absurdos dando alguns fatos e números cujos conhecimentos farão muito pouco bem ao inimigo, na minha opinião e na opinião de meus assessores. Entre 100 e 150 bombas voadoras, cada uma pesando cerca de uma tonelada, estão sendo descarregadas, diariamente, e assim têm sido descarregadas na última quinzena, mais ou menos, dos pontos de tiro na França. Considerando o modesto peso e o pequeno poder de penetração dessas bombas, os danos que têm feito por explosão têm sido extensos. O que não pode, de forma alguma, ser comparado à terrível destruição pôr fogo e altos explosivos com os quais temos atacado em Berlim, Hamburgo, Colônia, em dezenas de outras cidades alemãs e em outros pontos de produção da guerra na Alemanha.

Comuns, 6 de julho de 1944

Armas Atômicas

A Idade das Trevas pode voltar – a Idade da Pedra pode retornar nas asas brilhantes da ciência; o que, agora, pode derramar bênçãos materiais incomensuráveis sobre a humanidade pode, até mesmo, causar sua destruição total. Cuidado, digo! O tempo pode ser curto.

Fulton, Missouri, 5 de março de 1946

Armistício

Um quarto de século atrás... a Câmara, quando ouviu isso... os termos de armistício, não se sentia inclinada ao debate ou ao assunto, mas desejava oferecer graças a Deus Todo-Poderoso, ao Grande Poder que parece moldar e projetar as fortunas das nações e o destino do homem; e, portanto... peço "Que a Casa, agora, participe da igreja de Santa Margarida, Westminister, para agradecer, humildemente e reverentemente, a Deus Todo-Poderoso

pela nossa libertação da ameaça de dominação alemã." Este é o movimento idêntico que foi movido em tempos anteriores.
Comuns, 8 de maio de 1945

Arregimentação
Eu os previno solenemente que, se vocês se submeterem à compulsão e à arregimentação totalitária de nossa vida e trabalho nacional, uma perspectiva quase sem medida de miséria e tribulação, um padrão de vida mais baixo será o primeiro resultado, a fome o segundo e uma dispersão ou morte de uma grande proporção de nossa população, a terceira.
Palácio Blenheim, 16 de agosto de 1947

Arrumação

> A arrumação é uma virtude, a simetria é, muitas vezes, uma constituinte da beleza.
> Comuns, 22 de outubro de 1945

Artesanato
Artesanato é comum tanto à habilidade quanto ao engano.
Comuns, 11 de novembro de 1947

Ás
Estou horrorizado ao saber que o Ministério da Marinha propõe acabar com os cinco navios de guerra de 15 polegadas, da classe Soberano Real, um em 1942, um em 1943 e o resto, suponho, no ano seguinte. A Câmara, dificilmente, se reunirá a partir da frase eufemística empregada pelo Secretário Parlamentar – "substituição" – que esses dois navios devem ser destruídos. Isso não nos diz o que seria de esperar, que até que os novos navios estejam disponíveis, os antigos serão mantidos na reserva. Em outros dias, costumava dizer que, quando o ás está fora, o rei é a melhor carta.
Comuns, 16 de março de 1939

As Duas Esperanças do Inimigo
O inimigo tem duas esperanças. A primeira é que, ao prolongar a luta, pode desgastar nossa resolução; a segunda, e mais importante, a esperança é que surgirá a divisão entre as três grandes potências por quem é assaltado e cuja união contínua significa a sua desgraça. A sua esperança poderá abrir alguma fenda nesta Aliança; que os russos possam ir por este caminho, os britânicos e americanos, talvez, possam brigar sobre os Balcãs ou o Báltico, sobre a Polônia ou Hungria, o que prejudicaria a união dos nossos conselhos e, consequentemente, a simetria e o momento do nosso avanço convergente. Há a grande esperança do inimigo. E, para despojar essas esperanças é que nossos esforços devem ser, necessariamente, redobrados.

Comuns, 27 de outubro de 1944

Assembleia Feudal
Talvez, não seja surpreendente em um país tão afeiçoado à tradição, tão orgulhoso de continuidade, como nós, que uma assembleia feudal de pessoas tituladas, com tanto tempo de história e tantos nomes famosos, devesse ter sobrevivido para exercer uma influência nos assuntos públicos do momento. Com frequência, vemos que na Inglaterra as antigas formas são, reverentemente, preservadas após as forças pelas quais são sustentadas, os usos a que foram aplicadas, os perigos contra os quais foram projetadas, faleceram.

Norwich, 26 de julho de 1909

Associação Fraterna
O desenho da associação fraterna dos povos britânicos, americanos e de todos os povos do mundo anglófono pode, muito bem, ser considerado como a melhor coisa que aconteceu para nós e para o mundo neste século de tragédia e tempestade.

Dorchester Hotel, Londres, 4 de julho de 1950

Assuntos Estrangeiros
Meu conhecimento, tal como é, não deriva, principalmente, de livros e documentos sobre assuntos estrangeiros, mas de viver através deles, por um longo tempo.

Comuns, 11 de maio de 1953

Ataque à Iugoslávia
Uma jiboia, que já havia coberto sua presa com sua saliva suja e, de repente, se a tivesse engolido em suas mandíbulas, estaria em um amável humor comparado a Hitler, Goering, Ribbentrop e ao resto da gangue nazista quando experimentaram esta amarga decepção. Uma desilusão assustadora de vingança foi prometida contra os eslavos do sul. Rápida, talvez, apressadamente foram feitas disposições das forças alemãs e da diplomacia. A Hungria recebeu grandes ganhos territoriais para se tornar cúmplice da agressão a um vizinho amigável com quem tinha acabado de assinar um solene pacto de amizade e não-agressão. Conde Teleki preferiu tirar sua própria vida em vez de se unir a tal ato de vergonha. Um forte movimento de avanço dos exércitos alemães, já reunidos e dominando a Áustria, foi posto em marcha através da Hungria para a fronteira norte da Iugoslávia. Um uivo feroz de ódio do supremo canalha foi o sinal para a real invasão. A desprotegida cidade de Belgrado foi colocada em cinzas e, ao mesmo tempo, um tremendo movimento das forças blindadas alemãs, as quais tinham sido tão improvidentemente permitidas reunir-se na Bulgária, lançaram-se para o oeste, para o sul da Sérvia. E como não valia mais a pena manter a farsa do amor pela Grécia, outras forças poderosas caminharam para a Grécia, onde não encontraram hesitação e sofreram uma repulsa sangrenta nas mãos daquele exército heroico. Até o momento, as tropas britânicas e imperiais não foram engajadas. Além disso, não posso tentar carregar o fardo.

Comuns, 9 de abril de 1941

Atravessar o Chão
Sou um defensor convencido do sistema partidário em detrimento ao sistema de grupo. Tenho visto muitos parlamentos sérios e ardentes destruídos pelo sistema de grupo. O sistema partidário é muito favorecido pela forma oblongada da câmara. É fácil para um indivíduo percorrer essas gradações insensíveis da esquerda para a direita, mas o ato de atravessar o chão é o que requer séria consideração. Estou bem informado sobre este assunto, pois realizei esse processo difícil, não só uma, mas duas vezes.

Comuns, 28 de outubro de 1943

Atrito
É no arrastar-se para fora da guerra a enormes custos, até que as democracias estejam cansadas, entediadas ou divididas, que as principais esperanças da Alemanha e do Japão devem, agora, residir. Devemos destruir essa esperança, como destruímos tantas outras e, para esse propósito, devemos tomar cuidado com todos os tópicos, até com os mais atraentes, e com todas as tendências, mesmo com as mais naturais, para que não desviem nossas mentes e energias desse objetivo supremo da vitória geral das Nações Unidas. Pela singularidade de propósitos, pela firmeza de conduta, pela tenacidade e resistência que mostramos até agora - por estes e, somente por estes, podemos cumprir nosso dever para o futuro do mundo e para o destino do homem.
Congresso, Washington, 19 de maio de 1943

Atrocidades
O marechal-de-campo *Goering* – um dos poucos alemães que se divertiram bastante nos últimos anos – diz que fomos poupados, até agora, porque a Alemanha nazista é muito humana. Eles não suportam fazer algo para machucar alguém. Tudo o que eles pedem é o direito de viver, conquistar e matar os fracos. Sua humanidade os proíbe de aplicar severidades aos fortes. Pode ser verdade, mas, quando nos lembramos das atrocidades bestiais que cometeram na Polônia, não sentimos que desejamos pedir algum favor. Cumpriremos nosso dever enquanto tivermos vida e força.
Comuns, 8 de novembro de 1939

Austeridade
Não é hora de facilidade e conforto. É hora de ousar e suportar.
Manchester, 27 de janeiro de 1940

Autarquia
Se os franceses acordassem amanhã e descobrissem que todo o resto do mundo tinha afundado no mar, que eles estavam sozinhos, poderiam ter uma vida muito boa em seu solo fértil. Mas, se a Grã-Bretanha acordasse amanhã e não encontrasse nada além de água salgada no resto do globo, cerca de um terço da população desapareceria.
Prefeitura de Leeds, 4 de fevereiro de 1950

Autocracia

> Há um profundo bom senso na raça inglesa e eles têm todo tipo de maneiras, como tem sido mostrado no passado, de resistir e limitar a imposição da autocracia estatal.
>
> *Usher Hall, Edimburgo, 14 de fevereiro de 1950*

Autoria

Escrever um livro foi uma aventura. No começo, era como uma brincadeira, diversão; tornou-se uma amante, um mestre e, então, um tirano.

Londres, 2 de novembro de 1949

Autoridade

Concordo, plenamente, que a autoridade civil tem autoridade suprema sobre os militares.

Comuns, 31 de outubro de 1950

Autossuficiência

Não há chance alguma de tornar as pessoas autossuficientes confrontando-as com os problemas e com as provações além de sua capacidade de superação. Você não torna um homem autossuficiente ao esmagá-lo com um rolo compressor.

Norwich, 26 de julho de 1909

Avalanche Alemã

Mais de um milhão de soldados alemães, incluindo todas as suas divisões ativas e divisões blindadas, estão prontas para atacar ao longo das fronteiras de Luxemburgo, da Bélgica e da Holanda. A qualquer momento, esses países neutros podem ser submetidos a uma avalanche de aço e fogo; a decisão repousa nas mãos de um assombrado, mórbido ser que, para a vergonha eterna, as pessoas alemãs têm adorado como um deus.

Londres, 30 de março de 1940

B

AGORA É ISSO, NÃO O FIM.

Não é, sequer,
o início do fim.

Mas é, talvez,
o fim do começo.

Mansion House, Londres, 10 de novembro de 1942

Bandeira da Liberdade
Sobre a Grã-Bretanha caiu a orgulhosa responsabilidade, porém, terrível, de manter a Bandeira da Liberdade voando no Velho Mundo até que as forças do Novo Mundo pudessem chegar. Mas, agora o tornado já se foi. O trovão dos canhões cessou, o terror dos céus acabou, os opressores foram expulsos e destruídos, nos vemos sem fôlego, mas ainda vivos, exaustos, mas livres. O futuro está diante de nós para criar ou estragar.

Bruxelas, 16 de novembro de 1945

Barbárie
Maldade, grandeza, panóplia, conflito aparentemente triunfante, lança sua sombra sobre a Europa e Ásia. Leis, costumes e tradições são rompidos. A justiça é tirada de seu lugar. Os direitos dos fracos são pisoteados. As grandes liberdades das quais o presidente dos Estados Unidos falou tão comoventemente são rejeitadas e acorrentadas. Toda a envergadura do homem, sua genialidade, sua iniciativa e sua nobreza são abatidas sob sistemas de barbárie mecânica, de terror organizado e programado.

Londres, 16 de junho de 1941

Bases Americanas
O governo de Sua Majestade está totalmente disposto a conceder instalações de defesa para os Estados Unidos em uma base de arrendamento de

99 anos e temos certeza de que os nossos interesses, não menos do que os deles, e os interesses das próprias colônias, do Canadá e Terra Nova serão servidos assim.

Comuns, 20 de agosto de 1940

Batalha

> Muitas vezes, pensei que, às vezes, não é prudente que os generais tentem prever, com exatidão, o que acontecerá depois de uma batalha travada. Uma batalha paira como uma cortina do outro lado do futuro. Uma vez que essa cortina é levantada ou rasgada, todos podemos ver como o cenário fica organizado, quais atores são deixados em cena e como eles parecem relacionar-se uns com os outros.
>
> *Comuns, 31 de outubro de 1944*

Batalha da Grã-Bretanha
Os três grandes dias - 15 de agosto, 15 de setembro e 27 de setembro - provaram a todo o mundo que aqui em casa, sobre nossa própria ilha, temos o domínio aéreo. Isso é um fato tremendo. Marca o estabelecimento do cargo [de Chefe do Estado Maior], o qual foi ocupado com tanta distinção nos últimos três anos pelo Senhor Cyril Newall, e nos permite registrar nossa admiração pelos serviços que tem prestado. Também, marca a assunção de novas e imensas responsabilidades do Senhor Charles Portal, um oficial que, ouvi de todas as fontes e todos os lados, comanda com apoio entusiasmado e confiança da Força Aérea Real.

Comuns, 8 de outubro de 1940

Batalha da Tunísia
De fato, é notável que os alemães tenham mostrado estar preparados para correr o risco e pagar o preço exigido por sua luta para segurar a ponta tunisiana. Embora, sempre hesite em dizer qualquer coisa que depois possa parecer excesso de confiança, não posso resistir à observação de que, nesta política parece existir o toque da mão mestra, a mesma mão que planejou o ataque a Stalingrado e que trouxe sobre os exércitos alemães o maior desastre que já sofreram em toda sua história militar.

Comuns, 11 de fevereiro de 1943

Batalha de Spion Kop
Há mais ou menos três anos, eu estava presente na batalha de Spion Kop e o fato que me impressionou foi que a sorte nas batalhas dependia de pequenas bagatelas. Tivesse havido, na manhã da batalha de Spion Kop, alguns bons mapas do país com as tropas, elas poderiam tomar uma posição sobre o Spion Kop quase tão inexpugnável quanto a que aceitaram que era insustentável. A colina foi mantida o dia todo com um grande sacrifício de vidas e se houvesse um pouco de óleo para trabalhar as lâmpadas de sinalização durante à noite, de modo que as comunicações pudessem ser mantidas entre a sede do Senhor Charles Warren e o Coronel Thorneycroft na colina, esse sacrifício poderia ter vantagens e os reforços seriam enviados para cima. Eu estava muito, muito impressionado com isso.

Comuns, 24 de fevereiro de 1903

Bater à Porta
No momento atual - confio em um momento muito fugaz - "policiais do governo" fazem suas regras num grande número de países. É o caso dos odiosos 18B, levando a um horrível excesso. A família está reunida ao redor da lareira para desfrutar dos escassos frutos de sua labuta e recrutar suas exaustas forças pela pouca comida que eles conseguiram reunir. Aí eles se sentam. De repente, há uma batida na porta e um policial fortemente armado aparece. Ele não é, certamente, alguém que se pareça, de alguma forma, com aqueles funcionários que honramos e a quem obedecemos nas ruas de Londres. Pode ser que o pai, o filho ou um amigo sentado no chalé seja chamado para fora e seja levado para o escuro, e ninguém sabe se ele, alguma vez, voltará ou qual será seu

destino. Tudo o que eles sabem é que é melhor não perguntar. Há milhões de casas humildes na Europa no momento, na Polônia, na Tchecoslováquia, na Áustria, na Hungria, na Iugoslávia, na Romênia, na Bulgária - onde este medo é a principal preocupação com a vida familiar.

Comuns, 16 de agosto de 1945

Beligerantes
Não há nada de impróprio em reuniões beligerantes para discutir seus assuntos, mesmo enquanto as batalhas reais estão acontecendo. Toda a história abunda em precedentes.

Comuns, 25 de fevereiro de 1954

Bênçãos da Monarquia
Estes são os dias em que, em outros países, as pessoas ignorantes são, frequentemente, dispostas a imaginar que o progresso consiste em converter-se de uma monarquia em uma república. Neste país, conhecemos as bênçãos da monarquia limitada. Grandes cadeias de eventos tradicionais e constitucionais vieram para fazer um acordo, para fazer uma situação, não escrita, que permite que nossos assuntos prossigam no que acredito ser um nível superior de suavidade e progresso democrático.

Londres, 18 de maio de 1944

Bolcheviques
Em apenas um golpe, os bolcheviques roubaram da Rússia duas das coisas mais preciosas, paz e vitória – a vitória que estava ao seu alcance e a paz que era seu desejo mais querido. Ambas foram varridas dela. A vitória foi transformada em derrota. Quanto à paz, sua vida, desde então, tem sido uma longa luta de guerra agonizante.

Comuns, 5 de novembro de 1919

> Acho que chegará o dia em que será reconhecido, sem dúvida, não apenas por um lado da Câmara, mas em todo o mundo civilizado, que o estrangulamento do bolchevismo em seu nascimento teria sido uma incontável bênção para a raça humana.
>
> *Comuns, 26 de janeiro de 1949*

O bolchevismo é um grande mal, mas surgiu de grandes males sociais.

Comuns, 29 de maio de 1919

Meu ódio ao bolchevismo e aos bolcheviques não é baseado em seu sistema de economia ridículo, nem em sua doutrina absurda de uma impossibilidade de igualdade. Ele surge do terrorismo sangrento e devastador que praticam em cada terra que invadem e por meio do qual seu regime criminoso pode ser mantido.

Comuns, 8 de julho de 1920

Bomba Atômica

Não obstante, seria errado e imprudente confiar o conhecimento ou a experiência secreta da bomba atômica que os Estados Unidos, Grã-Bretanha e Canadá compartilham agora, à organização mundial, enquanto ainda está em sua infância. Seria loucura criminosa lançá-lo à deriva neste mundo ainda agitado e não unido. Ninguém, em nenhum país, dormiu pior em suas camas por causa desse conhecimento, o método e as matérias-primas para aplicá-lo são mantidos, em grande parte, nas mãos americanas. Eu não acredito que todos nós teríamos dormido tão profundamente se a posição tivesse sido invertida e se algum Estado comunista ou neofascista monopolizasse, por enquanto, essas agências pavorosas. O medo poderia, facilmente, ter sido usado para impor sistemas totalitários sobre o mundo democrático livre, com consequências terríveis para a imaginação humana.

Fulton, Missouri, 5 de março de 1946

BOMBA DE HIDROGÊNIO

A decisão de usar a bomba atômica foi tomada pelo presidente Truman e por mim em *Potsdam*. Aprovamos os planos militares de desencadear as terríveis forças reprimidas.

Comuns, 16 de agosto de 1945

Nestes dias atuais, habitamos, estranha e precariamente, sob o escudo e a proteção da bomba atômica. Ela ainda está nas mãos de um Estado e nação que sabemos que nunca vai usá-la, exceto na causa do direito e da liberdade. Mas, talvez, em alguns anos, esta terrível agência de destruição seja generalizada e a catástrofe posterior, a partir de seu uso por várias nações em guerra, não só traga um fim a todos que chamamos de civilização, mas, possivelmente, desintegre o próprio globo.

Universidade de Zurique, 19 de setembro de 1946

Em 17 de julho, chegaram, em Potsdam, as notícias aguardadas com expectativa dos ensaios da bomba atômica no deserto do México. Sucesso além de todos os sonhos inundou esse empreendimento sombrio e magnífico de nossos aliados americanos. Os relatórios detalhados do experimento no deserto mexicano, que nos foram trazidos alguns dias depois por ar, não deixaram dúvidas, na mente dos poucos que foram informados, de que estávamos na presença de um novo fator em assuntos humanos e possuídos de poderes irresistíveis.

Comuns, 16 de agosto de 1945

Bomba de Hidrogênio

> A bomba de hidrogênio nos leva à dimensões que nunca foram confrontadas com o pensamento prático humano e têm estado confinadas aos reinos de fantasia e imaginação.
>
> *Comuns, 4 de abril de 1954*

Bombardeio da Alemanha

Mesmo que as legiões nazistas tivessem triunfado no Mar Negro ou sobre o mar Cáspio, mesmo que Hitler estivesse às portas da Índia, nada daria lucro a ele se todo o aparato econômico e científico do poder de guerra alemão estivesse estilhaçado e pulverizado em casa.

Comuns, 20 de agosto de 1940

> **Bombardeios**
> O honorável cavalheiro de oposição fez nosso corpo rastejar na outra noite ao sugerir lançamentos de bombas de dirigíveis sobre a Câmara dos Comuns. Se esse evento acontecer, estou confiante de que os membros desta Casa iriam abraçar, com prazer, a oportunidade de compartilhar os perigos que os soldados e os marinheiros têm de encontrar.
>
> *Comuns, 26 de março de 1913*

Se, de repente, duas potências com forças iguais fossem para a guerra e uma jogasse suas bombas sobre cidades de modo a matar tantas mulheres e crianças quanto fosse possível e a outra jogasse suas bombas sobre os aeródromos, bases aéreas, fábricas, arsenais, estaleiros e pontos ferroviários, quem duvidaria de que na manhã seguinte a que tivesse cometido o maior crime seria aquela que tivesse colhido a maior vantagem?

Comuns, 14 de março de 1933

A Câmara vai, acredito, ficar favoravelmente surpresa ao saber que o total número de bombas voadoras lançadas das estações inimigas matou quase uma pessoa por bomba. Esse é um fato muito notável e manteve o ritmo, aproximadamente,

semana após semana. Na verdade, os últimos números são 2.754 bombas voadoras lançadas e 2.752 vítimas fatais. São os números até as seis horas desta manhã. Bem, sou obrigado a dizer que fiquei surpreso quando, há algum tempo, percebi estes dados. Este número de mortos será um pouco aumentado por pessoas feridas que morrerão no hospital. Além disso, houve um número substancialmente maior de feridos e muitos ferimentos leves foram causados por estilhaços de vidro.
Comuns, 6 de julho de 1944

Bondade de Rei Jorge VI
Não creio que algum Primeiro Ministro tenha recebido tanta gentileza e incentivo pessoal de seu soberano como eu. Toda semana tenho minha audiência, a maior parte da qual ocorre de forma mais agradável, em almoços, e tenho visto o rei de perto, em todas as fases das nossas experiências formidáveis. Lembro-me bem como, nos primeiros meses desta administração, o rei vinha praticando com seu rifle e sua arma no jardim do Palácio de Buckingham e se tivesse chegado a uma última posição em Londres, assunto que precisava ser considerado a tempo, não tenho dúvida de que Sua Majestade teria chegado muito perto, partindo de sua retidão constitucional habitual, desconsiderando os conselhos de seus ministros.
Comuns, 15 de maio de 1945

Borrão
Os ingleses nunca desenham uma linha sem borrar.
Comuns, 16 de novembro de 1948

Brigada Judaica
O governo decidiu aceder ao pedido da Agência Judia para a Palestina de que um grupo de Brigada Judaica deve ser formado para participar de operações ativas. Eu sei que há um grande número de judeus servindo em nossas forças e nas forças americanas, em todos os exércitos, mas me parece realmente apropriado que uma unidade judaica, uma unidade especial daquela raça, que sofreu tormentos indescritíveis dos nazistas, seja representada como uma formação distinta entre as forças reunidas para sua derrubada formal, não tenho dúvidas de que eles não só participarão da luta, mas, também, da ocupação que se seguirá.
Comuns, 28 de setembro de 1944

Britânicos em Guerra

Quando o povo britânico prepara suas mentes para ir para a guerra, eles esperam receber ferimentos terríveis. É por isso que tentamos permanecer em paz o maior tempo possível.

Comuns, 5 de setembro de 1940

Bulldogs

O nariz do bulldog é inclinado para trás para que ele possa respirar sem escassez.

Descrição da estratégia naval em 1914

Bumerangues

Tal é a vida com suas reviravoltas surpreendentes. Você nunca pode dizer o que vai acontecer a seguir, nem pode dizer quais serão as consequências de qualquer ação que possa tomar. O princípio do bumerangue, uma arma que devemos ao gênio dos aborígenes australianos, é, ao que parece, cada vez mais operacional nos assuntos humanos.

Westminster, 7 de maio de 1946

Burocracia Rejeitada

De todas as raças no mundo, nosso povo seria o último a consentir em ser governado por uma burocracia. Liberdade é o sangue da vida deles.

Londres, 21 de março de 1943

Burocrata

Um oficial ou funcionário do Estado só tem que manter seu horário de expediente pontualmente, fazer o seu melhor e, se alguma coisa der errado, pode enviar uma fatura para o Chanceler do Tesouro. Ele é, realmente, o que chamamos de "desinteressado" no sentido de que não ganha nenhuma vantagem da sabedoria e não sofre penalidade por erro.

Liverpool, 2 de outubro de 1951

C

A FRAQUEZA INERENTE AO CAPITALISMO É O COMPARTILHAMENTO DESIGUAL DE BÊNÇÃOS.

A virtude inerente ao socialismo é o compartilhamento igual de misérias.

Commons, 22 de outubro de 1945

Caça à Raposa
O Sr. Jorrocks descreveu a caça à raposa como proporcionando toda a glória da guerra com apenas 35% do seu perigo.

Comuns, 7 de agosto de 1911

Cachorro não come Cachorro
Não fui convidado para a conferência que ocorreu na semana passada em Downing Street entre o Primeiro Ministro e o líder do Partido Liberal, mas "meu Honorável Amigo membro da Treorchy" me deu um astuto relato da entrevista entre os dois líderes do partido. Depois dos habituais elogios, o Primeiro Ministro disse: "Nós nunca fomos colegas, nunca fomos amigos - pelo menos, não o que você chamaria de amigo de férias – mas, nós dois fomos Primeiro-Ministro e cachorro não come cachorro. Apenas olhe para este monstruoso Projeto de Lei que os sindicatos e nossos companheiros selvagens me impingiram. Faça-me um favor e nunca vou esquecer. Leve-o lá para cima e corte sua garganta suja".

Comuns, 28 de janeiro de 1931

Cacofonia

> Eu não devo dizer o quanto melhor estamos do que no 23º mês da última guerra, nem como nossa produção se compara com o auge da última guerra, porque se diz que as condições mudaram. Isso é dinheiro fácil para os críticos. Um punhado de membros pode preencher alguns dias de debate com acusações depreciativas contra o nosso esforço de guerra, cada seção fervorosa ou descontente da imprensa pode levá-lo para cima e o todo pode chorar um coro cacofônico e sombrio de peixe fedorento, em todo o mundo.
>
> *Comuns, 29 de julho de 1941*

Cadeia de Causalidade
Para ter a perspectiva e proporção correta de eventos, é necessário examinar toda a cadeia de causalidade cujos elos maciços de que foram forjados pela diligência e lustrados com a devoção e habilidade de nossas forças combinadas e seus comandantes, até que brilhem ao sol de hoje e brilhem por muito tempo na história da guerra.

Comuns, 21 de setembro de 1943

Cálculos
A história humana, nem sempre, se desenrola como um cálculo matemático como dois mais dois são quatro. Às vezes, na vida, somam cinco ou menos, três; às vezes, o quadro negro cai no meio da soma, deixa a classe desordenada e o pedagogo com um olho roxo.

Londres, 7 de maio de 1946

Calma
Aqui, estamos reunidos em trajes acadêmicos para passar por um cerimonial e fórmulas de repetição associadas à concessão de diplomas universitários. Muitos dos que estão aqui, hoje, passaram a noite toda em seus postos e todos estiveram sob o fogo inimigo em bombardeios pesados e prolongados. Que você deve se reunir desta forma é uma marca de fortaleza e de calma, de coragem e desapego dos assuntos materiais, merecedor de tudo o que aprendemos a acreditar na Roma antiga ou na Grécia moderna.

Universidade de Bristol, 12 de abril de 1941

Câmara dos Comuns
Nesta guerra, a Câmara dos Comuns provou ser a rocha sobre a qual uma administração, sem perder a confiança da Casa, foi capaz de enfrentar

as emergências mais terríveis. A Casa mostrou-se capaz de enfrentar a possibilidade da destruição nacional com compostura clássica. Podem mudar os governos em longas, adversas e decepcionantes lutas através de muitos meses escuros e cinzentos, até anos para o sol sair novamente. Não sei de que outra forma esse país pode ser governado senão pela Câmara dos Comuns fazendo sua parte em toda sua ampla liberdade, na vida pública britânica.

Comuns, 28 de outubro de 1943

> Na noite de 10 de maio de 1941, com uma das últimas bombas do último grave ataque, nossa Câmara dos Comuns foi destruída pela violência do inimigo e agora temos que considerar se devemos construi-la novamente, como e quando. Moldamos nossos edifícios e, depois, nossos edifícios nos moldaram. Tendo frequentado, servido por mais de 40 anos à Câmara e tendo grande prazer e vantagem resultante daí, eu, naturalmente, gostaria de vê-la restaurada em todos os itens essenciais para a sua antiga forma, conveniência e dignidade.
>
> *Comuns, 28 de outubro de 1943*

Não há nenhuma situação em que não possa se dirigir com vigor e engenhosidade. É a cidadela da liberdade britânica. É a fundação das nossas leis.

Comuns, 28 de outubro de 1942

Camaradagem

Outro dia, cruzei o Atlântico, novamente, para ver o presidente Roosevelt. Desta vez, nos encontramos não só como amigos, mas como camaradas, ficando lado a lado, ombro a ombro em uma batalha pela vida, pela honra, na causa comum e contra um inimigo comum. Quando pesquiso e calculo o poder dos Estados Unidos, seus vastos recursos e sinto que eles estão, agora, conosco, com a comunidade britânica, todos juntos, por mais que dure até a morte ou a vitória, não acredito que haja qualquer outro fato no mundo inteiro que possa se comparar com isso. Isso é o que sonhei, "me" dediquei e trabalhei e, agora, aconteceu.

Londres, 15 de fevereiro de 1942

Caminho para Perder uma Guerra

Ouvindo algumas pessoas falarem, no entanto, alguém pensaria que o caminho para vencer a guerra é garantir que todo poder que contribui com forças armadas e ramos destas forças armadas estejam representados em todos os conselhos e organizações e que todos sejam plenamente consultados antes de qualquer coisa ser feita. Este é, na verdade, o caminho mais seguro para perder uma guerra.

Comuns, 27 de janeiro de 1942

Campeões da Direita

> Não devemos produzir, em defesa da direita, campeões tão ousados, missionários ansiosos e, se necessário, espadas tão afiadas quanto as que estão à disposição dos líderes dos estados totalitários?
>
> *Free Trade Hall, Manchester, 9 de maio de 1938*

Canadá
O Canadá é o eixo do mundo de língua inglesa. Canadá, com essas relações de intimidade afetuosa amigáveis com os Estados Unidos de um lado e com sua fidelidade inabalável à comunidade e à pátria britânica, de outro, é o elo que, abrangendo os oceanos, traz os continentes em sua verdadeira relação e irá impedir, nas gerações futuras, qualquer crescimento de divisão entre as orgulhosas e felizes nações da Europa e os grandes países que surgiram no Novo Mundo.

Mansion House, Londres, 4 de setembro de 1941

Não há limites para o futuro majestoso que está diante da imensa extensão do Canadá com seu povo de coração viril, aspirante, culto e generoso. O Canadá é o elo vital no mundo de língua inglesa e une, através do Oceano Atlântico, a vasta democracia americana dos Estados Unidos com nossa famosa ilha antiga e os 50 milhões que mantêm a bandeira aqui.

Guildhall, Londres, 19 de novembro de 1951

Canal de Suez
A importância estratégica do Egito e do Canal tem sido imensamente reduzida pelos modernos desenvolvimentos da guerra.

Comuns, 14 de julho de 1954

Capacetes de Aço
A história dos capacetes de aço reflete muito pouco crédito a respeito da perspicácia de nossa administração. Tivemos cerca de seis meses de atraso do exército francês e até mesmo do belga na adoção geral deste valioso meio de proteção.

Comuns, 24 de julho de 1916

Caráter Irlandês

> Nenhuma pessoa, no mundo, tem menos probabilidades de se tornar bolchevique do que o irlandês. O seu forte sentido de posse pessoal, o seu respeito pela posição das mulheres, o seu amor pelo país e as suas convicções religiosas constituem, num sentido peculiar, os mais seguros e inabaláveis opositores das doutrinas de murchamento e nivelamento da Rússia.
>
> Comuns, 16 de fevereiro de 1922

Carnificina

Os exércitos russos e todos os povos da República Russa têm se mobilizado para a defesa de seus corações e lares. Pela primeira vez, o sangue nazista correu em uma torrente temerosa. Certamente, um milhão e meio, talvez, dois milhões de forragem de canhão nazista tenham atingido o pó das planícies sem fim da Rússia. A tremenda batalha se desenrola ao longo de quase duas mil milhas. Os russos lutam com magnífica devoção; não só isso, nossos generais que visitaram a linha de frente russa relatam com admiração a eficiência de sua organização militar e a excelência de seus equipamentos. O agressor está surpreso, assustado e escalonado. Pela primeira vez em sua experiência, o assassinato em massa se tornou não--lucrativo. Ele retalia com as crueldades mais assustadoras. Como seus exércitos avançados, cidades inteiras estão sendo exterminadas. Milhares - literalmente dezenas de milhares - de execuções a sangue frio estão sendo perpetradas pela polícia alemã contra os patriotas russos que defendem o seu solo nativo. Desde as invasões mongóis da Europa, no século XVI, nunca houve uma carnificina metódica e impiedosa em tal escala ou se aproximando de tal escala. E isto é apenas o começo. A fome e a pestilência ainda não foram seguidos na rotina sangrenta dos tanques de Hitler. Estamos na presença de um crime sem nome.

Londres, 24 de agosto de 1941

Carta do Atlântico

A respeito da associação fraterna e do alinhamento íntimo da política dos Estados Unidos, da Comunidade e do Império Britânico, dependem, mais do que qualquer outro fator, do futuro imediato do mundo. Se eles andam juntos, em harmonia e de acordo com as concepções morais e políticas para as quais os povos de língua inglesa deram à concepção e que são, frequentemente, referidos na Carta do Atlântico, tudo ficará bem. Se eles desmoronarem e se desviarem da luz do comando de seus destinos, não há fim ou medida para as misérias e confusões que aguardam a civilização moderna.

Guildhall, Londres, 30 de junho de 1943

Carvão

> A fundação do comércio desta ilha foi o carvão barato e abundante. Baseado nisso, o cérebro, a inventividade, a boa gestão comercial e a empresa do nosso povo permitiram que nossa população se duplicasse em um século. Agora, vivendo aqui, respirando, labutando, sofrendo, o que vai acontecer se a fundação falhar?
>
> *Belle Vue, Manchester, 6 de dezembro de 1947*

Casa e Exterior

Quando estou no exterior, tenho uma regra, nunca criticar ou atacar o governo do meu próprio país. Compenso o tempo perdido quando volto para casa.

Comuns, 18 de abril de 1947

Causa de Ansiedade da Alemanha
Há até uma teoria de que os alemães só estão se rearmando fora do país em respeito a si mesmos e que não pretendem ferir ninguém. Tanto faz você acreditar, o que quer que você pense, arrisco-me a aconselhar que nós não podemos ter quaisquer preocupações comparáveis à preocupação causada pelo rearmamento alemão.

Comuns, 24 de outubro de 1935

Cavaleiros do Ar
O grande exército francês foi, em grande parte, rejeitado e perturbado pela correria de alguns milhares de veículos blindados. Pode ser, também, que a própria causa da civilização seja defendida pela habilidade e devoção de alguns milhares de aviadores? Nunca houve, suponho, em todo o mundo, em toda a história da guerra, tal oportunidade para a juventude. Os Cavaleiros da Távola Redonda, os Cruzados, todos voltam ao passado: não apenas distante, mas prosaico; estes jovens, saindo todas as manhãs para guardar sua terra natal e tudo o que ela representa, segurando em suas mãos estes instrumentos de poder colossal e devastador, a quem pode se dizer que "toda manhã traz uma nobre oportunidade e toda oportunidade traz à luz um nobre cavaleiro", merecem nossa gratidão, assim como todos os bravos homens que, de tantas maneiras e em tantas ocasiões, estão prontos e continuam prontos para dar a vida e tudo pela sua terra natal.

Comuns, 4 de junho de 1940

Cegueira
Embora o destino da Polônia olhe-a de frente, há uma falta de consideração amadora ou de cegueira que, às vezes, nos pergunta: "Pelo o que a Grã-Bretanha e a França estão lutando?" A isto respondo: "Se nós saíssemos da luta, você logo descobriria".

Londres, 30 de março de 1940

Cemitérios de Guerra

Não há, realmente, nenhuma limitação para as diferentes formas em que o desejo de mostrar reverência e afeto à memória dos mortos e para preservar essa memória têm se manifestado. Mas, a grande massa dos que caíram não poderia ser entregue aos monumentos caros e uma coisa que está profundamente enraizada nos soldados é que todos devem ser tratados da mesma forma, general e soldado, príncipe e camponês, todos os que ali jazem em honra comum e que os ricos devem renunciar ao que sua riqueza lhes permitiria obter.

Comuns, 17 de dezembro de 1919

Cerco à Alemanha

Então, o que é essa conversa de cerco? É tudo um absurdo. Não há nada que nos perguntemos sobre segurança coletiva que não admitiremos a respeito da Alemanha. Deixe-a entrar para o clube, dar sua grande contribuição e compartilhar suas amenidades e imunidades.

Comuns, 5 de novembro de 1936

Certo e Errado

Talvez, seja melhor ser irresponsável e certo do que ser responsável e errado.

Londres, 26 de agosto de 1950

Chamada Clarion

Venha então: vamos para a tarefa, para a batalha, para a labuta – cada um à sua parte, cada um para a nossa estação. Encher os exércitos, governar o ar, despejar as munições, estrangular os submarinos, varrer as minas, arar a terra, construir os navios, proteger as ruas, ajudar os feridos, elevar os abatidos e honrar os corajosos. Vamos seguir em frente, juntos, em todas as partes do império, em todas as partes da ilha. Não há uma semana, nem um dia, nem uma hora a perder.

Free Trade Hall, Manchester, 27 de janeiro de 1940

Chantagem

Nunca em nossa história estivemos em uma posição onde poderíamos ser responsabilizados por sermos chantageados, por sermos forçados a entregar nossas posses, por tomar algumas ações que a sabedoria do país ou a nossa consciência não permitiriam.

Comuns, 28 de novembro de 1934

China

Por cinco longos anos, as facções militares japonesas, buscando imitar o estilo de Hitler e Mussolini, assumindo toda a sua postura como se fosse uma nova revelação europeia, vêm invadindo e saqueando os quinhentos milhões de habitantes da China. Exércitos japoneses têm vagado por aquela vasta terra em excursões fúteis, levando consigo carnificina, ruína, corrupção e chamando-a de "Incidente Chinês".

Londres, 24 de agosto de 1941

As performances militares japonesas na China não pareciam notáveis. Os chineses sempre foram uma nação fraca, dividida e, tradicionalmente, pacífica. Sabíamos que estavam muito mal armados e mal abastecidos, especialmente com todas as armas que se utiliza na guerra moderna. E, mesmo assim, por quatro anos e meio, os japoneses, usando até um milhão de homens de cada vez, haviam falhado em reprimi-los ou conquistá-los.

Comuns 23 de abril de 1942

Chorando pela Lua
Para que serve gritar pela lua quando se tem o sol, quando você tem a esfera brilhante do dia em cuja esfera todas as luminárias menores escondem sua luminosidade?

Comuns, 16 de fevereiro de 1938

Churchill
Enquanto estiver agindo com dever e convicção, sou indiferente a insultos e vaias. Acho que, provavelmente, me farão mais bem do que mal.

Comuns, 6 de dezembro de 1945

Eu não sou um homem de negócios. Sou apenas um político. Só posso aplicar o meu senso comum, aguçado pela experiência política, a este tema.

Comuns, 27 de março de 1919

Eu, certamente, não sou um daqueles que precisam ser espetados. Na verdade, em qualquer coisa, sou um espeto.

Comuns, 11 de novembro de 1942

Churchill e América
Me sinto muito honrado por vocês terem me convidado a entrar na Câmara do Senado dos Estados Unidos e me dirigir aos representantes de ambas as Casas do congresso. O fato de que meus antepassados americanos têm, por muitas gerações, desempenhado seu papel na vida dos Estados Unidos e aqui estou, um inglês, recebido em seu meio, faz dessa experiência uma das mais comoventes e emocionantes da minha vida, que já está velha e não tem sido totalmente tranquila. Desejo, de fato, que a minha mãe, cuja memória aprecio através do vale dos anos, pudesse estar aqui para ver. A propósito, não posso deixar de refletir que se meu pai tivesse sido ame-

ricano e minha mãe britânica, em vez do contrário, poderia ter chegado aqui por conta própria. Nesse caso, esta não seria a primeira vez que vocês teriam ouvido a minha voz. Nesse caso, não precisaria de convite, mas se o tivesse, é pouco provável que teria sido unânime. Então, talvez, as coisas sejam melhores como estão. Eu posso confessar, no entanto, que eu não me sinto muito como um peixe fora d'água em uma assembleia legislativa onde o inglês é falado.

Congresso, Washington, DC, 26 de dezembro de 1941

Churchill e Escócia

Eu tenho alguns laços com a Escócia que são, para mim, de grande significado – laços preciosos e duradouros. Em primeiro lugar, decidi nascer no dia de Santo André – e foi na Escócia que fui encontrar minha esposa, que está profundamente triste por não estar aqui hoje devido a uma indisposição temporária. Comandei o batalhão escocês do famoso 21º Regimento por cinco meses, na linha da França, na última guerra. Sentei-me por 15 anos como o representante da "Bonnie Dundee" e poderia estar sentado ainda se o assunto tivesse ficado inteiramente comigo.

Usher Hall, Edimburgo, 12 de outubro de 1942

Churchill e Toryismo

A segunda pergunta que me fiz é muito mais pessoal. Por temperamento e convicção, sou capaz de me identificar, sinceramente, com as principais concepções históricas do Toryismo, posso fazer justiça a elas e expressá-las, espontaneamente, em discurso e ação? Minha vida, tal como tem sido, tem sido vivida por 40 anos aos olhos do público e muitas opiniões variadas são mantidas a respeito dela – e sobre fases particulares dela. Não tentarei nenhuma justificativa, mas vou me aventurar muito humildemente a submeter e, também, a declarar porque nasce mais profundamente das convicções do meu coração, que em todos os momentos, de acordo com minhas luzes e através das cenas em mudança pelas quais somos todos apressados, sempre servi, fielmente, a duas causas públicas que considero que são supremas – a manutenção da grandeza duradoura da Grã-Bretanha e seu império e a continuidade histórica da nossa vida nessa ilha.

Caxton Hall, Londres, 9 de outubro de 1940

Ciência

Minha experiência - e ela é, de certa forma, considerável - é que nestes assuntos, quando a necessidade é claramente explicada por militares e autoridades políticas, a ciência é sempre capaz de fornecer algo. "Buscai e encontrareis" será confirmado.

Comuns, 7 de junho de 1935

Cinegrafistas

É uma desgraça para muitos membros, em nossas caminhadas diárias, encontrar um número crescente de pessoas armadas com câmeras para tirar fotos para a imprensa ilustrada que está se desenvolvendo tão rapidamente.

Comuns, 25 de maio de 1911

Cinquenta Milhões

Nunca se esqueça de que 50 milhões surgiram na Grã-Bretanha sob o impacto e inspiração das gerações anteriores; e agora, se a nossa inventividade nativa é plagiada, cabeada e confinada, estes 50 milhões serão deixados fisicamente presos e ofegantes, como baleias que nadam sobre a maré alta para uma baía da qual as águas recuaram.

Woodford Green, 21 de julho de 1951

Cisma

Sombria seria, de fato, a sorte da humanidade se algum cisma horrível surgisse entre as democracias ocidentais e a União Soviética russa, se a futura organização mundial fosse destruída e se novos cataclismas de violência inconcebível destruíssem tudo o que restou dos tesouros e das liberdades da humanidade.

Comuns, 27 de fevereiro de 1945

Civilização

Há poucas palavras que são usadas mais vagamente do que a palavra "civilização". O que isso significa? Significa uma sociedade baseada na opinião dos civis. Significa que a violência, a regra dos guerreiros e chefes despóticos, as condições de campos e guerra, ou motim e tirania, dão lugar aos parlamentos, onde as leis são feitas e a tribunais independentes de justiça onde, por longos períodos, essas leis são mantidas. Isso é civilização – e em seu solo continuamente cresce a liberdade, o conforto e a cultura.

Universidade de Bristol, 2 de julho de 1938

A civilização não vai durar, a liberdade não sobreviverá, a paz não será mantida, a menos que uma grande maioria da humanidade se una para defendê-las e se mostre possuidora de uma força policial diante da qual as forças bárbaras e atávicas ficarão espantadas.

Universidade de Bristol, 2 de julho de 1938

Clássicos

Gostaria de dizer que mudei de ideia sobre os clássicos. Eu tinha opiniões muito fortes sobre eles quando estava em Harrow; mudei de ideia desde então. O conhecimento do antigo mundo da literatura grega e romana era uma grande força unificadora na Europa, que agora, temo, tornou-se rapidamente extinto e gostaria de dizer que o ensino universitário não deve ser muito prático.

Universidade de Londres, 18 de novembro de 1948

Clement Attlee
O Sr. Attlee combina uma visão limitada com fortes qualidades de resistência.
Royal Albert Hall, Londres, 27 de abril de 1951

Clima Britânico

> O povo britânico sempre foi superior ao clima britânico. Eles mostraram-se capazes de se elevar acima dele e, certamente, têm derivado muitos desses princípios fortes, duradouros e modos de vida que tornam sua existência em nossa ilha diferente de qualquer outra comunidade no mundo.
>
> *Woodford Green, 10 de julho de 1948*

Clima em Guerra
O grande episódio pareceu a todos ser a travessia do Canal, com suas águas tempestuosas, correntes rápidas, subida e descida da maré de 18 pés e, sobretudo, as mudanças climáticas, que quando uma operação tão grande como esta tem que ser feita, podem, facilmente, reduzir uma parte do Exército na costa durante vários dias sem que ninguém consiga chegar até eles como reforço ou mesmo para resgatá-los, deixando-os na misericórdia de um inimigo superior. Esse foi o elemento, essa possível mudança climática que, certamente, perdurou como um abutre posicionado no céu sobre os pensamentos dos mais otimistas.
Comuns, 2 de agosto de 1944

Clímax da Guerra
É uma suposição razoável de que, a menos que cometamos alguns erros graves de estratégia, o ano de 1944 verá o clímax da guerra europeia. Ao menos que algum evento feliz ocorra com o qual não temos direito de contar e a mão da

Providência seja estendida em alguma misericórdia, 1944 verá o maior sacrifício de vidas pelos exércitos britânicos e americanos, e batalhas muito maiores e mais caras do que Waterloo ou Gettysburg serão travadas. A tristeza virá para muitas casas no Reino Unido e ao longo da grande república. A masculinidade britânica e americana – verdadeiros irmãos em armas – atacará e lutará contra o inimigo mortal.

Mansion House, Londres, 9 de novembro de 1943

Testes, tentativas, tempos adversos e dolorosos estão à nossa frente. Todos devemos nos esforçar para fazer nosso dever com o máximo de nossa força. À medida que a guerra caminha, sem remorso, ao seu clímax, a Câmara dos Comuns, que é a base da luta da vida britânica – esta Câmara dos Comuns que tem responsabilidades especiais – terá a oportunidade, mais uma vez, de provar ao mundo que a firmeza do espírito, o senso de proporção e a perseverança de propósito, que ganharam renome em dias anteriores, agora, mais uma vez, levarão os grandes povos e uma causa maior para uma libertação vitoriosa.

Comuns, 23 de abril de 1942

Coisas Difíceis

As coisas nem sempre estão certas porque são difíceis, mas se estiverem certas, não se deve importar se também são difíceis.

Llandudno, 9 de outubro de 1948

Colégio de Médicos

Esta faculdade, em cujo passado você, Lord Moran, descendeu, em cujo além disso, abriu algumas janelas que projetam uma visão sobre suas glórias, foi, estou certo, fundada por um homem de larga experiência na natureza humana - e de ambos os sexos - rei Henrique VIII, em 1518. Afirma-se que ele criou a medicina como uma profissão e lançou um olhar severo de Tudor sobre charlatães de todos os tipos.

Royal College of Physicians, Londres, 2 de março de 1944

Comandantes

Eu sempre insistirei que a tendência, no futuro, deve ser prolongar os cursos de instrução nas faculdades em vez de abreviá-los e que, para equipar nossos jovens oficiais com o conhecimento profissional técnico especial, os soldados têm o direito de esperar daqueles que podem dar-lhes ordens, se necessário, ir para a morte. Está bastante claro que classe, riqueza ou favor não serão permitidos no mundo moderno para bancar as linhas divisórias. Realização profissional baseada em estudo prolongado, estudo coletivo nas faculdades, posto por posto e idade por idade – essas são as ações de título dos comandantes dos exércitos futuros e o segredo de futuras vitórias.

O Pentágono, Washington, 9 de março de 1946

> Eu gosto de comandantes em terra, no mar e no ar para sentir que têm atrás deles um governo forte. Eles não correrão riscos, a menos que sintam que não precisam olhar sobre seus ombros ou se preocupar com o que está acontecendo em casa, a menos que sintam que podem concentrar seu olhar sobre o inimigo.

Comuns, 2 de julho de 1942

Comando do Báltico

A marinha alemã, nos próximos anos, não será capaz de formar uma linha de batalha para um combate geral. Seria de esperar que os cruzadores e submarinos seriam enviados para atacar o comércio, mas acho que você pode ter certeza de que o objeto principal da marinha alemã será preservar o comando do Báltico, que é de suprema consequência para a Alemanha, não só por causa dos suprimentos que pode obter dos países escandinavos, e pela influência que ela pode exercer sobre eles, mas, porque a perda do comando naval no Báltico iria colocar toda a costa báltica da Alemanha aberta a ataques ou possíveis invasões de outras potências bálticas, das quais a maior e mais importante é, claramente, a União Soviética.

Comuns, 16 de março de 1939

Comando do Mar

> Enquanto mantivermos o comando do mar, nenhuma queda da Irlanda é possível e, se alguma vez perdêssemos o comando do mar, não seria na Irlanda que a queda aconteceria.
>
> *Comuns, 15 de fevereiro de 1911*

Combustão Interna

Quando a combustão interna se tornar um fato realizado - é claro, ficou defasada na estrada nos últimos dois anos, mas quando se tornar realidade - todas as vantagens descritas em relação ao petróleo aumentarão muito e cada tonelada de petróleo fará três ou quatro vezes mais trabalho do que agora é possível.

Comuns, 17 de março de 1914

Combustível

Nós que costumávamos ser uma fonte de combustível; estamos nos tornando, cada vez mais, uma pia. Estes fornecimentos de combustível líquido estrangeiro são, sem dúvida, vitais para a nossa indústria, mas a nossa dependência cada vez maior deles deve despertar uma séria e oportuna reflexão. A utilização científica, por liquefação, pulverização e outros processos de nossas vastas e magníficas jazidas de carvão, constitui um objeto nacional de primordial importância.

Comuns, 24 de abril de 1928

> **Comerciantes Justos**
> Eles observam o rio que flui para o mar e se perguntam quanto tempo levará até que a terra esteja seca e drenada de toda a sua água. Eles não observam os chuveiros de fertilização pelos quais, na maravilhosa economia da natureza, a água é restaurada para a terra.
> *Comuns, 29 de julho de 1903*

Comércio Exterior
As exportações são apenas o vapor sobre a água fervente na chaleira. Elas são apenas a parte do iceberg que reluz acima da superfície do oceano.
Comuns, 28 de outubro de 1947

Compartilhamento de Misérias
Não me admira que a juventude britânica esteja em revolta contra a doutrina mórbida que nada importa a não ser a partilha equitativa das misérias: o que costumava ser chamado o décimo submerso, só pode ser resgatado trazendo os outros nove décimos abaixo de seu nível; contra a insensatez de que é melhor que todos deveriam ter meia ração ao invés de qualquer outra, por seus esforços ou habilidades, deve ganhar uma segunda ajuda.
Londres, 22 de junho de 1948

Compra Estatal
A compra estatal provocou a venda estatal. Trouxe sentimentos nacionais no que deveria ser uma negociação comercial comum. Governos agitaram sua bandeira nacional antes mesmo de poderem comprar ou vender um porco ou uma vaca.
Liverpool, 2 de outubro de 1951

Compreensão da Política
Já é difícil entender a política do próprio país; é quase impossível entender as dos países estrangeiros.

Comuns, 22 de fevereiro de 1944

Comunismo
Todos podem ver como o comunismo apodrece a alma de uma nação; como a torna abjeta e faminta e prova esse princípio básico e detestável na guerra.

Londres, 20 de janeiro de 1940

Não adianta discutir com um comunista. Não é bom tentar convertê-lo ou persuadi-lo. Você só pode lidar com ele na seguinte base ... só pode fazê-lo por ter força superior sobre o assunto em questão – e ele também deve ser convencido de que vai utilizá-lo – não hesitará em usar – essas forças, se necessário, da maneira mais implacável. Você não só tem que convencer o governo soviético de que tem uma força superior - que ele será confrontado por força superior – a qual não será contida por qualquer consideração moral caso necessite utilizar essa força com completa crueldade material. Essa é a maior chance de paz, o caminho mais seguro para a paz.

Nova Iorque, 25 de março de 1949

Concentração de Força

> Eu não podia ver quão bem se pode evitar a guerra do que confrontando um agressor com a perspectiva de uma concentração tão grande de força, moral e material que mesmo o líder mais imprudente, mais enfurecido, não tentaria desafiar essas grandes forças.
>
> *Comuns, 13 de julho de 1934*

Concessões

> Eu não acho que precisamos partir nossos corações deplorando o tratamento que a Alemanha está recebendo agora. A Alemanha não está satisfeita; mas, nenhuma concessão feita produziu uma aparição muito marcada de gratidão. Uma vez concedida, parecia menos valiosa do que quando exigida.
>
> *Comuns, 13 de abril de 1933*

Concurso de Vontades

Os alemães, nesta guerra, conquistaram muitas vitórias. Eles venceram, facilmente, grandes países e derrotaram potências fortes com pouca resistência oferecida a eles. Não é apenas uma questão de tempo que se ganha lutando fortemente, mesmo que em desvantagem, por pontos importantes. Existe, também, esse princípio de vital importância que é a resistência obstinada à vontade do inimigo.

Comuns, 10 de junho de 1941

Confiança

Eu tenho, em mim mesmo, total confiança de que se todos fizerem seu dever, se nada for negligenciado e se os melhores arranjos forem feitos, como estão sendo feitos, vamos provar a nós mesmos, mais uma vez, sermos capazes de defender nossa ilha, enfrentar a tempestade de guerra, sobreviver à ameaça de tirania, se necessário, por anos, se necessário, sozinhos. De qualquer forma, isso é o que vamos tentar fazer.

Comuns, 4 de junho de 1940

Confiança no Governo

Perguntaram-me: "Você não tem confiança no governo de Sua Majestade?". Senhor, digo "sim" e "não". Tenho grande confiança de que estes meus amigos honrados e corretos administrarão, fielmente e bem, a Constituição deste país, que vão guardar suas finanças de uma maneira econômica, que vão caçar a corrupção onde quer que possa ser encontrada, que vão preservar a paz e a ordem de nossas ruas, a imparcialidade de nossos tribunais e manter um controle geral sobre os princípios conservadores. [Risos.] Em todos esses assuntos, tenho uma confiança sincera e permanente neles. Mas, se você me perguntar se tenho confiança na execução de programas de defesa ou mesmo em suas declarações quanto ao grau em que aqueles programas de defesa têm avançado – então, devo implorar à Câmara para não me pressionar muito. [Risos renovados.]

Comuns, 17 de novembro de 1938

Peço à Câmara um voto de confiança. Espero que aqueles, sejam lá quem forem, que sinceramente, em seus corações, acreditam que não estamos fazendo o nosso melhor e que poderiam fazer muito melhor, espero que carreguem a sua opinião para sua conclusão lógica e final no lobby. Aqui, devo mostrar, apenas para o benefício dos países estrangeiros, que eles não correriam risco em fazê-lo. Eles são responsáveis, apenas, por suas consciências e seus eleitores. É um parlamento livre, em um país livre. Temos que conseguir manter, sob dificuldades sem precedentes e em perigos que, em alguns casos, poderiam muito bem ser mortais, todo o processo e realidade das instituições parlamentares. Estou orgulhoso disso. Esta é uma das coisas pelas quais estamos lutando.

Comuns, 7 de maio de 1941

É porque as coisas correram mal e o pior está por vir que exijo um voto de confiança.

Comuns, 27 de janeiro de 1942

Conhecimento

Enquanto todo o conhecimento continua a se expandir, como disse hoje Lord Balfour, a faculdade humana permanece estacionária e isso tem induzido um humor em todos os nossos estudos e ciências, um desejo de testar as questões e não de ceder, completamente, às definições claras e lógicas.

Comuns, 24 de julho de 1928

Gradualmente, à medida que fui passando pela vida, fui desenvolvendo um forte sentimento de que um treinamento universitário não deve ser muito prático em seus objetivos. Os jovens estudam nas universidades para alcançar o conhecimento e não para aprender uma profissão. Todos nós devemos aprender a nos sustentar, mas devemos, também, aprender a viver. Precisamos de muitos engenheiros no mundo moderno, mas não queremos um mundo de engenheiros modernos. Grandes eventos têm de acontecer durante nossa vida.

Universidade de Oslo, 12 de maio de 1948

> O privilégio da educação universitária é enorme. Quanto mais amplamente se estende, melhor fica para qualquer país. Não deve ser visto como algo para acabar com a juventude, mas como uma chave para abrir muitas portas do pensamento e do conhecimento.

Universidade de Londres, 18 de novembro de 1948

Conquista Aérea

Aprendemos a voar. Que mudanças prodigiosas estão envolvidas nessa nova descoberta! O homem separou-se de seu fiel amigo, o cavalo, e zarpou para o azul com as águias movidas pelo inferno [risos altos] – quero dizer, interno – motor de combustão. Onde, então, estão os oceanos amplos, os vastos desertos?

Eles estão encolhendo aos nossos olhos. Até parlamentares idosos como eu são forçados a adquirir um alto grau de mobilidade.

Universidade de Harvard, 6 de setembro de 1943

> A conquista aérea e a perfeição da arte de voar cumprem o sonho que, por milhares de anos, reluziu na imaginação humana. Certamente, foi um evento maravilhoso e romântico. Se a outorga deste dom sobre uma civilização imatura, composta de nações concorrentes, cuja nacionalização cresceu a cada avanço da democracia e que ainda eram desprovidas de organização internacional, se este dom foi uma bênção ou uma maldição, ainda não foi provado.
>
> *Instituto de Tecnologia de Massachusetts, Boston, 31 de março de 1949*

Conquista da Áustria

A opinião pública tem se concentrado nos aspectos morais e sentimentais das conquistas nazistas na Áustria – um pequeno país brutalmente destruído, seu governo espalhado aos ventos, a opressão da doutrina nazista partidária imposta a uma população católica e, sobre as classes trabalhadoras da Áustria e de Viena, o duro uso da perseguição que, de fato, se seguirá – que, provavelmente, está em andamento no momento – daqueles que, até a semana passada, estavam exercendo sua política indubitável de direitos, descarregando seus deveres fielmente ao seu próprio país.

Comuns, 14 de março de 1938

A gravidade do evento do dia 11 de março [a ocupação] não pode ser exagerada. A Europa é confrontada com um programa de agressão bem calculado e cronometrado, aplicado passo a passo, e há apenas uma escolha, não só para nós, mas para outros países que estão, infelizmente, preocupados – submeter-se, como a Áustria, ou tomar medidas eficazes enquanto há tempo para afastar o perigo e, se não puder ser afastado, lidar com isso.

Comuns, 14 de março de 1938

Consciência
Consciência e confusão não podem ser reconciliadas; consciência à parte da verdade é mera estupidez, lamentável, mas, de modo algum, respeitável.

Comuns, 15 de julho de 1948

> Uma nação sem consciência é uma nação sem alma. Uma nação sem alma é uma nação que não pode viver.

Londres, 16 de setembro de 1951

Conselho de Especialistas
Eu sou um parlamentar, sempre fui um. Acho que um Ministro tem o direito de desconsiderar conselhos especializados. O que ele não tem direito de fazer é fingir que está agindo sobre ele, quando na verdade, está agindo ao contrário disso.

Comuns, 7 de maio de 1947

Conselho do Diabo
Vou me valer da relação avuncular que espero, ainda, possuir em relação ao Governo para colocá-la ao Primeiro Ministro [Sr. Neville Chamberlain], pessoalmente e até, intimamente. Ele já ouviu falar de Santo Antônio, o Eremita? Santo Antônio, o Eremita, era muito condenado pelos Padres da Igreja porque

se recusava a fazer o certo quando o Diabo lhe falava. Meu Amigo de Honra de Direito deveria se libertar dessa inibição irracional, pois estamos apenas no início de nossas ansiedades.

Comuns, 25 de maio de 1938

Conselhos sobre Desarmamento

Se você pressionar um país para reduzir suas defesas além de seu melhor julgamento e ele acatar seu conselho, todas as obrigações que você tenha contraído, contudo que seja expressado cuidadosamente, serão multiplicados em força e você vai encontrar sua posição complicada por novas obrigações de camaradagem, honra e compaixão, que serão trazidas, muito proeminente, para frente quando um país que tomou seu conselho cair dentro de túmulos perigosos, talvez, como resultado do que você pressionou sobre ele.

Comuns, 23 de março de 1933

Consequências

> Nos encontramos esta tarde sobre à sombra dos desastres do ano passado. Não é o momento de lamentar o passado; é hora de pagar a conta. Não é para repartir minha culpa; minha tarefa é, apenas, repartir o fardo. Não posso me apresentar perante o Comitê com o pretexto de um juiz imparcial; sou, apenas, o promotor público.
>
> *Comuns, 11 de abril de 1927*

Consequências da Guerra

Os problemas das consequências, o esgotamento moral e físico das nações vitoriosas, o destino miserável dos conquistados, a vasta confusão da Europa e Ásia, combinam para fazer uma soma total de dificuldade, que, mesmo que os Aliados tivessem preservado sua camaradagem em tempos de guerra, teriam tributado seus recursos ao máximo. Mesmo que nós, nesta ilha, tivéssemos permanecido unidos, como estávamos nos anos de perigo, deveríamos ter encontrado mais para confundir nosso julgamento e muitas tarefas que estavam além de nossa força.

Comuns, 5 de junho de 1946

Consistência

Nesse mundo de erro humano e variações constantes, geralmente de caráter inesperado, o partido liberal pode recorrer à doutrina do partido, poucas, mas impecáveis. Ele não precisa recorrer por segurança ou justificativa a essa máxima conhecida, ou ditado, de que "a consistência é o último recurso de mentes fracas e estreitas".

Comuns, 31 de março de 1947

> É melhor estar certo e coerente. Mas, se tiver que escolher – deve escolher estar certo.
>
> *Scarborough, 11 de outubro de 1952*

Consolidação

Não há método mais seguro de economizar e salvar dinheiro do que a redução do número de funcionários.

Comuns, 24 de abril de 1928

Constantinopla

Durante todo esse ano, ofereci o mesmo conselho ao governo – não realizar nenhuma operação no oeste que seja mais onerosa para nós em termos de vida do que para o inimigo; no leste, tome Constantinopla; tome-a por navio, se puder, tome-a pelos soldados; faça de acordo com o plano militar ou naval, recomende aos seus especialistas militares, mas tome-a e tome-a rapidamente, enquanto houver tempo.

Comuns, 15 de novembro de 1915

Constituição Americana

Devemos ter muito cuidado hoje em dia – talvez, ainda mais, por causa dos meus antepassados americanos – no que dizemos sobre a Constituição Americana. Vou, portanto, satisfazer-me com a observação de que nenhuma Constituição foi escrita em melhor inglês.

Almoço de Coroação, Westminster Hall, Londres, 27 de maio de 1953

Constituição Britânica

A Constituição Britânica é, principalmente, o senso comum britânico.

Kinnaird Hall, Dundee, 14 de maio de 1908

Construção

Se, ao erguer um grande edifício, constata-se que uma viga no andar inferior está com defeito, o edifício se torna causa de risco e perigoso para o público, mas não é possível retirá-la imediatamente. Arrancá-la seria envolver a certeza da ruína; mas, para quem? O edifício feito com materiais baratos pode ter se deteriorado. O empreiteiro pode ter feito uma fortuna com a obra e se aposentado. É sobre os humildes ocupantes que as misérias da queda cairiam.

Comuns, 22 de fevereiro de 1906

Consulta
Bem, pode-se sempre consultar um homem e perguntar-lhe: "Gostaria que sua cabeça fosse cortada amanhã?". E, depois, ele fala: "Eu prefiro não". "Consulta" é um termo vago e flexível.
Comuns, 7 de maio de 1947

Consumindo a Substância
Como estamos indo no dia a dia? Deixe-me lhes dizer. Vivemos com os últimos ativos restantes e investimentos no exterior acumulados sob o sistema capitalista - é nisso que vivemos: vivemos com eles na esperança de que possamos preencher a lacuna antes que o novo subsídio americano, sob o plano Marshall, entre em ação. Nossas últimas reservas quase desaparecerão e, mesmo com a ajuda americana, haverá um déficit pesado a ser atingido a cada ano, em todas as nossas compras no exterior.
Londres, 14 de fevereiro de 1948

Contagem de Bênçãos
Temos que olhar para trás, ao longo do caminho em que pisamos nos últimos três anos de trabalho e conflitos para valorizar, adequadamente, tudo do que escapamos e tudo o que conseguimos. Sem clima de ostentação, glória vaidosa e excesso de confiança, devemos vigiar nossas mentes; mas, acredito que temos um direito ao qual a história vai endossar, o de sentir que tivemos a honra de desempenhar um papel na salvação da liberdade e do futuro do mundo.
Londres, 29 de novembro de 1942

Contos Noturnos Árabes
Os Estados Unidos são uma terra de liberdade de expressão; em nenhum lugar a expressão é tão livre, nem mesmo aqui onde nós, diligentemente, cultivamos isso mesmo em seu mais repulsivo formato. Mas, quando vejo alguns dos relatos de conversas que deveria ter tido com o presidente dos Estados Unidos, só posso recordar de uma frase Balfouriana da qual eu ri, muitos anos atrás, quando ele afirmou que as contas prestadas não tinham mais relação com o fatos reais do que os contos mais loucos das noites da Arábia fazem dos incidentes comuns da vida doméstica no Oriente.
Comuns, 28 de setembro de 1944

Contribuições

O grande Napoleão, por muitos anos, insistiu em manter toda a estrutura de seu império sobre contribuições impostas pela força a Estados estrangeiros, mas não creio que se possa dizer que a conclusão histórica final desse grande experimento foi lucrativa para Napoleão ou para o país que presidiu.

Comuns, 2 de junho de 1908

Controles

Controle, por causa do controle, não tem sentido. Controles sobre o pretexto da guerra ou de suas consequências são, de fato, projetados para favorecer a realização de sistemas quase totalitários, no entanto, inocentemente projetados, quaisquer que sejam os disfarces que assumam, quaisquer que sejam os padrões utilizados, quaisquer slogans que gritem são uma fraude que deve ser impiedosamente exposta ao público britânico.

Central Hall, Westminster, 15 de março de 1945

Convicções

Tenho duas convicções no meu coração. Uma é que, de uma forma ou de outra, nós vamos sobreviver, embora, por um tempo, em um nível inferior ao de até então. O falecido Lorde Fisher costumava dizer: "A Grã-Bretanha nunca sucumbe". A segunda é que as coisas vão piorar antes de melhorar.

Comuns, 12 de março de 1947

Convites

É uma coisa muito boa recusar um convite, mas é uma coisa boa esperar até o receber primeiro.

Comuns, 22 de fevereiro de 1911

> **Coordenação**
> Pareceria bastante estranho convidar o coordenador após a coordenação, de acordo com o Livro Branco do Governo, já perfeito e completo; nomear o homem que deve concertar o plano depois que já tiver sido elaborado e incorporado nas previsões para o ano atual. O processo usual, se puder me modelar nos tipos de exposição um tanto simples em que o meu honrável direito e amigo instruído [Sir John Simon] se destaca, é colocar o cavalo na frente da carroça, suponho que a ideia seja, embora não deseje tomar nada como garantido que, à medida que o cavalo avança, ele, por assim dizer, arrasta a carroça atrás dele. É claro que esse seria o procedimento usual e normal, mas, sem dúvida, pode haver boas razões para ter adotado o contrário nesse caso.
>
> Comuns, 10 de março de 1936

Copa do Sucesso

Podemos produzir essa unidade completa e esse impulso a tempo de alcançar a vitória militar decisiva com o menor prolongamento possível da miséria do mundo ou devemos cair em tagarelice, babel e discórdia enquanto a vitória ainda não é alcançada? Parece-me ser a pergunta suprema da hora e da idade. Este não é um problema novo na história da humanidade. Muitas vezes, grandes combinações quase atingiram o sucesso e, em seguida, no último momento, o descartaram. Frequentemente, os triunfos e sacrifícios de exércitos são inúteis na mesa de conferência. Muitas vezes, as águias foram esmagadas pelos papagaios. Muitas vezes, em particular, as pessoas desta ilha, indomável na adversidade, provaram a taça de campeão duramente conquistada apenas para jogá-la fora.

Comuns, 18 de janeiro de 1945

Coragem

Por mais tentador que seja para alguns, quando há muitos problemas à frente, afastar-se habilmente e colocar outra pessoa em risco, não pretendo seguir esse caminho covarde, mas, pelo contrário, permanecerei no meu cargo e perseverarei de acordo com meu dever como o vejo.

Comuns, 25 de fevereiro de 1942

Corajosos

É nos anos de paz que as guerras são evitadas e são lançadas as bases sobre as quais as nobres estruturas do futuro podem ser construídas. Mas, a paz não será preservada sem as virtudes que fazem a vitória possível na guerra. A paz não será preservada por sentimentos piedosos, expressos em termos de chavões ou por caretas oficiais e correções diplomáticas, por mais desejável que isso seja, de tempos em tempos. Não será preservada deixando de lado, em anos perigosos, a panóplia da força de guerra. Deve haver uma reflexão séria. Também, tem que haver fidelidade, perseverança e previdência. Os corajosos devem ter sua espada e armadura para guardar os peregrinos em seu caminho. Acima de tudo, entre os povos de língua inglesa, deve haver a união dos corações baseada na convicção e ideais comuns. Isso é o que ofereço. Isso é o que busco.

Assembleia Geral da Virgínia, Richmond, 8 de março de 1946

Coroa

É o círculo dourado da Coroa que, por si só, abraça a lealdade de tantos estados e raças em todo o mundo. É o símbolo que reúne e expressa essas emoções profundas e agitações do coração humano, que faz os homens viajarem longe para lutar, morrer juntos e, alegremente, abandonar posses materiais e prazeres por causa de ideias abstratas.

Comuns, 15 de maio de 1945

No Império Britânico, não observamos apenas os mares um para o outro, mas a nossa própria história, para a Carta Magna, para o Habeas Corpus, à Petição do Direito, ao Julgamento de Júri, ao Direito Comum Inglês e à Democracia Parlamentar. Estes são os marcos e monumentos que destacam o caminho ao longo do qual a raça britânica marchou à liderança e à liberdade. E sobre tudo isso, unindo cada domínio com o outro e unindo-nos todos com o nosso passado majestoso está o círculo dourado da Coroa. O que há dentro do círculo? Não só a glória de um antigo povo invencível, mas a esperança, a esperança certa, de uma vida ampliada para centenas de milhões de homens.
Canada Club, Londres, 20 de abril de 1939

As prerrogativas da Coroa tornaram-se privilégios do povo.
Harrow, 1 de dezembro de 1944

É natural que o parlamento fale e que a Coroa brilhe. Os mais velhos daqui irão confirmar que nunca teremos falta de deputados e de ministros que possam conversar. Os mais jovens aqui têm certeza de que eles nunca verão a Coroa brilhar mais gloriosamente do que nestes dias alegres.

Almoço de Coroação, Westminster Hall, Londres, 27 de maio de 1953

Corredor do Perigo
Seria tolice agirmos como se estivéssemos nadando em um mar tranquilo, como se não houvesse nada além de brisa aprazível, clima calmo e tudo estivesse funcionando da maneira mais agradável. De qualquer maneira, siga suas linhas de

esperança e seus caminhos de paz, mas não feche os olhos para o fato de estarmos entrando em um corredor de agravamento e escurecimento do perigo, no qual teremos que seguir por muitos meses e, possivelmente, por muitos anos.

Comuns, 31 de maio de 1935

Correspondentes

Nunca houve, nesta guerra, uma batalha em que tanta liberdade foi dada aos correspondentes de guerra. Eles foram autorizados a vagar por todos nos campos de batalha, podendo de ser mortos e enviar para a casa suas muito completas mensagens sempre que alcançarem um escritório de telégrafo. Isto é o que a imprensa sempre pediu e é o que tem. Estes correspondentes de guerra, movendo-se em meio às tropas e compartilhando seus riscos, também compartilharam suas esperanças e foram inspirados por seu espírito florescente. Eles simpatizaram com os combatentes cujos atos têm sido gravados e têm, sem dúvida, sido extremamente preocupados em não escrever nada que iria espalhar desânimo ou adicionar aos seus fardos.

Comuns, 2 de julho de 1942

Corretivo

> Estou inclinado a pensar que, em uma comunidade livre, todo mal carrega consigo seu próprio corretivo e, portanto, acredito que sensacionalismo de todos os tipos, jogado por conta própria e exagerado é, por si só, desfeito.
>
> *Free Trade Hall, Manchester, 23 de maio de 1909*

A antiga campanha da Radical contra exploração, monopólios, desvantagens injustas e afins da qual participei nos meus jovens dias, era um corretivo saudável e necessário ao sistema de livre iniciativa. Mas, essa ideia grotesca de gerenciar vastas empresas por uma direção centralizada de Londres só pode levar à falência e à ruína.

Perth, 28 de maio de 1948

Corrida Armamentista

Vamos ver o que estamos fazendo. É uma impressão geral de que estamos revisando a Alemanha agora; que começamos tarde, é verdade, mas que somos compensados pelo tempo perdido e que, a cada mês, nossa posição relativa melhora. Isso é uma ilusão. É contrário à verdade neste ano e, provavelmente, por muitos meses no próximo ano. Eu não estou dizendo nada que não seja conhecido em todos os países do mundo. Esses assuntos são completamente entendidos. A Alemanha estará nos tirando cada vez mais, mesmo que os nossos novos programas sejam aceitos e estaremos piores no final deste ano do que estamos agora, apesar de todos os nossos esforços.

Comuns, 10 de março de 1936

Cortina de Ferro

Desde Stettin, no Báltico, até Trieste, no Adriático, uma cortina de ferro desceu por todo o continente. Atrás dessa linha, encontram-se todas as capitais dos antigos estados da Europa Central e Oriental. Varsóvia, Berlim, Praga, Viena, Budapeste, Belgrado, Bucareste e Sofia, todas estas cidades famosas e as populações à sua volta encontram-se no que devo chamar de esfera soviética e todas estão sujeitas, de uma forma ou de outra, não apenas à influência soviética, mas a um nível muito elevado e, em muitos casos, crescente de medidas de controle a partir de Moscou.

Westminster College, Fulton, Missouri, 5 de março de 1946

Que haja sol em ambos os lados da Cortina de Ferro; e, se alguma vez, o sol brilhar igual em ambos os lados, a cortina não existirá mais.

Blenheim, 4 de agosto de 1947

Dez antigas capitais da Europa estão atrás da Cortina de Ferro. Uma grande parte deste continente é mantida em cativeiro. Apenas escaparam ao nazismo e caíram no outro extremo do comunismo. É como fazer um longa e agonizante viagem para deixar o Polo Norte apenas para descobrir que, como resultado, despertou no Polo Sul. À sua volta, só há gelo, neve, ventos fortes e amargos.

Strasburgo, 17 de agosto de 1949

Costume Irlandês
Como disse, na outra noite, nas primeiras horas da manhã - [Risos] - isso é um costume irlandês; refiro-me ao outro dia, nas primeiras horas da manhã.

Comuns, 12 de junho de 1925

Crescimento
O carvalho britânico, do qual, durante séculos, a nossa marinha dependeu, cresce lentamente e sem ruído, sem manchetes ou pressentimentos, e não se deve cortar um sem plantar outro. É muito mais fácil e rápido derrubar árvores do que cultivá-las. Nos casos onde leis ruins e opressivas empenam o livre desenvolvimento da sociedade humana, muito corte pode ser necessário e, às vezes, a floresta em si tem que ser desmatada. Um grande trabalho foi feito pelo liberal e os partidos conservadores no século XIX, mas, o século XX, com seus terríveis eventos, nos trouxe problemas de diferentes ordens, das quais, não muitas podem ser resolvidas apenas por passagem em Atos do Parlamento.

Woodford, 6 de setembro de 1952

Creta
Acho que seria mais injusto, errado e muito bobo, no meio de uma defesa que até agora foi coroada com sucesso notável, selecionar a perda da saliente Creta como desculpa e pretexto para marcar com fracasso ou menosprezar com provocação a grande campanha de defesa do Oriente Médio, que até agora prosperou além de todas as expectativas e agora está entrando em uma fase ainda mais intensa e crítica.

Comuns, 10 de junho de 1941

Crime

> Hitler nos disse que foi um crime de nossa parte, em tais circunstâncias, ajudar os gregos. Não quero entrar em discussão com especialistas. Este não é um tipo de crime do qual ele é um bom juiz.
>
> *Comuns, 7 de maio de 1941*

Crítica

Nós não nos ressentimos à crítica bem-intencionada de qualquer homem que deseja ganhar a guerra. Não encolheremos de qualquer crítica justa e esta é a mais perigosa de todas. Pelo contrário, levamos isso a sério e procuramos lucrar com isso. Críticas no corpo político são como dores no corpo humano. Não é agradável, mas onde o corpo estaria sem isso? Nenhuma saúde ou sensibilidade seria possível sem a contínua disciplina e avisos de dor.

Comuns, 27 de janeiro de 1940

Não sou um e deveria ser o último a, indevidamente, ressentir-me de críticas injustas ou mesmo de críticas honestas, o que é mais buscado. Tenho sido um crítico de mim mesmo – não consigo ver como deveria ter resistido ao teste de ser um mero espectador no drama que está passando agora. Mas, há uma espécie de crítica que é um pouco irritante. É como um espectador que, quando vê um grupo de cavalos arrastando, dolorosamente, uma carroça pesada até uma colina, corta a passagem da cerca e há muitas passagens e o criticam energeticamente. Ele pode muito bem estar animado por um propósito benevolente, e quem dirá que os cavalos não podem se beneficiar de seus esforços e a carroça ir mais rápido para o topo da colina.

Comuns, 7 de maio de 1941

Eu obtive benefícios contínuos das críticas em todos os períodos da minha vida e não me lembro de algum momento que tenha feito falta.

Comuns, 27 de novembro de 1914

Críticos

Certamente, somos ajudados por um grande volume de críticas e conselhos dos quais sempre será nosso esforço lucrar no mais alto grau. Naturalmente, quando alguém é sobrecarregado pelo trabalho árduo da tarefa e seus cuidados, tristezas e responsabilidades, às vezes, pode roubar a mente um sentimento de impaciência com o desapego arejado e alegre de alguns daqueles críticos que se sentem tão confiantes em seu conhecimento e têm tanta certeza de sua capacidade de corrigir as coisas. Se for forçado - como espero que não o seja - a ceder a essa tentação, espero que se lembre de como é difícil combinar a atitude da mansidão e humildade em relação aos agressores com essas qualidades combativas e agressivas, com o espírito ofensivo e contra-ataque que achamos que nunca foram necessários, mais do que agora, contra o inimigo comum.

Caxton Hall, Londres, 26 de março de 1942

Cruz de Ferro

No início da última guerra, a Cruz de Ferro era uma decoração muito apreciada, mas, em 1918, tinha sido concedida tão livremente que era pouco valorizada exceto, acredito, por Herr Hitler, que, supostamente, a deu a si próprio, algum tempo depois.

Comuns, 22 de março de 1944

Depois do Armistício, os alemães, que são o povo mais adaptável, fabricaram grandes números de Cruzes de Ferro para venda às tropas francesas como lembranças. Na guerra atual, já têm cerca de 15 novas medalhas e 29 novos crachás distintivos. Ainda não atingiram a fase de fabricação das mesmas para venda aos aliados.

Comuns, 22 de março de 1944

Culpa Nacional

É bem possível que as raças culpadas, que tropeçaram nas glórias da guerra, no início, exaltarão as virtudes da paz antes do fim. E parece certo, porém, que aqueles que fixam, por seus próprios termos, o momento para iniciar guerras, não devem ser os mesmos homens que fixam, em seus próprios termos, o momento de acabar com elas. Estas observações são de caráter geral, mas não sem sua aplicação particular.

Comuns, 8 de junho de 1943

Quando nações pacíficas como os britânicos e os americanos, muito descuidadas em suas defesas, em tempos de paz, nações despreocupadas e insuspeitas, povos que nunca conheceram a derrota - nações improvidentes, direi, impotentes, que desprezam a arte militar e a guerra do pensamento tão perverso - quando nações como estas são confrontadas por conspiradores altamente organizados e com armamentos pesados, planejando e calculando em segredo, durante anos a fio, exaltando a guerra como a mais alta forma de esforço humano, glorificando o abate e a agressão, preparados e treinados até o último ponto que a ciência e a disciplina podem levá-los, não é natural que os povos pacíficos, despreparados e improvidentes devam sofrer terrivelmente e que os malvados, os agressores malvados devam ter seu reinado de exaltação selvagem?

Usher Hall, Edimburgo, 12 de outubro de 1942

Cura

As descobertas da ciência da cura devem ser a herança de todos. É claro. A doença deve ser atacada, quer ocorra no mais pobre ou no mais rico homem ou mulher, simplesmente na terra que é inimiga; deve ser atacada da mesma forma que os bombeiros vão dar sua total assistência, tão prontamente, ao mais humilde chalé quanto à mais importante mansão.

Royal College of Physicians, Londres, 2 de março de 1944

Cura da Fé

Não havia nada mais notável do que esta doutrina de cura pela fé. O princípio era muito simples; se dissesse que uma coisa era assim, então, era assim; se dissesse que não era assim, então, não era assim.

Comuns, 3 de abril de 1905

Curva Perigosa

Nós não fizemos essa guerra, não a procuramos. Fizemos tudo o que pudemos para evitar isso. Fizemos muito para evitá-la. Às vezes, chegamos ao ponto de sermos quase destruídos quando se abateu sobre nós. Mas, a curva perigosa foi contornada e a cada mês, a cada ano que passa, confrontaremos os malfeitores com armas em abundância, tão afiadas e destrutivas quanto aquelas com as quais eles procuraram estabelecer seu domínio odioso.

Ottawa, 30 de dezembro de 1941

D

NINGUÉM PRETENDE QUE A DEMOCRACIA SEJA PERFEITA OU ONISCIENTE.

A Democracia é a pior forma de governo, exceto por todas as outras formas que foram tentadas.

Commons, 11 de novembro de 1947

Dando
É, certamente, mais agradável ter poder para dar do que para receber.
Comuns, 28 de abril de 1949

Danzig
O que é Danzig? Não é apenas uma cidade. Tornou-se um símbolo. Um ato de violência contra a República Polonesa, se isso cresceu de dentro para fora ou de fora para dentro, levantará uma questão de importância mundial. O Secretário do Exterior nos disse que a força será combatida pela força e que ninguém na Grã-Bretanha foi criado para contradizê-lo. Um ataque à Polônia no presente tempo seria um evento decisivo e irrevogável. É da mais alta importância que o Partido Nazista na Alemanha não se engane sobre o temperamento das democracias britânicas e francesas.
Cidade Carlton Club, Londres, 28 de junho de 1939

Dar e Receber
Eu disse, no ano passado, que nossa política foi de moderação, tentando persuadir um lado a ceder e o outro a renunciar, esforçando-se para manter uma certa força militar disponível a fim de evitar colisões violentas entre os dois lados [árabes e judeus, na Palestina].
Comuns, 9 de março de 1922

David Lloyd George
Ele lançou as forças liberais e radicais deste país, efetivamente, em amplo fluxo de melhoria social e previdência social, ao longo dos quais, todos partidos modernos, agora, conduzem.
Comuns, 28 de março de 1955

Seu coração quente foi agitado pelos muitos perigos que assolavam as casas, a saúde do ganhador de pão, o destino de sua viúva, a alimentação e educação de seus filhos, a insuficiente e aleatória prestação de tratamento médico e sanatório, a falta de qualquer serviço médico organizado e acessível que a massa de assalariados merecia e os pobres daqueles dias sofriam tão severamente. Tudo isso empolga sua ira. Piedade e compaixão emprestaram suas asas poderosas. Ele conhecia o terror com o qual a velhice ameaçava a labuta - que depois de uma vida de esforço, não poderia ser mais do que um fardo à lareira e na família de um filho em dificuldades.

Comuns, 28 de março de 1955

Eu era seu tenente naqueles dias passados e compartilhei de uma forma menor no trabalho. Eu tenho vivido para ver longos passos dados, ser levado e ser tomado neste caminho seguro pelo qual os abutres da ruína total são expulsos das moradias da nação. Os selos que lambemos, as estradas pelas quais viajamos, o sistema de tributação progressiva, os principais remédios que têm sido usados, até agora, contra o desemprego - tudo isso, para uma grande extensão, fazia parte não só da missão, mas da realização efetiva de Lloyd George; e tenho certeza de que, com o passar do tempo, seu nome não só viverá, mas brilhará por conta do grande, laborioso e construtivo trabalho que fez para a vida social e doméstica do nosso país.

Comuns, 28 de março de 1945

Quando a calma, a complacência e a tranquilidade do período Vitoriano tinham explodido nas convulsões e guerras do mundo dos terríveis século XX, Lloyd George teve outro papel no qual sua fama se manterá com firmeza igual ou ainda maior. Embora não familiarizado com as artes militares, embora com reputação pública de belicoso pacifista, quando a vida do nosso país estava em perigo, mobilizou-se para o esforço de guerra, deixando de lado todos os outros pensamentos e objetivos.

Comuns, 28 de março de 1945.

Décima Primeira Hora

Agora, é o momento de, finalmente, despertar a nação. Talvez, seja a última vez que ela possa ser despertada com uma chance de prevenir a guerra ou com uma chance de obter a vitória, caso nossos esforços para evitar a guerra falhem. Nós devemos deixar de lado todos os obstáculos e nos esforçar para unir toda

a força e o espírito de nosso povo para levantar, novamente, uma grande nação britânica, para assim, erguendo-se em seu antigo vigor, salvar a civilização.
Comuns, 24 de março de 1938

Decisão

A guerra é um trabalho duro, brutal e onde não há lugar para dúvidas ou reservas. Ninguém, nunca, lançou um ataque sem ter dúvidas antecipadamente. Deveria ter dúvidas antes; mas, quando o momento da ação chega, passou a hora das dúvidas. Muitas vezes, não é possível retroceder de um curso adotado na guerra. Um homem deve responder "sim" ou "não" às grandes perguntas que são colocadas e, por essa decisão, deve estar vinculado.
Comuns, 15 de novembro de 1915

Declaração de Independência

> Nunca devemos deixar de proclamar, sem medo, os grandes princípios da liberdade e dos direitos do homem, que são a herança comum do mundo anglófono e que, através da Carta Magna, a Carta dos Direitos, o Habeas Corpus, o julgamento por júri e o direito comum inglês, encontram a sua mais famosa expressão na Declaração Americana da Independência.
> *Westminster College, Fulton, Missouri, 5 de março de 1946*

Defesa

Na pendência de alguma nova descoberta, a única medida direta de defesa, em uma grande escala, é a certeza de poder infligir, simultaneamente, sobre o inimigo tão grande dano que possa infligir a nós mesmos.
Comuns, 28 de novembro de 1934

Deveríamos ter uma chance maior de aplicar os dons da ciência a toda a textura de nossos arranjos defensivos, se houvesse uma recepção de todas essas novas invenções e descobertas de um ponto de vista elevado, removido do prejuízo de qualquer pessoa em uma profissão particular uniformizada.

Comuns, 21 de março de 1934

Afirmo que essas questões de defesa nacional e política externa devem ser consideradas em um plano acima do partido e, além do antagonismo natural que separa um governo e uma oposição. Elas afetam a vida da nação. Elas influenciam as fortunas do mundo.

Corn Exchange, Cambridge, 19 de maio de 1939

Defesa Aérea
Em uma guerra aérea, a maior forma de defesa será, sem dúvida, o ataque.

Comuns, 21 de março de 1922

Eu não posso ver na atual administração da Alemanha qualquer garantia de que eles seriam mais bem-intencionados em lidar com uma vital e suprema situação do que era o Governo Imperial da Alemanha, que era responsável por este procedimento ser adotado em direção à França. Não Senhor, e podemos, dentro de um período mensurável de tempo, na vida daqueles que estão aqui, se não estamos em um estado adequado de segurança, ser confrontados, em alguma ocasião, com uma visita de um embaixador e pode ser que tenhamos que dar uma resposta em poucas horas; e se essa resposta não for satisfatória, dentro das próximas poucas horas, a queda de bombas explodindo em Londres e cataratas de alvenaria, fogo e fumaça vai nos informar qualquer inadequação que foi permitida em nossas defesas aéreas.

Comuns, 7 de fevereiro de 1934

> Por que devemos temer o ar? Temos tão bom conhecimento técnico como qualquer outro país. Não há razão para supor que não podemos fazer boas máquinas como como qualquer outro país. Temos – embora possa ser um pensamento vaidoso dizendo assim – uma veia particular de talento na pilotagem aérea que é, antes de tudo, uma vantagem sobre os outros países. Não há a menor razão para supor que não sejamos capazes de produzir bons resultados com o dinheiro colocado em ação como em qualquer outro país. Sendo assim, peço ao governo para considerar profundamente e urgentemente toda a posição de nossa defesa aérea.
>
> *Comuns, 14 de março de 1933*

Há uma melhoria sensível em nossos meios de lidar com os ataques alemães sobre esta ilha e uma medida muito grande de segurança foi dada para este país durante o dia - e estamos felizes que os dias estejam prolongados. Mas, agora, os períodos de luz do luar também são aguardados pela Força Aérea Real como uma oportunidade para infligir severas perdas dissuasivas aos invasores, bem como para atacar duramente o inimigo em seu próprio território. O fato de nossos conselheiros técnicos saudarem a luz – luz do dia, luz do luar, luz das estrelas – e que não dependemos para proteção da escuridão, das nuvens e das névoas, como teria sido o caso há algum tempo, está cheio de esperança e significado.

Comuns, 9 de abril de 1941

Defesa de Londres

Aceite a admirável confissão de que as armas modernas disponíveis para a defesa de Londres teriam sido dobradas em número se não fosse pela falência de uma pequena empresa encarregada de uma parte essencial. Peço ao Primeiro Ministro que enfrente a força dessa confissão. Ele é um homem de negócios de alta competência. Não é chocante que tal coisa tenha acontecido?

Comuns, 17 de novembro de 1938

> Os estatísticos podem se divertir calculando que, depois de fazer subsídio para o funcionamento da lei dos rendimentos decrescentes, através da mesma casa sendo atingida duas e três vezes, levaria dez anos, no ritmo atual, para metade das casas de Londres serem demolidas. Depois disso, é claro, o progresso seria muito mais lento.
>
> *Comuns, 8 de outubro de 1940*

Quando, após o inimigo se cansar de seu ataque à capital e voltar-se para outras partes do país, muitos de nós sentimos em nossos corações ansiedade que o peso do ataque naquelas cidades menores se mostrasse mais eficaz do que quando dirigidos a Londres, que é tão vasta e forte, que é como um monstro pré-histórico cuja pele é blindada pelo couro, onde chuvas de flechas podem ser disparadas em vão.

County Hall, Londres, 14 de julho de 1941

Preferimos ver Londres em ruínas e cinzas do que ser mansamente e abjetamente escravizada.

Comuns, 14 de julho de 1940

Deficiências

> Nações parlamentares pacíficas têm mais dificuldade em transformar-se em vastos organismos bélicos do que estados ditadores que glorificam a guerra e alimentam sua juventude com sonhos de conquista.
>
> *Londres, 30 de março de 1940*

Deficiências nos Armamentos

Estamos, agora, no terceiro ano de rearmamento abertamente declarado. Por que, se tudo está indo bem, existem tantas deficiências? Por que, por exemplo, os guardas estão perfurando com bandeiras em vez de metralhadoras? Por que o nosso pequeno exército territorial está em uma condição rudimentar? Isso é tudo de acordo com a programação? Por que deveria ser, quando consideramos quão pequenas são as nossas forças? Por que seria impossível equipar o Exército Territorial simultaneamente ao Exército Regular?

Comuns, 25 de maio de 1938

Demissão

Demitir ministros, vice-presidentes ou fazê-los demitir-se é uma forma pouco saudável de conduzir os assuntos públicos em tempos de paz. E eles não devem se achar obrigados a explicar à nação as razões da sua partida.

Comuns, 6 de março de 1947

Democracia

Com todas as suas virtudes, as democracias são mutáveis. Após um ajuste quente, vem o frio. Devemos ver, novamente, como vimos da última vez, o máximo de severidades infligidas aos vencidos serem seguidas por um período em que deixamos que se armem novamente e em que procuramos apaziguar sua ira?

Comuns, 5 de junho de 1946

> A democracia não se expressa em manobras inteligentes pelas quais um punhado de homens sobrevive dia após dia ou outro punhado de homens tenta derrubá-las.
>
> *Londres, 17 de março de 1951*

Sob nossas instituições representativas, ocasionalmente, é necessário adiar as opiniões de outras pessoas.

Comuns, 16 de julho de 1909

A democracia não é uma convenção de partidos obtendo um mandato fixo por promessas e, depois, fazendo o que quiser com as pessoas. Afirmamos que deveria ser um relacionamento constante entre os governantes e o povo. O governo do povo, pelo povo, para o povo ainda continua sendo a definição soberana da democracia.

Comuns, 11 de novembro de 1947

Democracia

Acolhemos qualquer país onde o povo possui o governo e não o governo possui o povo.

Haia, 7 de maio de 1948

A base de toda democracia é que as pessoas têm o direito de votar. Privá-los desse direito é zombar de todas as frases ressonantes que são usadas com tanta frequência. No fundo de todos os tributos pagos à democracia está o homenzinho entrando na cabine pequena, com um lápis, fazendo uma pequena cruz num pedaço de papel - nenhuma quantidade de discussão retórica ou volumosa pode, possivelmente, diminuir a esmagadora importância desse ato.

Comuns, 31 de outubro de, 1944

Países parlamentares pacíficos, que visam a liberdade individual e abundante para a massa, começam com uma grande desvantagem contra uma ditadura cujo único tema tem sido a guerra, a preparação para a guerra e a moagem de tudo e de todos em sua máquina militar.

Comuns, 8 de novembro de 1939

Se a democracia e as instituições parlamentares triunfarem nesta guerra, é absolutamente necessário que os governos que se apoiam sobre elas sejam capazes de agir e ousar, que os servos da Coroa não sejam assediados por preocupações e rugidos, que a propaganda inimiga não seja alimentada, que nossa reputação não seja depreciada e prejudicada em todo o mundo.

Comuns, 2 de julho de 1942

Muitas formas de governo foram tentadas e será provado, neste mundo de pecado e dor... que ninguém finge que a democracia é perfeita ou onisciente. De fato, tenho dito que a democracia é a pior forma de governo, exceto pelas outras formas que foram tentadas de tempos em tempos.

Comuns, 11 de novembro de 1947

Demônio do Ar

Hitler fez um contrato com o demônio do ar, mas o contrato esgotou antes que o trabalho fosse feito e o demônio assumiu um compromisso com a empresa rival. Quão verdadeiramente foi dito que nações e pessoas, muitas vezes, caem pelos mesmos meios que usaram e construíram suas esperanças para a sua ascensão.

Comuns, 2 de julho de 1942

Deriva

Parece que estamos em movimento, à deriva, de forma constante, contra a nossa vontade, contra a vontade de toda a raça, de todas as pessoas, de todas as classes, em direção a uma catástrofe hedionda. Todos querem parar, mas não sabem como.

Comuns, 14 de abril de 1937

Derrota

É somente onde surgem grandes questões estratégicas de política que são apropriadas aqui, para nos esforçarmos a formar uma opinião final. A derrota é amarga. Sendo assim, não adianta tentar explicar a derrota. As pessoas não gostam de derrota e não gostam das explicações, por mais elaboradas ou plausíveis que sejam. Para a derrota, há apenas uma resposta. A única resposta para derrota é vitória.

Comuns, 10 de junho de 1941

As penalidades da derrota são assustadoras. Após o flash ofuscante da catástrofe, o golpe impressionante, as feridas abertas, surgem as doenças da derrota. O princípio central da vida de uma nação está quebrado e todo o controle normal e saudável desaparece, existem poucas sociedades que podem suportar as condições de subjugação. Patriotas indomáveis seguem caminhos diferentes; traidores e colaboradores de todos os tipos são abundantes; líderes guerrilheiros, cada um com seus seguidores pessoais, suas desavenças e suas brigas.

Comuns, 22 de fevereiro de 1944

Derrota da Alemanha

> Enquanto as linhas alemãs se estendem muito além de suas fronteiras, enquanto sua bandeira sobrevoa as capitais conquistadas e as províncias subjugadas, enquanto todas as aparições de sucessos militares atendem às suas armas, a Alemanha pode ser derrotada mais fatalmente no segundo ou terceiro ano da Guerra do que se os exércitos aliados tivessem entrado em Berlim no primeiro.
>
> *Comuns, 15 de novembro de 1915*

O caráter do partido nazista de Hitler foi tal que destruiu quase todos os elementos independentes nas pessoas alemãs. A luta foi travada para o fim amargo. A massa foi forçada a suportar a amargura da derrota. Uma Alemanha sem cabeça caiu para as mãos dos conquistadores.

Comuns, 16 de agosto de 1945

Desarmamento

Devo dizer que, ao falar sobre todas essas várias iniciativas ao redor do mundo, deixei o fato óbvio, essencial até este ponto, a saber, que foram os exércitos russos que fizeram o trabalho principal em arrancar as tripas do exército alemão. No ar e nos oceanos, podíamos manter nosso lugar, mas não havia força no mundo capaz de maltratar e quebrar o exército alemão, a menos que tivesse sido submetido ao terrível massacre e manipulação com os quais foi abatido pelos exércitos soviéticos russos.

Comuns, 2 de agosto de 1944

A derrota para a Alemanha no mar significa a perda dos navios afundados ou danificados em batalha. Atrás dos "destemidos" alemães estão quatro milhões e meio de soldados e uma estreita orla marítima com fortalezas e baterias. Nada que pudéssemos fazer, após uma vitória naval, poderia afetar a segurança ou a liberdade de um único lugarejo alemão.

Comuns, 17 de março de 1914

Desafio

Todo o mundo, até nossos melhores amigos, pensou que nosso fim havia chegado. Nesse sentido, nos preparamos para conquistar ou perecer. Nós estávamos unidos naquela hora solene e majestosa; todos estávamos igualmente decididos, pelo menos, a ir à luta. Lançamos cálculos aos ventos; nenhuma voz vacilante foi ouvida; lançamos desafios aos nossos inimigos; enfrentamos nosso dever e, pela misericórdia de Deus, fomos preservados.

Naquele tempo, coube a mim expressar os sentimentos e as resoluções da nação britânica naquela crise suprema de sua vida. Isso foi, para mim, uma honra muito além de qualquer sonho ou ambição que já havia nutrido e é aquele que não pode ser tirado.

Londres, 10 de maio de 1942

Desarmamento

Pode ser muito virtuoso e honesto pressionar o desarmamento das nações situadas como essas são, mas se não for feito da maneira certa, na época correta e com moderação, no que diz respeito aos pontos de vista de outras pessoas, assim como nossos próprios sentimentos, pode trazer a guerra mais para perto, em vez de paz, e pode nos levar a ser suspeitos e odiados, em vez de sermos honrados e agradecidos como gostaríamos de ser.

Comuns, 13 de abril de 1933

Certa vez, todos os animais do jardim zoológico decidiram que iriam se desarmar e organizaram uma conferência para discutir o assunto. Então, quando abriu os procedimentos, o rinoceronte disse que o uso de dentes era bárbaro, horrível e que deveria ser estritamente proibido pelo consentimento geral. Os chifres, que eram principalmente armas defensivas, naturalmente, teriam que ser permitidos.

O búfalo, o veado, o porco-espinho e até o pequeno ouriço disseram que votariam no rinoceronte, mas o leão e o tigre tinham uma visão diferente. Eles defenderam os dentes e até as garras, que eles descreveram como armas honrosas da antiguidade imortal.

A pantera, o leopardo, o puma e toda a tribo de gatos pequenos apoiaram o leão e o tigre. Então, o urso falou. Ele propôs que dentes e chifres deveriam ser banidos e nunca mais usados em luta, por qualquer animal. Seria o bastante se animais dessem um bom abraço quando brigassem.

Ninguém poderia se opor a isso. Era tão fraterno e isso seria um grande passo em direção à paz. No entanto, todos os outros animais ficaram muito ofendidos com o urso e o peru entrou em pânico total.

A discussão ficou quente, raivosa e todos esses animais começaram a pensar tanto em chifres, dentes e abraços quando eles discutiam sobre as intenções pacíficas que havia os reunido, então, eles começaram a se olhar de uma maneira muito desagradável.

Felizmente, os guardiões foram capazes de acalmá-los e convencê-los a voltar, silenciosamente, para suas jaulas e eles começaram a se sentir bastante amigáveis uns com os outros, novamente.

Aldersbrook Road, West Essex, 25 de outubro de 1928

Ideias falsas foram espalhadas pelo país de que desarmamento significa paz.

Comuns, 14 de março de 1934

Desastre
Nosso agradecimento pela fuga de nosso exército e de tantos homens, cujos entes queridos passaram uma semana angustiante, não devemos nos cegar para o fato de que o que aconteceu na França e na Bélgica é um desastre militar colossal. O exército francês foi enfraquecido, o belga foi perdido, uma grande parte daquelas linhas fortificadas sobre as quais tanta fé foi depositada, foi destruída, muitos distritos e fábricas de mineração valiosos passaram para a posse do inimigo, todos os portos do Canal estão em suas mãos, com todas as consequências trágicas que se seguem a isso, e devemos esperar que um outro golpe nos atinja, quase imediatamente, ou a França.

Comuns, 4 de junho de 1940

Desconhecido
Não conheço nada mais notável em nossa longa história do que a vontade de encontrar o desconhecido, de enfrentar e suportar o que quer que seja que foi mostrado, em setembro, para toda a massa dos povos desta ilha na descarga do que sentiram que era seu dever. Nunca houve uma guerra que parecesse tão susceptível de levar seus terrores a cada lar, e nunca houve uma guerra em que todas as pessoas entraram com a mesma convicção de que, ajudadas por Deus, elas não poderiam fazer outra coisa.

Free Trade Hall, Manchester, 27 de janeiro de 1940

Desculpas
Eu não tenho intenção de passar os meus anos restantes explicando ou retirando qualquer coisa que tenha dito no passado, menos ainda, pedindo desculpas por isso.

Comuns, 21 de abril de 1944

Desemprego
A melhor maneira de se segurar contra desemprego é não ter desemprego.

Londres, 21 de março de 1943

Desespero

> Temos que contar com o dinheiro de um jogador em desespero. Temos que contar com um criminoso que, por um simples gesto, decretou a morte de três ou quatro milhões de soldados russos e alemães. Nós continuamos aqui, os campeões. Se nós falharmos, todos falharemos e se cairmos, todos cairemos juntos.
>
> *Comuns, 29 de julho de 1941*

Desgraça da Grã-Bretanha
Eu passei, como ministro, por alguns dos piores períodos de ataques de submarinos no último ano. Estudei as condições, por muito tempo e, cuidadosamente, tenho pensado muito neles nos anos que se seguiram. Nada que aconteceu, então, nada do que imaginávamos no intervalo, no qual parecia alarmante na época, era comparável aos perigos e dificuldades que agora nos afligem. Repito que, toda alta autoridade que conheço, se perguntada, a sangue frio, há um ano, como deveríamos passar, teria achado impossível dar uma resposta favorável. Não tenho dúvidas de que os especialistas que aconselham Hitler lhe disseram que a nossa desgraça era certa.

Comuns, 25 de junho de 1941

Desgraça da Humanidade
Quando o Sr. Sterling Cole, presidente do Comitê do Congresso dos Estados Unidos, emitiu, há um ano - 17 de fevereiro de 1954 - a primeira revisão abrangente da bomba de hidrogênio, toda a base de assuntos humanos foi

revolucionada e a humanidade se colocou em uma situação imensurável e carregada de desgraça.

Comuns, 1 de março de 1955

Despovoamento

Uma continuação de experimentos socialistas em teoria e sua ineptidão e incompetência na prática trará, sobre nós, não apenas as piores privações e restrições do que aquelas que temos agora, mas a ruína econômica; não apenas a ruína econômica, mas o despovoamento das Ilhas Britânicas em uma escala que ninguém jamais imaginou ou previu.

Royal Albert Hall, Londres, 21 de abril de 1948

Destino

Não é nosso poder antecipar nosso destino.

Comuns, 23 de novembro de 1932

Estes, não são os dias em que se poderia comandar a nação britânica ou o Império Britânico como se fosse um peão num tabuleiro de xadrez da Europa. Vocês não podem fazer isso.

Claro, se os Estados Unidos estavam dispostos a entrar na cena europeia como fator primordial, se estavam dispostos a garantir a esses países que seguem seus conselhos de que não sofreriam por isso, então, uma perspectiva incomparavelmente mais ampla e feliz se abriria a todo mundo. Se eles estavam dispostos não apenas a assinar, mas a ratificar tratados desse tipo, seria uma enorme vantagem.

É bastante seguro para o Império Britânico ir tão longe em qualquer garantia na Europa como os Estados Unidos estão dispostos a ir, e quase nenhuma dificuldade no mundo pôde ser resolvida pela cooperação fiel dos povos de língua inglesa. Mas, isso não vai acontecer amanhã.

Comuns, 23 de novembro de 1932

É um erro olhar muito à frente. Apenas um elo na cadeia do destino pode ser tratado por vez.

Comuns, 18 de fevereiro de 1945

Não está no poder de uma nação, por mais formidavelmente armada que seja e está, menos ainda, sob o poder de um pequeno grupo de homens violentos, impiedosos, que têm sempre que lançar seus olhos por trás de seus ombros para grampear e restringir a marcha progressiva do destino humano.

Londres, 16 de outubro de 1938

Destino da Holanda

Não vou tentar profetizar se o frenesi de um encurralado maníaco levará Herr Hitler ao pior de todos os seus crimes; mas isto direi, sem dúvida, que o destino da Holanda e da Bélgica, como a da Polônia, Tchecoslováquia e Áustria será decidido pela vitória do Império Britânico e da República Francesa. Se nós formos conquistados, todos serão escravizados e os Estados Unidos serão entregues para guardar os direitos do homem. Se não formos destruídos, todos estes países serão resgatados e restaurados à vida e à liberdade.

Comuns, 8 de novembro de 1939

Destroyers

Não haverá demora em colocar os destroyers americanos em serviços ativos; de fato, as equipes britânicas já os encontram nos vários portos onde estão sendo entregues. Pode chamar isso de ramo longo de coincidências. Eu, realmente, não acho que haja mais a ser dito sobre todo esse negócio no momento. Esta não é a ocasião apropriada para retórica. Talvez possa, no entanto, com muito respeito, oferecer este conselho para a Casa: quando você tem uma coisa que deseja é bom deixá-la onde está.

Comuns, 5 de setembro de 1940

O destroyer tem duas funções. A primeira é destruir, com tiros, os torpedos das embarcações inimigas em suas próprias águas. Sua segunda função é o ataque por torpedo nos navios pesados do inimigo.

Comuns, 17 de março de 1914

Destruição do Mundo

> O que Herr Hitler vai fazer? Será que ele vai tentar explodir o mundo ou não? O mundo é uma coisa muito pesada de se explodir. Um homem extraordinário, no auge do poder, pode criar uma grande explosão e, ainda assim, o mundo civilizado pode permanecer inabalável. Os enormes fragmentos e estilhaços da explosão podem se espalhar sobre sua própria cabeça, destruí-lo e a todos que estão ao seu redor, mas o mundo continuará. A civilização não sucumbirá; o povo trabalhador dos países livres não será escravizado novamente.
>
> *City Carlton Club, Londres, 28 de junho de 1939*

Há uma opinião geral que tenho notado que seria um desastre se o planeta em que habitamos explodisse em pedaços ou se toda a vida humana fosse extinta de sua superfície, à parte, o que quer dizer, de seres ferozes, com armas de fogo obsoletas, que habitam as cavernas da Idade da Pedra. Há um sentimento geral de que isso seria um evento lamentável. Talvez, no entanto, nos lisonjeemos. Talvez, sejamos tendenciosos: mas, todos percebem o quanto o conhecimento científico tem superado a virtude humana. Todos esperamos que os homens sejam melhores, mais sábios, mais misericordiosos do que foram há 10 mil anos. Há, certamente, uma grande atmosfera de compreensão. Há um fator crescente que se pode chamar de opinião pública mundial, mais poderosa, mais persuasiva, mais valiosa. Nós entenderemos nosso destino infeliz, mesmo que não tenhamos poder para controlá-lo.

Comuns, 7 de novembro de 1945

Determinação

Não devemos sinalizar ou falhar. Vamos continuar até o fim. Vamos lutar na França, lutaremos nos mares e oceanos, lutaremos com confiança e força crescente no ar. Vamos defender nossa ilha, qualquer que seja o custo. Lutaremos nas praias, nos desembarques, nos campos, nas ruas e nas colinas. Jamais nos renderemos e, mesmo que por um momento acreditasse que esta ilha ou grande parte dela fosse subjugada e passasse fome, nosso Império além dos mares, armado e guardado pela Frota Britânica, continuaria a lutar até que, nos bons tempos de Deus, o Novo Mundo, com todo o seu poder e força, avançaria para o resgate e a libertação do Velho.

Comuns, 4 de junho de 1940

Estou confiante de que conseguiremos derrotar e destruir, amplamente, este ataque mais tremendo pelo qual estamos, agora, ameaçados, e de qualquer forma, aconteça o que acontecer, todos lutaremos até o fim.

Comuns, 17 de setembro de 1940

Dever

O destino da humanidade não é decidido pela computação material. Quando grandes causas estão em movimento no mundo, agitando a alma de todos os homens, atraindo os de suas lareiras, deixando de lado o conforto, a riqueza e a busca de felicidade em resposta a impulsos, ao mesmo tempo impressionantes e irresistíveis, aprendemos que somos espíritos, não animais, que algo está acontecendo no espaço e no tempo, e além do espaço e do tempo que, gostando-se ou não, soletra dever.

Londres, 16 de junho de 1941

Vitória ou derrota são coisas que acontecem, mas dever é algo que é obrigatório e deve continuar independentemente. Carrega consigo a sua recompensa, qualquer que seja o resultado da luta.

Ritz-Carlton Hotel, Nova York, 25 de março de 1949

Não é dado aos mortais mais inteligentes e calculistas conhecer, com certeza, qual a sua preocupação. No entanto, é dado a muitas pessoas simples, todos os dias, saber qual é o seu dever.

Londres, 31 de agosto de 1943

Em tempos de crise, é sempre um conforto sentir que você está trilhando o caminho do dever de acordo com as luzes que são concedidas a você.

Guildhall, Londres, 9 de novembro de 1951

Deveres da Morte
Não há ganho real para a democracia britânica quando uma família deixa o lar de seus ancestrais e o entrega a um milionário transatlântico ou aproveitador de guerra.

Comuns, 15 de abril de 1930

Devolução
Estou convencido de que nenhum partido, no futuro, se recusaria a considerar a delegação de funções administrativas e legislativas aos conselhos provinciais e nacionais. Acredito na extensão do governo local em uma escala até então bastante desconhecida, na criação de conselhos nacionais nas quatro partes do reino e na entrega de grandes fatias e blocos de negócios que não puderam ser tratados adequadamente em Westminster.

Comuns, 20 de fevereiro de 1905

DILÚVIO

Na conduta de uma vasta administração, em todo o país, deve haver divisão das funções e deve haver responsabilidades apropriadas atribuídas aos chefes de departamentos. Eles devem ter poder e autoridade para fazer seu trabalho, serem capazes de orgulhar-se disso quando terminado e serem considerados responsáveis por isso, se não for feito.

Comuns, 29 de julho de 1941

Dilúvio

Eu deveria aconselhar o Exímio Senhor Cavalheiro [Sr. Arnold Foster, Secretário do Estado de Guerra] a não se preocupar muito com detalhes, porque, afinal, haverá uma eleição algum dia e quando chegarem as águas dos oceanos sem fim, todos os castelos nas areias serão lavados.

Comuns, 23 de fevereiro de 1905

Dinheiro

Um governo pode, facilmente, levantar dinheiro e pode, sempre, imprimi-lo, mas a mão de obra e os materiais representados pelo dinheiro vêm em uma categoria. A mão de obra e a economia da comunidade são a chave.

Comuns, 6 de dezembro de 1945

Diplomas

Estou surpreso que, na minha vida adulta, devo ter me tornado tão experiente na obtenção de diplomas quanto eu era ruim em passar nos exames da escola. De fato, quase se pode dizer que ninguém, jamais, passou por tão poucos exames e recebeu tantos diplomas. Disto, um pensador superficial pode argumentar que a maneira de obter mais diplomas é falhar na maioria dos exames. Isso, no entanto, senhoras e senhores, seria uma conclusão não edificante na atmosfera acadêmica em que, agora, me apresso a traçar outra moral com a qual tenho certeza de que estaremos de acordo: a saber, que nenhum menino ou menina deve, jamais, desanimar pela falta de sucesso em sua juventude, mas deve continuar, diligente e fielmente, a perseverar e compensar o tempo perdido.

Universidade de Miami, 26 de fevereiro de 1946

Direitos de Trabalho

Os sindicatos são uma parte essencial e há muito estabelecida em nossas vidas. Como outras instituições humanas, eles têm seus defeitos e suas fraquezas. No momento, eles têm mais influência sobre o governo do país e menos controle sobre seus próprios membros do que nunca antes. Mas, defendemos estes pilares de nossa sociedade como têm se desenvolvido e evoluído gradualmente, do direito de homens ou mulheres que trabalham individualmente para ajustar seus salários e condições por negociações coletivas, incluindo o direito à greve; e o direito de todos, com o devido aviso e consideração pelos outros, de escolher ou mudar sua ocupação se acha que pode melhorar a si mesmo e sua família.

Brighton, 4 de outubro de 1947

Direitos do Homem

Não se trata de lutar por Danzig ou pela Polônia. Nós estamos lutando para salvar o mundo inteiro da pestilência da tirania nazista e em defesa de tudo o que é mais sagrado para o homem. Esta não é uma guerra de dominação, do engrandecimento imperial, do ganho material, para fechar qualquer país da sua luz solar e seus meios de progresso. É uma guerra, vista em sua inerente qualidade, para estabelecer, sobre rochas inexpugnáveis, os direitos do indivíduo, é uma guerra para estabelecer e reavivar a estatura do homem.

Comuns, 3 de setembro de 1939

Direitos Individuais

Desde os primórdios da era cristã, um certo modo de vida tem sido lentamente moldado entre os povos ocidentais e certos padrões de conduta e de governo passaram a ser respeitados. Depois de muitas misérias e confusões prolongadas, surgiram à luz ampla do dia, a concepção do direito do indivíduo; o seu direito a ser consultado no governo do seu país; o seu direito de invocar a lei mesmo contra o próprio Estado.

Londres, 16 de outubro de 1938

No avanço constante e firme de uma classe para uma fundação nacional na política e economia de nossa sociedade e da civilização, não devemos nos esquecer das glórias do passado, nem de quantas batalhas temos lutado pelos direitos individuais e pela liberdade humana.

Londres, 21 de março de 1943

Dirigíveis
Se a guerra começar amanhã, dirigíveis estrangeiros, sem dúvida, poderiam fazer uma certa quantidade de estragos e danos antes de serem esmagados, o que não seria muito demorado, mas é tolice supor que em seu presente estágio de desenvolvimento, poderia produzir resultados que, decisivamente, influenciariam o curso dos eventos.

Comuns, 26 de março de 1913

Disciplina
O vínculo da disciplina é sutil e sensível. Pode ser tão rígido quanto aço ou tão quebradiço quanto vidro. O principal elemento da disciplina, no serviço britânico, é um senso de justiça e um senso de associação voluntária entre grandes organismos de homens com a política geral de seu país.

Comuns, 3 de março de 1919

Discrição

Declaro, na medida do possível, que não direi nada nesta Assembleia sobre assuntos dos quais não tenho certeza e que já são conhecidos pelos Funcionários Gerais de países estrangeiros.

Comuns, 12 de novembro de 1936

Seria melhor fazer o que foi prometido, ou seja, ter uma discussão sem o inimigo escutando. Conheço um bom negócio. Tenho muitos bons conselheiros que verificam, posso garantir aos Honoráveis Membros, o que falamos, para não deixar escapar, inadvertidamente, algo prejudicial; mas os Honoráveis Membros não têm o mesmo cuidado. Um discurso perfeitamente bem-intencionado pode ser ressentido pelas tropas quando chegar ao seu entorno e fazê-los dizer: "Bem, disseram isso na Câmara dos Comuns." Nós devemos ser cuidadosos e, portanto, não devo recomendar um debate público.

Comuns, 6 de julho de 1944

Discurso em Tempo de Guerra

Nenhuma pessoa sensata, em tempo de guerra, faz discursos porque quer. Ela os faz porque tem que fazê-los e a ninguém isto se aplica mais do que ao Primeiro Ministro. Eu tenho chamado, repetidamente, a atenção para as desvantagens de ter que fazer revisões muito frequentes da guerra e sempre me recusei a ser arrastado para discussões sobre estratégias ou táticas na medida em que possam ter relação com eventos atuais ou pendentes.

Comuns, 12 de novembro de 1941

Discurso Livre

A liberdade de expressão traz consigo o mal de todas as coisas insensatas, desagradáveis e venenosas que são ditas; mas, no geral, preferiria empilhá-las a acabar com elas.

Comuns, 15 de julho de 1952

Discutindo
Nenhum princípio constitucional ou democrático que conheço obriga um ministro da Coroa a discutir. Ele pode ser tentado a fazê-lo; mas ele não pode ser compelido.
Comuns, 30 de julho de 1952

Dispersão
As pessoas devem ser ensinadas a não desprezar o pequeno abrigo. Dispersão é o remédio soberano contra pesadas baixas.
Comuns, 8 de outubro de 1940

Dispersão de Forças

> Não é o inimigo na frente de batalha que temo, mas a divisão que, muitas vezes, manifesta-se em fileiras progressivas - é essa divisão que dispersa as forças, essa luta interna nos momentos de grande emergência, nos momentos em que o problema está na balança – é o que temo, pode enfraquecer nossos esforços e, talvez, nos privar do sucesso ao nosso alcance.
> *Kinnaird Hall, Dundee, 14 de maio de 1908*

Dispersão de Produção
Não há dúvida de que este método da ampla distribuição de fabricação de componentes deve fazer tanto parte da vida útil de um país industrial, nesta infeliz era moderna atual, como a prática do tiro com arco nas verdes vilas foi na Inglaterra medieval. É o método mais simples e mais primário pelo qual a liberdade de um país pode ser assegurada, é o próprio coração da moderna defesa nacional.
Comuns, 10 de março de 1936

Disseminação de Sabedoria
Seria uma grande reforma na política se a sabedoria pudesse ser feita para se espalhar tão facilmente e tão rapidamente quanto a loucura.

Guildhall, Londres, 10 de setembro de 1947

Ditadores
Se não enfrentarmos os ditadores agora, apenas prepararemos o dia em que teremos que enfrentá-los sob condições muito mais adversas. Dois anos atrás, era seguro, três anos atrás, era fácil e quatro anos atrás, um mero despacho poderia ter retificado a posição. Mas onde, daqui a um ano?

Comuns, 24 de março de 1938

Como os comunistas, os nazistas não toleram outra opinião senão a sua própria. Como os comunistas, se alimentam de ódio. Como os comunistas, devem buscar, de tempos em tempos, e sempre em intervalos mais curtos, um novo alvo, um novo prêmio, uma nova vítima. O ditador, em todo o seu orgulho, é mantido nas garras da máquina de seu partido. Ele pode ir em frente; ele não pode voltar atrás. Ele deve sangrar seus cães e mostrar-lhes entretenimento ou, então, como o Actaeon de antigamente, será devorado por eles. Todo forte por fora, é completamente fraco por dentro.

Londres, 16 de outubro de 1938

Como inglês livre, o que odeio é a sensação de ficar com pena de alguém ou em poder de alguém, seja Hitler ou Attlee. Estamos nos aproximando muito da ditadura neste país, ditadura que seja dita – serei bastante sincero com a Casa - sem sua criminalidade ou sua eficiência.

Comuns, 11 de novembro de 1947

Ditaduras
É com esse medo das críticas que as ditaduras nazistas e bolcheviques correm seu maior risco. Elas silenciam todas as críticas do campo de concentração, com o cassetete de borracha ou com a festa de tiros. Assim, os homens no topo devem, com muita frequência, apenas ser alimentados

com os fatos que lhes são palatáveis. Escândalos, corrupção e deficiências não são expostos, porque não há vozes independentes. Em vez de serem expostos, continuam a apodrecer por trás da pomposa fachada do Estado. Os homens no topo podem ser muito ferozes e poderosos, mas seus ouvidos são surdos, seus dedos estão dormentes; eles não conseguem sentir os pés enquanto avançam no nevoeiro, na escuridão do imensurável e do desconhecido.

Free Trade Hall, Manchester, 27 de janeiro de 1940

Divergências

Quando você tem meia dúzia de teatros de guerra em várias partes do globo, é provável que haja divergências de visão quando o problema for estudado de diferentes ângulos. Havia muitas divergências de visão antes de nos unirmos e foi por esse motivo que estava pressionando, por tantos meses, para a reunião do maior número possível de grandes Aliados. Essas divergências são de ênfase e prioridade e não de princípio. Elas só podem ser removidas pela associação prolongada de consentimento e mentes instruídas. O julgamento humano é falível. Podemos ter tomado decisões que provarão ser piores do que esperávamos, mas, de qualquer forma, qualquer coisa é melhor do que não ter um plano. Você deve poder responder a todas as questões nesses assuntos de guerra e ter uma resposta boa, clara e direta à pergunta: qual é o seu plano, qual é a sua política? Mas, não entenda que sempre oferecemos a resposta. Seria tolice.

Comuns, 11 de fevereiro de 1943

Dívidas de Guerra

Eu sempre tive a visão de que estas dívidas de guerras e reparações têm sido uma grande maldição.

Comuns, 11 de julho de 1932

Divisão da Humanidade

O mundo foi dividido em povos que possuíam os governos e governos que possuíam os povos.

Instituto de Tecnologia de Massachusetts, Boston, 31 de março de 1949

Divisão de Poder
A sabedoria de nossos antepassados, há mais de 300 anos, tem buscado a divisão do poder na Constituição: coroa, lordes e comuns têm controlado e restringido uns aos outros.

Huddersfield, 15 de outubro de 1951

Tanto aqui, como do outro lado do oceano, ao longo das gerações e dos séculos, a ideia da divisão de poderes está profundamente enraizada em nosso desenvolvimento. Não queremos viver em um sistema dominado por um homem ou por um tema. Como a natureza, nós seguimos nos caminhos da variedade e das mudanças, e em nossa fé na misericórdia de Deus de que as coisas vão melhorar se todos nós dermos o melhor.

Almoço de Coroação, Westminster Hall, 27 de maio de 1953

Divisão do Mundo
Vivemos um período, felizmente, único na história humana, quando todo o mundo está dividido intelectualmente e, em grande parte, geograficamente, entre os credos da disciplina comunista e da liberdade individual. Ao mesmo tempo, essa divisão mental e psicológica é acompanhada pela posse, de ambos os lados, de armas obliterantes da era nuclear.

Comuns, 1 de março de 1955

Domingo da Santíssima Trindade
Hoje é o Domingo da Santíssima Trindade. Séculos atrás, as palavras foram escritas para ser um chamado e um estímulo para os fiéis servidores da verdade e da justiça: "Armem-se, sejam homens de valor e estejam preparados para o conflito, pois é melhor perecer em batalha do que olhar para o ultraje de nossa nação e nosso altar. Assim como a vontade de Deus está no céu, que assim seja".
Londres, 19 de maio de 1940

Domínios
Informamos e consultamos todos os domínios autônomos, essas grandes comunidades muito além dos oceanos que foram construídas em nossas leis, sobre nossa civilização e que são absolutamente livres para escolher seu curso, mas são absolutamente dedicadas à antiga maternidade e que se sentem inspiradas pelas mesmas emoções que me levam a apostar que todos nós temos dever e honra.
Comuns, 18 de junho de 1940

Dor
Por uma bendita dispensação, os seres humanos esquecem muito mais da dor física do que fazem de suas alegres emoções e experiências. Uma misericordiosa providência passa a esponja do esquecimento por muitos que sofrem, nos permite apreciar os grandes momentos da vida e da honra que vêm para nós em nossa marcha pela vida.
Empress Hall, Londres, 21 de outubro de 1949

Eu nunca tenho prazer na dor humana.
Glasgow, 17 de abril de 1953

Doutrina Monroe

Por pelo menos duas gerações, nós fomos, como o escritor americano Walter Lippman nos lembrou, um guardião e quase um fiador da doutrina Monroe, sobre a qual, como o olho de Canning previu, o livre desenvolvimento da América do Sul foi fundada. Nós e o mundo civilizado devemos muitas bênçãos aos Estados Unidos, mas também as temos nas gerações que fizeram nossa contribuição para sua segurança e esplendor.

Londres, 7 de maio de 1946

Downing Street, 11

Parecia haver algo no ar da Downing Street, 11, particularmente emocionante, algo que não só deu ao ocupante daquele prédio visões claras sobre questões financeiras, mas que, muitas vezes, transmitiu a ele a coragem de um mártir e as mais inalteráveis convicções. Foi ainda mais notável que a atmosfera tinha a influência quando refletia sobre a obscuridade que prevalecia na porta ao lado da residência do Primeiro Ministro, e que vapores muito perigosos e venenosos, até uma data recente, eram emitidos pelo escritório colonial do outro lado da rua.

Comuns, 16 de maio de 1904

Dr. Chaim Weitzmann

Aqueles de nós que são sionistas, desde os dias da Declaração Balfour, sabem o quanto Israel sofreu com a morte de seu presidente, Dr. Chaim Weitzmann. Aqui estava um homem cuja fama e fidelidade foram respeitadas em todo o mundo livre, cujo filho foi morto lutando por nós, no final da guerra, e sobre quem pode ser corretamente afirmado que liderou seu povo de volta à sua terra prometida, onde os vimos invencivelmente estabelecidos como um Estado livre e soberano.

Guildhall, Londres, 10 de novembro de 1952

Dr. Conrad Adenauer

Dr. Adenauer pode, muito bem, ser considerado o estadista alemão mais sábio desde os dias de Bismarck.

Comuns, 11 de maio de 1953

Dr. Hugh Dalton

> Admiro muito a perseverança, coragem, compostura e habilidade com as quais ele enfrentou situações imprevisíveis, complexas, mutáveis e impraticáveis com as quais foi, incessantemente, confrontado.
>
> *Comuns, 11 de maio de 1953*

Dr. Hugh Dalton

Dr. Dalton, o médico que nunca curou ninguém.

Londres, 14 de fevereiro de 1948

Drogas

Os recentes avanços na medicina são mais notáveis e inspiradores. A inventividade humana foi abanada pelas asas ferozes da guerra. Novas drogas, de notável potência curativa, estão se tornando comuns na ciência e até os livros mais recentes sobre muitas doenças precisam ter anotações e acréscimos consideráveis. Pessoalmente, nunca deixei de prestar minha homenagem de respeito e gratidão a M e B; embora não seja competente para fornecer uma descrição exata de como funciona, certamente, no meu caso, sempre fui atendido por resultados altamente benéficos. Depois, há a penicilina, que veio ao mundo apenas em um momento em que os seres humanos estão sendo feridos, rasgados e envenenados por feridas no campo de guerra, em grandes números, e quando tantas outras doenças, até então insolúveis, pedem tratamento.

Universidade Real de Medicina, Londres, 2 de março de 1944

Dunkirk

Devemos ter muito cuidado para não confiar a essa libertação os atributos da vitória. Guerras não são vencidas por evacuações. Mas, houve uma vitória dentro desta libertação que deve ser notada. Foi ganha pela Força Aérea.

Comuns, 4 de junho de 1940

Essa luta foi prolongada e feroz. De repente, a cena desapareceu, o estrondo e o trovão, por um momento – mas, apenas por um momento - enfraqueceram. Um milagre de libertação, alcançado por bravura, perseverança, perfeita disciplina, serviço impecável, recursos, habilidade e por fidelidade invencível se manifestou a todos nós. O inimigo estava arremessado sobre as tropas britânicas e francesas, em retirada. Ele estava tão rudemente lidando com o fato de não ter apressado sua partida seriamente. A Força Aérea Real confrontou a força principal da força aérea alemã e lhe infligiu perdas de, pelo menos, quatro para um; e a marinha, usando apenas 1.000 navios, de todos os tipos, transportava mais de 335.000 homens franceses e britânicos, das garras da morte e da vergonha para sua terra natal e para as tarefas que estavam imediatamente à frente.

Comuns, 4 de junho de 1940

Na luta por Dunkirk, que era uma espécie de terra de ninguém, nós, sem dúvida, derrotamos a força aérea alemã e ganhamos o domínio aéreo local, causando uma perda de três a quatro para um, dia após dia. Qualquer um que olhe as fotografias que foram publicadas há uma semana ou do desembarque, mostrando as massas de tropas reunidas na praia e formando um alvo ideal por horas a fio, deve perceber que esse desembarque não teria sido possível a menos que o inimigo tivesse renunciado toda esperança de recuperar a superioridade aérea naquele momento e naquele lugar.

Comuns, 18 de junho de 1940

Duque de Kent

Há algo sobre a morte no serviço ativo que a torna diferente da morte comum ou da que segue no curso normal da natureza. É aceita, sem questionamentos, pelos combatentes. Aqueles que são deixados para trás, também estão conscientes de uma luz de sacrifício e honra ao redor da sepultura ou do túmulo do guerreiro. Eles são elevados. Isto aumenta a sua fortaleza, mas não diminui, de forma alguma, sua dor. Nada pode preencher a terrível lacuna, nada pode aliviar ou confortar a solidão e a privação que recaem sobre a esposa e os filhos quando o adereço e o centro de sua casa são, repentinamente, arrancados. Somente a fé em uma vida após a morte, em um mundo mais brilhante, onde os queridos se encontrarão novamente - somente isso e a marcha do tempo podem dar consolo.

Comuns, 8 de setembro de 1942

Duração da Guerra

Instruções foram dadas pelo governo para se preparar para uma guerra de pelo menos três anos. Isso não significa que a vitória não possa ser obtida em um tempo mais curto. O tempo que será ganho depende de quanto tempo Herr Hitler e seu grupo de homens malvados, cujas mãos estão manchadas de sangue e sujas de corrupção, podem manter o controle sobre o dócil e infeliz povo alemão. Hitler disse quando a guerra deveria começar; mas, não é para ele ou para os seus sucessores dizerem quando vai acabar.

Comuns, 1º de outubro de 1939

E

O QUE É EUROPA AGORA?

É uma pilha de escombros, uma catacumba, um criadouro de pestilência e ódio.

Antigas rixas nacionalistas e facções ideológicas modernas distraíram e enfureceram os infelizes, populações famintas. Falsos guias apontam para uma retribuição sem reparos como o caminho para a prosperidade.

The Royal Albert Hall, Londres, 14 de maio de 1947

Economia da Natureza

Ao olhar para as opiniões destes dois Honoráveis Membros [os irmãos Sir Edgar Vincent e Coronel Sir C E H Vincent], sempre me maravilhei com a economia da natureza que tinha conseguido crescer a partir de um único estoque de urtiga e de uma doca.

Comuns, 24 de julho de 1905

Educação

Os seres humanos são dotados de infinitas variáveis de qualidades e disposições, cada uma diferente das outras. Não podemos tomar todas elas da mesma forma. Seria um mundo bastante monótono se o fizéssemos. Está em nosso poder, no entanto, garantir a igualdade de oportunidades para todos. As facilidades para a educação avançada devem ser niveladas e multiplicadas. A ninguém que possa aproveitar uma educação superior deve ser negada esta oportunidade. Você não pode conduzir uma comunidade moderna a não ser com uma oferta adequada de pessoas com uma educação, seja humana, técnica ou científica, em que muito tempo e dinheiro tenham sidos gastos.

Londres, 21 de março de 1943

Devido à pressão da vida e de todos terem de ganhar o seu sustento, a educação universitária da grande maioria daqueles que desfrutam desse alto privilégio, geralmente, é adquirida antes dos 20 anos. Estes são grandes anos para as pessoas jovens. O mundo do pensamento, da história e os tesouros do aprendizado são abertos a eles. Eles têm a chance de ampliar suas mentes, elevando sua visão e armando as suas convicções morais por todos os recursos que as comunidades livres e ricas podem conceder.

Universidade de Miami, 26 de fevereiro de 1946

Egito

Sempre foi dito que o Egito nunca poderia ser invadido com sucesso através do Deserto Ocidental e, certamente, esse fato histórico tem, agora, sido estabelecido sobre bases modernas e muito mais fortes.

Comuns, 11 de fevereiro de 1943

Eleição

Um amigo meu, um oficial, estava em Zagreb quando os resultados das últimas eleições gerais chegaram. Uma senhora idosa disse a ele: "Pobre Sr. Churchill! Suponho que agora ele será baleado". Meu amigo foi capaz de tranquilizá-la. Disse que a sentença pode ser mitigada para uma das várias formas de trabalho que está sempre aberta aos súditos de Sua Majestade.

Comuns, 16 de agosto de 1945

Não me lembro de uma eleição geral que não tenha sido seguida por uma esfera desagradável, estéril e briguenta em relação às promessas eleitorais.

Comuns, 6 de março de 1919

Eleitoreiros

Seria realmente desastroso se fôssemos levados para uma divisão feroz em nosso lar sobre política externa. Uma eleição travada sobre questões internas é um processo com o qual todos nós estamos familiarizados; mas um processo eleitoral voltado para as temerosas questões de defesa e políticas externas pode deixar a nação profundamente dividida, com um parlamento equilibrado e incoerente no momento em que o perigo no continente tenha atingido o seu auge.

Free Trade Hall, Manchester, 9 de maio de 1938

Elo Comum

No entanto, podemos diferir, na opinião política, por mais divergentes que sejam nossos interesses partidários, por mais diversos que sejam nossos chamados e estações, temos isso em comum. Queremos defender nossa ilha da tirania, da agressão e, até onde pudermos, queremos segurar uma mão amiga para outros que podem estar em um perigo ainda mais imediato do que o nosso.

Manchester, 9 de maio de 1938

Elo Místico

Lutamos sozinhos contra a tirania, por um ano inteiro, não apenas por motivos nacionais. É verdade que nossas vidas dependiam de nosso trabalho, mas nós lutamos melhor porque sentimos, com convicção, que não era somente nossa própria causa, mas uma causa mundial para a qual a Union Jack foi mantida voando em 1940 e 1941. O soldado que deu sua vida, a mãe que chorou por seu filho e a esposa que perdeu seu marido inspiraram-se e confortaram-se, sentiram uma sensação de estar ligados ao universal e ao eterno pelo fato de termos lutado por aquilo que era precioso, não apenas por nós mesmos, mas para a humanidade.

Comuns, 27 de junho de 1950

Emaranhado

Deve-se lembrar que a Grã-Bretanha terá mais poder e correrá muito menos riscos ao pressionar por emendas de apelação do que ao pressionar por desarmamento. Só podemos promover o desarmamento dando mais garantias de auxílio. Podemos pressionar por emendas de apelação apenas ameaçando, se os nossos conselhos não forem atendidos, de nos retirarmos no momento adequado do presente emaranhado de assuntos europeus. O primeiro caminho para pressionar pelo desarmamento e oferecer mais ajuda nos leva cada vez mais fundo na situação europeia. O segundo remove a causa do perigo ou nos leva para fora da zona de perigo.

Comuns, 23 de novembro de 1932

Embaixadores

> Embaixadores não são enviados como cumprimentos, mas como necessidades para uso diário comum. As relações mais difíceis são com qualquer país em questão, quando isso se faz mais necessário, precisamos ter a forma mais alta de representação no local.
>
> *Comuns, 10 de dezembro de 1948*

Emboscada

O que enganou a casta governante japonesa foi trazer contra si as poderosas e latentes energias bélicas da grande república, tudo em nome da realização de uma emboscada básica e esquálida.

BBC, 26 de março de 1944

Emigração

Sob o socialismo, com toda sua malícia e ciúme de classe, diligência, iniciativa e empreendimento coxeante e paralisante, não será possível para mais de dois terços da nossa população atual viver nesta ilha. É por isso que se fala tanto de emigração.

Escola Real Wanstead, 27 de setembro de 1947

Empreiteiros do Exército

Se a Alemanha é capaz de produzir, nestes três anos, equipamentos e armamentos de todos os tipos para sua força aérea e para 60 ou 70 divisões do exército regular, como é que temos sido incapazes de fornecer às nossas humildes e modestas forças militares o que é necessário? Se vocês tivessem dado o contrato para *Selfridge* ou para as Lojas do Exército e Marinha, acredito que hoje teríamos tido os materiais.

Comuns, 25 de maio de 1938

Empresa

Não estamos mais sozinhos. Estamos no meio de uma grande companhia. Três quartos da raça humana estão, agora, se movendo conosco. Todo o futuro da humanidade pode depender de nossa ação e de nossa conduta. Até o momento, não falhamos. Não falharemos agora.

Londres, 15 de fevereiro de 1942

Nós, certamente, nunca poderíamos ganhar nosso sustento pelo comércio mundial ou mesmo existir nesta ilha sem o pleno reconhecimento de todas as formas de excepcional contribuição individual, seja por inventividade, artifício, habilidade, indústria ou parcimônia.

Woodford Green, 9 de outubro de 1951

Emigração

Este não é um país de vastos espaços e formas simples de produção em massa. Temos indústrias básicas importantes e substanciais. Temos uma agricultura que, por autopreservação, estamos expandindo ao máximo. Mas, é por muitas milhares de pequenas empresas individuais e atividades que a margem pela qual podemos nos manter sozinhos foi suprida.

Friends House, Londres, 28 de novembro de 1945

Emigração

Sob o socialismo, com toda sua malícia e ciúme de classe, com toda sua diligência, iniciativa e empreendimento coxeante e paralisante, não será possível para mais de dois terços da nossa população atual viver nesta ilha. É por isso que se fala tanto de emigração.

Escola Real Wanstead, 27 de setembro de 1947

Empréstimo e Arrendamento

Através de medidas muito severas, pudemos reunir e gastar na América cerca de £500.000.000 de libras esterlinas, mas o fim de nossos recursos financeiros estava à vista - não tinha sido realmente alcançado. Tudo o que podíamos fazer naquela época, um ano atrás, era fazer pedidos nos Estados Unidos sem poder ver nosso caminho, mas em uma maré de esperança e não sem incentivos importantes.

Depois, veio a majestosa política do presidente e do Congresso dos Estados Unidos ao aprovar a Lei de Empréstimo e Arrendamento, sob a qual, duas sucessivas promulgações de cerca de £3.000.000.000 de libras esterlinas foram dedicadas à causa da liberdade mundial sem - assinale isto, pois é única - a criação de qualquer conta em dinheiro. Nunca mais se ouviu o escárnio de que dinheiro é o pensamento ou poder dominante nos corações da democracia americana. A Lei de Empréstimo e Arrendamento deve ser considerada, sem questionamento, como o ato menos sórdido de toda a história registrada.

Mansion House, Londres, 10 de novembro de 1941

Ele [presidente Roosevelt] concebeu a extraordinária medida de assistência chamada Empréstimo - Arrendamento, que se destacará como o ato financeiro mais altruísta e não sórdido de qualquer país, em toda a história.

Comuns, 17 de abril de 1945

Emulação

Uma emulação natural e saudável entre as duas câmaras pode ser propícia à sua máxima eficiência e melhoria.

Comuns, 15 de julho de 1948

Em Yalta

Eu não estou preparado para dizer que tudo o que foi discutido em Yalta poderia ser assunto de um relato integral.

Comuns, 7 de junho de 1945

Encantações

Eu próprio não acredito que atravessaremos as nossas dificuldades por confiança em qualquer teoria lógica ou doutrinária em particular, não acredito que há qualquer forma de, ao entoarmos algum encantamento, sermos capazes de produzir uma solução para as dificuldades com que somos confrontados.

Comuns, 24 de julho de 1928

Encurtando a Guerra

Encurtar a guerra em um ano, se isso pudesse ser feito, seria, em si, uma bênção maior do que muitos atos importantes da legislação. Para encurtar esta guerra, para acabar com isso, trazer soldados para casa, dar-lhes um teto, restabelecer a vida livre do nosso país, habilitar as rodas do comércio a girar, tirar as nações de seu terrível frenesi de ódio, construir algo como um mundo humano e um mundo humanizado – torna tão indispensável a luta para encurtar, mesmo que por um dia, o curso desta terrível guerra.

Comuns, 28 de setembro de 1944

Ensaios de Nuremberg

Os julgamentos de Nuremberg terminaram e os líderes culpados do regime nazista foram enforcados pelos conquistadores. Dizem que milhares ainda sobraram e que vastas categorias de alemães são classificadas como potencialmente culpados por causa de sua associação com o regime nazista. Depois de tudo, um país que é tratado como a Alemanha foi, o povo comum tem muita pouca escolha sobre o que fazer. Acho que alguma consideração deveria sempre ser dada às pessoas comuns. Nem todos são Pastores Niemoller ou um mártir e quando pessoas comuns são tratadas dessa forma, quando as mãos cruéis dos tiranos são colocadas sobre elas e sistemas vis do regime são impostos e aplicados por espionagem e outras formas de crueldade, há muitas pessoas que vão sucumbir.

Comuns, 12 de novembro de 1946

Entente

Durante 40 anos ou mais, acreditei nas grandezas e virtudes da França, muitas vezes, em dias sombrios e desconcertantes, não vacilo e, desde o Acordo Anglo-Francês de 1904, sempre servi e trabalhei ativamente com os franceses na defesa de boas causas.

Londres, 31 de agosto de 1943

Epitáfio

"Não em vão" pode ser o orgulho daqueles que sobreviveram e o epitáfio dos que caíram.

Comuns, 28 de setembro de 1944

Época

Vivemos numa época terrível da história humana, mas acreditamos que há uma justiça ampla e segura ao longo do seu tema.

County Hall, Londres, 14 de julho de 1941

Equilíbrio

Um conjunto de males é equilibrado com outro conjunto de males e nós somos convidados a admirar um equilíbrio perfeito.

Comuns, 18 de abril de 1947

Equilíbrio de Poder

Eu digo, francamente, embora possa chocar a Câmara, que preferiria ver mais 10 ou 20 anos de paz armada unilateral do que ver uma guerra entre poderes igualmente ajustados ou combinações de poder – e essa pode ser a escolha.

Comuns, 23 de novembro de 1932

Nunca a escolha de bênçãos ou maldições foi tão claramente, vividamente, até brutalmente oferecida à humanidade. A escolha está aberta. O terrível equilíbrio treme. Pode ser que nossa ilha e todas as comunidades que se reuniram em torno dela, se formos dignos, desempenhem um importante, talvez, um papel decisivo em transformar as escalas da fortuna humana de ruim para boa, do receio à confiança, de misérias e crimes imensuráveis a bênçãos e ganhos abundantes.

Free Trade Hall, Manchester, 9 de maio de 1938

Toda a história do mundo é resumida no fato de que quando nações são fortes, nem sempre são justas, e quando desejam ser justas, muitas vezes, não são mais fortes. Eu desejo ver as forças coletivas do mundo investidas com poder avassalador. Se vai depender de uma pequena margem, de uma forma ou de outra, você terá a guerra. Mas, se conseguir cinco ou dez para um lado, todos rigorosamente vinculados pelo pacto e pelas convenções que possuem, então, pode ter uma oportunidade de um acordo que cicatrizará as feridas do mundo. Tenhamos esta bendita união de poder e justiça: "Concorde com seu adversário rapidamente, enquanto estás no caminho com ele". Vamos libertar o mundo a partir da reprovação de uma catástrofe que carrega consigo calamidade e tribulação além do que a língua do homem pode contar.

Comuns, 26 de março de 1936

> **Grandes guerras vêm quando ambos os lados acreditam que são mais ou menos iguais, quando cada um acha que tem uma boa chance de vitória.**
>
> *Nova York, 14 de outubro de 1947*

Pelo que vi de nossos amigos e aliados russos, durante a guerra, estou convencido de que não há nada que eles admirem tanto como a força e não há nada pelo qual tenham menos respeito do que a fraqueza, especialmente a fraqueza militar. Por essa razão, a velha doutrina do equilíbrio de poder é infundada. Não podemos nos dar ao luxo, se pudermos ajudar, de trabalhar em margens, oferecendo tentações a uma prova de força.

Westminster College, Fulton, Missouri, 5 de março de 1946

Equilíbrio e Temperamento

Tendo, no final da minha vida, adquirido alguma influência nos assuntos, desejo deixar claro que não prolongaria, desnecessariamente, esta guerra em único dia. Minha esperança é que quando o povo britânico for chamado pela vitória, para participar das augustas responsabilidades de moldar o futuro, mostraremos o mesmo equilíbrio e temperamento que tínhamos na hora de nosso perigo mortal.

Comuns, 21 de setembro de 1943

Ernest Bevin

Ele tem seu lugar entre os grandes Secretários Estrangeiros do nosso país e, em sua resistência firme à agressão comunista, em seu fortalecimento de laços com os Estados Unidos e em sua parte na construção do Pacto Atlântico, prestou serviços à Grã-Bretanha e à causa da paz pela qual, por muito tempo, será lembrado.

Londres, 17 de março de 1951

Erros

Estou certo de que os erros daquela época [relativos às reparações alemãs] não serão repetidos; cometeremos outro conjunto de erros.

Comuns, 8 de junho de 1944

Eu preferiria cometer erros em propaganda do que em ação. Os eventos são os ajustes finais e é necessário tempo para que eles façam seus pronunciamentos claramente.

Scarborough, 11 de outubro de 1952

ESCOLHA DOS MALES

Quando refletimos sobre a magnitude dos eventos modernos em comparação com os homens que têm que tentar controlá-los ou lidar com eles, e sobre as consequências assustadoras desses eventos para centenas de milhões, a importância de não cometer erros evitáveis cresce de forma impressionante sobre a mente.

Comuns, 30 de setembro de 1941

Os ditadores, assim como os governos democráticos e parlamentares, às vezes, erram. De fato, quando a história toda for contada, acredito que será percebido que os ditadores, para todos os seus preparativos e esquemas prolongados, cometeram erros maiores do que as democracias que assaltaram.

Londres, 10 de maio de 1942

Erros na Guerra

Qualquer pessoa que suponha que não haverá erros na guerra é muito tola. Eu faço uma distinção entre erros. Há o erro que vem através da ousadia, o que chamo de um erro em relação ao inimigo, no qual você deve sempre sustentar seus comandantes, por mar, terra ou ar. Existem erros do princípio de "segurança em primeiro lugar", erros de afastamento do inimigo; e eles exigem uma consideração muito mais ácida.

Comuns, 7 de maio de 1941

Escassez de Bons Homens

Às vezes, se diz que os homens bons são escassos. Talvez, porque a série de eventos com os quais tentamos lidar e os quais nos esforçamos para controlar, ultrapassaram, em muito, nesta era moderna, os limites antigos que foram inchados até proporções gigantescas, enquanto, o tempo todo, a estatura e o intelecto de um homem permanecem inalterados.

Comuns, 6 de fevereiro de 1941

Escolha dos Males

Eu não vou fingir que, se eu tivesse que escolher entre o comunismo e o nazismo, escolheria o comunismo. Espero não ser chamado a sobreviver no mundo sob um governo de qualquer de uma dessas derrogações.

Comuns, 14 de abril de 1937

Escravidão Antiga
Os filósofos gregos e latinos, muitas vezes, parecem não ter tido conhecimento de que a sociedade em que viviam foi fundada sobre a escravidão. Eles falavam de liberdade e instituições políticas, mas não tinham consciência de que sua cultura foi construída sobre bases detestáveis.

Universidade de Oslo, 12 de maio de 1948

Esforço de Guerra Americano
Quando penso na saída imensurável de navios, munições e suprimentos, de todos os tipos, com os quais os Estados Unidos se equiparam e têm sustentado todos os aliados de luta em medida generosa, e da poderosa guerra que estão conduzindo com tropas de nossos australianos e neozelandeses sobre os espaços do Oceano Pacífico, esta Casa pode, de fato, saudar nossa nação irmã estando no auge de seu poder e fama.

Comuns, 28 de setembro de 1944

Esforços
Porque nos sentimos mais agradáveis em nós mesmos e vemos nosso caminho mais claramente através nossas dificuldades e perigos do que fizemos há alguns meses, porque países estrangeiros, amigos e inimigos, reconhecem a gigante, duradoura, resiliente força da Grã-Bretanha e do Império Britânico não deixemos enfraquecer, por um momento, a sensação dos terríveis perigos em que nos encontramos. Não nos deixe perder a convicção de que é apenas por esforços supremos e soberbos, cansados e indomáveis, que salvaremos nossas almas vivas. Ninguém pode prever, ninguém pode sequer imaginar, como essa terrível guerra contra a agressão alemã e nazista seguirá seu curso, até onde se estenderá ou quanto tempo vai durar. Longos e escuros meses de provações e tribulações estão diante de nós. Não apenas grandes perigos, mas muitos infortúnios, muitas falhas, erros, decepções, certamente, serão nossos lotes. Morte e tristeza serão os companheiros da nossa jornada; dificuldades, nossa vestimenta; constância e valentia, nosso único escudo. Devemos estar unidos, devemos ser destemidos, inflexíveis. Nossas qualidades e ações devem queimar e brilhar através da escuridão da Europa até se tornarem o verdadeiro farol da sua salvação.

Comuns, 8 de outubro de 1940

Espaço para Respirar

Eu acredito que temos um espaço considerável para reviver, novamente, as luzes de boa vontade e reconciliação na Europa que brilhou, tão intensamente, mas tão brevemente, no dia seguinte de Locarno. Nós nunca deveríamos, simplesmente, regatear sobre canhões, tanques, aviões e submarinos, ou medir espadas uns com os outros, entre as nações que já se olham com tanta vigilância.

Comuns, 23 de novembro de 1932

Espada da Justiça

Quando nos lembramos das tiranias e crueldades assustadoras que os exércitos alemães, seus seguidores e torturadores subordinados, estão afligindo a quase toda a Europa; quando lemos, todas as semanas, da massa de execuções de poloneses, noruegueses, holandeses, tchecoslovacos, franceses, iugoslavos e gregos; quando vemos estes países antigos e honrados, de cujos atos e tradições a Europa é herdeira, contorcendo-se sob o impiedoso jugo alienígena, quando vemos seus patriotas atacando de volta com um desespero mais feroz e furioso, podemos ter a certeza de que carregamos a espada da justiça e que resolvemos usar essa espada com a máxima severidade até o fim e ao máximo.

Guildhall, Londres, 30 de junho de 1943

Espanha

Os espanhóis são um povo orgulhoso, moroso e têm uma memória longa. Eles não se esqueceram de Napoleão e da tentativa francesa de subjugação da Espanha, há 130 anos. Além disto, tiveram uma guerra civil que lhes custou um milhão de vidas. Até mesmo os comunistas na Espanha não agradeceram aos governos estrangeiros por tentarem iniciar outra guerra civil e qualquer coisa mais tola do que dizer aos espanhóis que eles deveriam derrubar Franco, enquanto, ao mesmo tempo, garantir-lhes que não haverá intervenção militar dos Aliados, dificilmente, pode ser imaginada.

Comuns, 5 de junho de 1946

Não há dúvida de que se a Espanha tivesse cedido às benfeitorias alemãs e à pressão, naquele momento, nosso fardo teria sido muito mais pesado. O Estreito de Gibraltar teria sido fechado e todo o acesso a Malta teria sido cortado no

Oeste. Toda a costa espanhola teria se tornado o local de nascedouro dos submarinos alemães. Certamente, sentia, naquele momento, que não gostaria de ver qualquer uma dessas coisas acontecer e nenhuma delas, realmente, aconteceu.
Comuns, 24 de maio de 1944

Algumas pessoas pensam que nossa política externa em relação à Espanha é melhor expressada por desenhos de caricaturas cômicas ou mesmo rudes do General Franco; mas, penso que há mais do que isso.
Comuns, 24 de maio de 1944

Espanhóis

> Eles não querem continuar matando uns aos outros para o entretenimento de estrangeiros.
> *Comuns, 14 de abril de 1937*

Especialistas

Conhecimento especializado, embora, indispensável, não é substituto de uma generosa e compreensiva perspectiva sobre a história humana com toda a sua tristeza e com toda sua esperança insaciável.
Universidade de Miami, 26 de fevereiro de 1946

Especialistas e Governo

Era um princípio da nossa Constituição não empregar especialistas caso fossem homens de negócios ou militares nos mais altos assuntos do Estado.
Comuns, 23 de março de 1902

Espionagem

A câmara pode ter certeza de que o governo soviético sabe muito bem o que nós temos na marinha e nas forças na Europa, que eles têm muitos bons amigos circulando livremente por este país, os quais não hesitariam em contar-lhes sobre qualquer pequeno ponto.

Comuns, 31 de março de 1947

Espírito da Grã-Bretanha

Mal conhece ele [Hitler] o espírito da nação britânica ou a dura fibra dos londrinos, cujos antepassados desempenharam um papel de liderança no estabelecimento de instituições parlamentares e que foram criados para valorizar a liberdade muito acima de suas vidas. Este homem perverso, o repositório e a encarnação de muitas formas de ódio destruidor da alma, este monstruoso produto de antigos erros e vergonhas, resolveu, agora, tentar quebrar nossa famosa raça insular através de um processo de abate indiscriminado e de destruição. O que ele fez foi acender um fogo nos corações britânicos, aqui e em todo o mundo, que brilhará muito depois que todos os vestígios dos conflitos que causou em Londres forem removidos. Ele iluminou um incêndio que arderá com uma chama constante e consumidora até que o último vestígio da tirania nazista seja queimado para fora da Europa, até que o Antigo e o Novo Mundo possam dar as mãos para reconstruir os templos da liberdade e honra do homem sobre fundações que não serão, em breve, ou facilmente derrubadas.

Londres, 11 de setembro de 1940

Esporão da Necessidade

Muitas coisas que foram tentadas na guerra foram ditas a nós que eram tecnicamente impossíveis, mas paciência, perseverança e, acima de tudo, o impulso de necessidade sob condições de guerra fizeram os cérebros dos homens agirem com maior vigor e a ciência respondeu à demanda. Sendo assim, aventuro-me a colocar a pesquisa de defesa aérea em uma posição de importância primordial. Concordei que não há nada que possa oferecer qualquer substituto para uma força igual ou superior, uma prontidão para retaliar, mas se você pudesse descobrir algum novo método, o conjunto de nossos assuntos seria muito simplificado.

Comuns, 7 de junho de 1935

Estabilidade
Um dos lados afirma ser a parte do progresso, como se o progresso estivesse vinculado a estar certo, não importa em que direção. O outro lado enfatiza a estabilidade, o que também é muito importante neste mundo em transformação.
Comuns, 11 de novembro de 1947

Estadistas Vitorianos
Os estadistas que via naqueles dias pareciam elevar-se acima do nível geral de uma maneira impressionante. Os testes eram mais ágeis, os padrões eram mais altos e aqueles que os superavam eram homens os quais era um deleite e honra encontrar. Eram os representantes de uma era de ordem e dos movimentos incessantes. O liberalismo havia eliminado as correntes de escravização e derrubado as barreiras do privilégio. O caminho estava aberto para aqueles da mais alta qualidade natural e habilidade que escolheram pisar nele.
Comuns, 6 de dezembro de 1950

Estados Pequenos
Eu não vejo que estava na moda, há algum tempo, que a vida dos pequenos Estados está terminada e que o mundo moderno só pode se adaptar a grandes impérios.
Bruxelas, 16 de novembro de 1952

Estados Socialistas
Ideólogos coletivos - aqueles profissionais intelectuais que se divertem em decimais e polissílabos.
Margate, 10 de outubro de 1953

Estados Unidos
Durante o último ano, por nosso comportamento e conduta, ganhamos uma poderosa aproximação sobre os sentimentos do povo dos Estados Unidos. Nunca, nunca em nossa história temos sido tão admirados e respeitados em todo o Oceano Atlântico. Naquela grande república, de muito trabalho e estresse de alma, é costume usar todos os muitos argumentos válidos e só-

lidos sobre interesses e a segurança americana que dependem da destruição de Hitler e sua gangue, e até mesmo das sujas doutrinas. Mas, num longo prazo - acreditem, pois eu sei - a ação dos Estados Unidos será ditada não por cálculos metódicos de lucro e perda, mas por sentimento de moral e por aquele brilho de determinação que levanta os corações de homens e nações, e brota dos fundamentos espirituais da própria vida humana.

Londres, 27 de abril de 1941

Os Estados Unidos têm um imenso interesse na prosperidade da Grã-Bretanha e do Império Britânico, e sua própria prosperidade não poderia sobreviver, por muitos anos, no meio de um mundo em ruínas ou na presença de uma Grã-Bretanha arruinada e quebrada. É no trabalho dessas forças práticas que devemos depositar nossa confiança no futuro e estou certo de que é por esse caminho, através de tais influências, que um resultado feliz será alcançado. Unidos, estes dois países podem, sem o menor dano a outras nações ou a si mesmos, quase dobrar o poder e a segurança um do outro.

Comuns, 6 de dezembro de 1945

O povo dos Estados Unidos não pode escapar da responsabilidade mundial. Embora vivamos em um período tão tumultuoso que pouco se pode prever, nós podemos ter a certeza de que este processo será intensificado com cada passo avançado que os Estados Unidos dão em riqueza e em poder. Não são apenas as responsabilidades desta grande república em crescimento, mas o mundo sobre o qual o alcance está se contraindo em relação aos nossos poderes de locomoção em uma taxa positivamente alarmante.

Universidade de Harvard, 6 de setembro de 1943

Estradas
Se tivesse proposto tirar £12.000.000 da Marinha, todo o partido liberal teria sido obrigado a se erguer e dizer: "Salve-nos! Deixe-nos, se você quiser ter uma marinha de segunda ou terceira classe, mas, aconteça o que acontecer, devemos ter estradas de primeira classe"!

Comuns, 4 de abril de 1927

Estrangeiros na Grã-Bretanha

Simpatizo muito fortemente com a objeção contra as distinções de classe desenhadas, embasadas apenas na posse de dinheiro. Para estabelecer uma distinção entre um homem que poderia pagar uma passagem de cabine e um homem que só podia pagar uma simples passagem era absurda. Se um homem era um lunático ou um idiota, poderia entrar se pudesse pagar por uma passagem de cabine.

Comuns, 27 de junho de 1905

Estratégia de Hitler

Eu saúdo o Marechal Stalin, o grande campeão e, firmemente, acredito que nosso tratado de 20 anos com a Rússia provará um dos fatores mais longínquos e duradouros na preservação da paz, da boa ordem e do progresso da Europa. É bem possível que o sucesso russo tenha sido um pouco auxiliado pela estratégia de Herr Hitler - do Cabo Hitler. Mesmo os idiotas militares acham difícil não ver algumas falhas em algumas de suas ações. Agora, ele se encontra com cerca de 10 divisões no norte da Finlândia e 20 ou 30 divisões cortadas nos Estados Bálticos, todas elas, três ou quatro meses atrás, poderiam ter sido transportadas com seus materiais e suas armas para ficar entre a Alemanha e o avanço russo. É tarde demais para que consigam isso. No geral, acho que é muito melhor para que os oficiais se levantem da maneira correta.

Comuns, 2 de agosto de 1944

Estratégias de Hitler

Ele perdeu ou vai perder quando a contagem estiver completa, quase um milhão de homens na França e nos Países Baixos. Outros grandes exércitos podem, muito bem, ser cortados nos Estados Bálticos, na Finlândia e na Noruega. Há menos de um ano, quando a relativa fraqueza da Alemanha já estava se tornando aparente, estava ordenando mais ações agressivas no Egeu e a reocupação das ilhas que os italianos haviam cedido ou que desejavam ceder. Ele espalhou e esbanjou um exército muito grande nas Penínsulas Balcãs de onde a fuga será muito difícil; 27 divisões, muitas delas atingidas, estão lutando contra o General Alexander no norte da Itália. Muitas delas não serão capazes de cruzar os Alpes para defender a pátria alemã. Tal desperdício e dispersão de forças nunca foi visto e é, certamente, uma das principais causas da ruína iminente da Alemanha.

Comuns, 28 de setembro de 1944

Estrutura Econômica da Grã-Bretanha
A tentativa de socializar a Grã-Bretanha está repleta de perigos mortais. Nunca houve uma comunidade no mundo como a nossa. Aqui, nesta pequena ilha, mantemos 46 milhões de pessoas que tiveram um papel maior em vencer a guerra mundial do que qualquer outra pessoa e que, antes da guerra, tinham desenvolvido um padrão de vida e serviços sociais acima de qualquer país da Europa e, em muitos aspectos, acima dos Estados Unidos. Estes 46 milhões diferem de todas as outras comunidades que já existiram no mundo pelo fato de estarem empoleirados nos fundamentos completamente artificiais de não fornecer nem a metade de seus alimentos e por serem dependentes da compra da maior parte de seus alimentos e matérias-primas para persuadir clientes estrangeiros a aceitarem as mercadorias e os serviços que oferecem. Vastos, intrincados, delicados, inumeráveis são os métodos de aquisição de riqueza externa que a nação britânica tem desenvolvido nas últimas gerações e a população tem crescido a passos largos no sustento produzido.
Friends House, Londres, 28 de novembro de 1945

Ética
A luz da ética cristã continua sendo o guia mais precioso. Seu reavivamento e aplicação é uma necessidade prática, seja espiritual ou secular em natureza, seja para aqueles que encontram conforto e consolo na religião revelada ou para aqueles que têm que enfrentar, sozinhos, o mistério do destino humano. Apenas com esta base virá a graça da vida e a reconciliação do direito do indivíduo com as necessidades da sociedade a partir das quais a felicidade, a segurança e a glória da humanidade possam surgir.
Universidade de Londres, 18 de novembro de 1948

EUE
Devemos construir uma espécie de Estados Unidos da Europa.
Zurique, 19 de setembro de 1946

Europa
Pode-se imaginar que, sob uma instituição mundial que encarna ou representa as Nações Unidas, algum dia, todas as nações deveriam ajustar-se para pertencer ao Conselho da Europa e ao Conselho da Ásia. Como, de acordo com a previsão que

estou traçando, a guerra contra o Japão ainda estará em fúria, com a criação do Conselho da Europa e o estabelecimento da Europa a primeira tarefa prática será centrada. Agora, esta é uma estupenda tarefa. Na Europa, estão a maioria das causas que levaram a estas duas Guerras Mundiais. Na Europa, habitam as históricas raças mãe de quem a civilização ocidental tem sido tão amplamente derivada. Acredito ser o que é chamado de bom europeu e considero uma nobre tarefa participar da revitalização da inventividade fértil e da restauração da verdadeira grandeza da Europa.

Londres, 21 de março de 1943

Em nossa tarefa de reavivar as glórias e a felicidade da Europa, e delas a prosperidade, certamente, pode-se dizer que começamos no fundo das suas fortunas. Aqui é a área mais justa, mais temperada e mais fértil do globo. A influência e o poder que, da Europa e da Cristandade, vieram através dos séculos, moldaram e dominaram o curso da história. Os filhos e filhas da Europa foram e levaram a sua mensagem a todas as partes do mundo. Religião, direito, aprendizado, arte, ciência, indústria, por todo o mundo, em tantas terras, sob cada céu e em cada clima está o selo de origem europeia ou o traço de influência europeia.

The Royal Albert Hall, Londres, 14 de maio de 1947

Se a Europa estivesse unida na partilha da sua herança comum, não haveria limite para a felicidade, para a prosperidade e para a glória que seus 300 ou 400 milhões de pessoas não apreciariam. No entanto, é da Europa que surgiram as assustadoras séries de brigas nacionalistas originadas pelas nações teutônicas, que temos visto até neste século XX e em nossa própria vida, arruinar a paz e marcar as perspectivas de toda a humanidade.

Universidade de Zurique, 19 de setembro de 1946

O que é a Europa agora? É um escombro, uma catacumba, um recinto de criação, de pestilência e ódio. Antigas rixas nacionalistas e modernas facções ideológicas distraem e enfurecem os infelizes, as famintas populações. Professores malvados pedem o pagamento de notas antigas com precisão matemática e falsos guias apontam para uma retribuição generosa como o caminho para a prosperidade.

The Royal Albert Hall, Londres, 14 de maio de 1947

Não pode haver esperança para o mundo se os povos da Europa não se unirem para preservar por sua liberdade, cultura e sua civilização fundamentada na ética cristã.

The Royal Albert Hall, Londres, 21 de abril de 1948

Evidência Especializada

Estou muito bem acostumado a pesar provas periciais e a maioria das decisões importantes que foram tomadas nos últimos três ou quatro anos no Ministério da Marinha foram levadas por mim sobre uma divergência de prova especializada.

Comuns, 15 de novembro de 1915

Evitando

> Tivemos que dispensar o indispensável.
>
> *Comuns, 11 de julho de 1922*

Exaustão

Nós sacrificamos tudo nesta guerra. Sairemos dela mais atingidos e empobrecidos que qualquer outro país vitorioso. O Reino Unido e a Comunidade Britânica são apenas forças ininterruptas que declararam guerra à Alemanha por sua livre vontade. Nós declaramos guerra não por qualquer ambição ou vantagem material, mas por nossa obrigação de fazer o nosso melhor pela Polônia contra a agressão alemã, na qual a agressão, ali ou em outro lugar, também deve ser justa, seja dito, a nossa própria autopreservação estava envolvida.

Comuns, 18 de janeiro de 1945

Exército Americano

Houve muitas ocasiões em que um estado poderoso desejou levantar grandes exércitos e, com dinheiro, tempo, disciplina e lealdade isso pode ser realizado. No entanto, a taxa com que o pequeno exército americano, com apenas algumas

centenas de milhares de homens, não muito antes da guerra, criou a poderosa força de milhões de soldados, é uma maravilha na história militar.
O Pentágono, Washington, 9 de março de 1946

Exército Britânico

A Inglaterra, através do caráter de seu povo - que não se importava em lutar, mas detestava o exercício - necessariamente, tinha muito a depender e sua posição insular tornou possível que ela fizesse, em grandes crises, um exército de emergência.

Comuns, 24 de fevereiro de 1903

O equipamento do nosso exército, no início da guerra, era do caráter mais escasso, deficiente e as deficiências se tornaram mais acentuadas – e ainda mais acentuadas - no tipo de armas para as quais há a maior demanda possível.
Comuns, 10 de junho de 1941

Um exército nacional é bem diferente de um exército de voluntários, que foi produzido, em grande parte, pela pressão do mercado econômico. Eu sou a favor de voluntários que vêm de algo edificante da alma humana, algum espírito surgindo no peito humano.
Comuns, 6 de maio de 1947

Ao fazer um exército, três elementos são necessários – homens, armas e dinheiro. Também deve haver tempo.
Comuns, 1 de dezembro de 1948

Exércitos permanentes, abundantes no continente europeu, não são indígenas do solo britânico, não florescem em nosso clima, não são adequados ao nosso caráter nacional e, embora com cuidados artificiais, com um custo enorme e desproporcional, possamos cultivá-los e preservá-los, ao final, só serão plantas pobres, atrofiadas e doentes de origem estrangeira.
Comuns, 13 de maio de 1901

EXÉRCITO DOMÉSTICO POLONÊS

O exército não era uma substância inanimada, era um ser vivo. Regimentos não eram como casas; não poderiam ser derrubados e alterados estruturalmente para atender à conveniência do ocupante e ao capricho do proprietário. Eles eram mais como plantas: cresceram lentamente para crescer fortes; foram facilmente afetados por condições de temperatura e solo; se fossem prejudicados ou transplantados, estavam aptos a murchar, então, somente poderiam ser revividos por inundações abundantes de dinheiro público.

Comuns, 8 de agosto de 1904

Essa guerra no deserto tem que ser vista para se acreditar. Exércitos grandes, com seus inúmeros transportes e pequenas habitações, são espalhados e dispersos como se viessem de um pote de pimenta sobre as vastas encostas e planícies indeterminadas do deserto, dividido, aqui e ali, apenas por um vinco, por uma dobra de areia no solo ou por um afloramento de rocha.

Comuns, 8 de setembro de 1942

Exército do Deserto

Este nobre exército do deserto, que nunca duvidou de seu poder em vencer o inimigo e cujo orgulho havia sofrido, cruelmente, com retiradas e desastres que não conseguiam entender, recuperou, em uma semana, seu ardor e autoconfiança. Os historiadores podem explicar Tobruk. O Oitavo Exército fez melhor; o vingou.

Comuns, 11 de novembro de 1942

Exército Doméstico Polonês

Estou certo de que estou expressando os sentimentos da Câmara, bem como os de Sua Majestade, ao prestar tributo à posição heroica do Exército Doméstico

Polonês e da população civil polonesa de Varsóvia. Sua resistência a probabilidades esmagadoras, sob condições inconcebíveis chegaram ao fim em 3 de outubro, depois de uma luta que durou 63 dias. Apesar de todos os esforços do exército soviético, as fortes posições alemãs sobre Vístula não puderam ser tomadas e a ajuda não pôde entrar a tempo. Os aviadores britânicos, americanos, poloneses e soviéticos fizeram o que puderam para proteger Varsóvia, mas, embora isso tenha sustentado as resistências polonesas além do que poderia ter parecido possível, não poderia mudar a maré. Na batalha por Varsóvia, danos terríveis foram infligidos a essa nobre cidade e sua população heroica sofreu privações insuperáveis mesmo entre as misérias desta guerra.

Comuns, 5 de outubro de 1944

Expediente
Havia uma diferença em uma política quando era apresentada sobre a fé e honra de um homem público e quando era apresentada, declaradamente, como um assunto de táticas políticas convenientes.

Comuns, 29 de março de 1904

Experiência
Os eleitores, com base no sufrágio universal, podem fazer o que quiserem. Depois, têm que gostar do que fizeram. Há um ditado na Inglaterra: "A experiência comprada é melhor do que ensinada". Nós compramos a experiência. Não me queixo de todo o funcionamento de nosso sistema democrático. Se a maioria do povo da Grã-Bretanha, no dia seguinte de nossa sobrevivência e vitória, sentir-se como tal, é certo que seguiram seu caminho.

Blackpool, 5 de outubro de 1946

Experiência no Parlamento
Cinco ou dez anos de experiência como membro desta Câmara [dos Comuns] são uma educação em assuntos públicos tão boa quanto qualquer homem pode obter.

Comuns, 23 de maio de 1940

F

GOSTO DO AR MARCIAL E COMANDANTE COM QUE O CORRETO HONORÁVEL CAVALHEIRO TRATA OS FATOS.

Ele não tolera absurdo algum deles.

Comuns, 19 de fevereiro de 1909

Facção

> Suponho que todos nós, nesta Casa, sejamos admiradores do sistema de partido do governo, mas não acho que algum de nós deva carregar a nossa admiração por esse sistema a ponto de dizer que a nação é incapaz de desfrutar o privilégio de administrar seus próprios negócios, a menos que encontre alguém com quem discutir e muitas coisas para discutir a respeito.
>
> *Comuns, 17 de dezembro de 1906*

Fair Play

A Grã-Bretanha, como qualquer outro país, está sempre mudando, mas, como a natureza, nunca desenha uma linha sem manchá-la. Nós não temos a lógica afiada de países continentais. Buscamos beneficiar a iniciativa privada com o conhecimento e poder de orientação dos governos modernos sem sacrificar a iniciativa e o impulso do esforço individual sob liberdade e condições competitivas. Nossa política é baseada nos dois princípios básicos de fair play e oportunidade adequada. Procuramos estabelecer um mínimo de padrão de vida e de trabalho, abaixo do qual, ninguém que esteja preparado para atender às obrigações da boa cidadania deve cair. Acima desse mínimo padrão, desejamos dar o máximo de oportunidade possível para a competitividade da empresa individual e toda oportunidade para a inventividade nativa de nossa ilha, brotando perenemente de cada classe para ganhar sua recompensa plena e justa.

Ayr, 16 de maio de 1947

Falar em Público durante a Guerra

Foi apropriadamente comentado que os ministros, na verdade, todos os outros homens públicos, quando fazem discursos no momento atual, têm sempre de suportar em mente três audiências, uma de nossos próprios compatriotas, uma de nossos amigos no exterior e uma do inimigo. Isto, naturalmente, faz com que a tarefa de falar em público seja muito difícil.

Comuns, 12 de novembro de 1941

Falha

Eles [os Governos Baldwin-Chamberlain] nem impediram a Alemanha de rearmamento, nem se rearmaram a tempo. Eles brigaram com a Itália sem salvar a Etiópia. Exploraram e desacreditaram a vasta instituição da Liga das Nações. Negligenciaram em fazer alianças e combinações que poderiam ter sido reparadas anteriormente aos erros; e assim, nos deixaram, na hora do julgamento, sem defesa ou segurança internacional eficaz.

Comuns, 5 de outubro de 1938

Família

Onde começa a família? Começa com um jovem apaixonando-se por uma garota. Nenhuma alternativa superior ainda foi encontrada!

Comuns, 6 de novembro de 1950

Farpas

Eu não estou nada preocupado com tudo o que possa ser dito sobre mim. Ninguém tentaria participar de políticas controversas e não esperar ser atacado.

Comuns, 6 de dezembro de 1945

Fatalidades da Guerra

Na última guerra [1914-1918], milhões de homens lutaram, atirando enormes massas de aço uns nos outros. "Homens e bombas" era o choro e o abate prodigioso foi a consequência. Nesta guerra, algo deste tipo ainda não apareceu. É um conflito de estratégia, de organização, do aparato técnico, da ciência, da mecânica e da moral. As baixas britânicas, nos primeiros 12 meses da Grande Guerra, foram de 365.000. Nesta guerra, agradeço dizer, os britânicos mortos, feridos, prisioneiros e desaparecidos, incluindo civis, não excedem 92.000 e destes, uma grande parte está viva como prisioneiros de guerra. Olhando mais amplamente, pode-se dizer que em toda a Europa, para um homem morto ou ferido no primeiro ano, talvez, cinco tenham sido mortos ou feridos em 1914-1915.

Comuns, 20 de agosto de 1940

Fatos

Gosto do ar marcial e comandante com que o correto Honorável Cavalheiro trata os fatos. Ele não tolera absurdo algum deles.

Comuns, 19 de fevereiro de 1909

Você deve olhar para os fatos porque eles olham para você.

Comuns, 7 de maio de 1925

Devemos estar igualmente atentos contra o pessimismo e contra o otimismo. Há, sem dúvida, tentações para o otimismo. É fato que o poderoso Estado russo, tão mal e traiçoeiramente agredido, com magnífica força e coragem está infligindo prodigioso e merecido abate, pela primeira vez, sobre os exércitos nazistas. É fato que os Estados Unidos, a maior potência no mundo, estão nos dando ajuda em uma escala gigantesca, avançando com fúria crescente e convicção até a beira da guerra. É fato que o ar de superioridade alemão foi quebrado e que os ataques aéreos a este país têm, por enquanto, quase cessado. É fato que a Batalha do Atlântico, embora longe de ser vencida, em parte através da intervenção americana, moveu-se de forma impressionante a nosso favor. É fato que o Vale do Nilo está, agora, muito mais seguro do que era há 12 ou 13 meses atrás. É fato que o inimigo perdeu toda pretensão do tema ou doutrina e está afundado, cada vez mais, na degradação moral e intelectual, na falência e que quase todas as suas conquistas têm provado fardos e fontes de fraqueza.

Comuns, 29 de julho de 1941

Um balão sobe facilmente por uma certa distância, mas, depois de uma certa distância, se recusa a subir mais porque o ar é muito rarefeito para flutuá-lo e sustentá-lo. Portanto, diria, vamos examinar os fatos concretos.
St Andrew's Hall, Glasgow, 11 de outubro de 1906

Fazendo Errado

> É sempre muito difícil saber, quando você embarca no caminho errado, exatamente onde parar.
> *Comuns, 22 de fevereiro de 1911*

Fazendo o Necessário
Não adianta dizer: "Estamos fazendo o nosso melhor". Você tem que ter sucesso fazendo o que é necessário.
Comuns, 7 de março de 1916

Fé
A fé nos é dada para nos ajudar e confortar quando estamos em pavor perante o pergaminho desenrolado do destino humano. Proclamo minha fé de que alguns de nós viveremos para ver um 14 de julho quando uma França, liberada mais uma vez, se apresentará como a campeã da liberdade e dos direitos do homem. Quando o dia amanhecer, como amanhecerá, a alma da França se voltará com compreensão e com gentileza para aqueles franceses e francesas que, na hora mais escura, não perderam a esperança na República.
Comuns, 14 de julho de 1940

Eu lhe peço que testemunhe, sr. presidente, que nunca prometi nada ou ofereci alguma coisa diferente de sangue, lágrimas, labuta e suor, aos quais, agora, vou acrescentar nossa justa parcela de erros, deficiências e decepções, e também que isto possa continuar por muito tempo, no final do qual, acredito firmemente - embora não seja uma promessa ou uma garantia, apenas uma profissão de fé - que haverá uma vitória completa, absoluta e final.

Comuns, 7 de maio de 1941

Feitos

Parece-me, portanto, que as palavras não podem formar uma base para nossa ação, a menos que sejam acompanhadas de feitos; e a probabilidade de feitos sendo realizados na Alemanha atualmente, o que removerá o presente perigo, parece-me remota quando é considerado que efeito terrível teria sobre a situação econômica, industrial e trabalhista desse país.

Comuns, 22 de maio de 1935

Ferramentas para o Trabalho

Não podemos falhar ou vacilar. Não devemos enfraquecer ou nos cansar. Nem o súbito choque da batalha, nem as provações da longa vigilância e do esforço nos desgastarão. Dê as ferramentas e nós terminaremos o trabalho.

Londres, 9 de fevereiro de 1941

"Filatopia"

O sonho socialista não é mais uma utopia, mas uma "filatopia". E se eles tiverem o poder, esta parte de seu sonho, certamente, se tornará realidade.

Woodford, 28 de janeiro de 1950

Finanças

Não pode haver verdadeira eficiência do governo sem um ruído e um cuidadoso sistema de finanças.

Comuns, 25 de abril de 1918

Finlândia
Apenas a Finlândia - soberba, não sublime - nas mandíbulas do perigo - Finlândia mostra o que os homens livres podem fazer. O serviço prestado pela Finlândia à humanidade é magnífico. Eles expuseram, para todo o mundo ver, as incapacidades militares do Exército Vermelho e da Força Aérea Vermelha. Muitas ilusões sobre a Rússia soviética têm se dissipado nestas poucas e ferozes semanas de luta no Círculo Polar Ártico.

Londres, 20 de janeiro de 1940

Finucane
Se alguma vez tiver um sentimento amargo surgindo em mim, no meu coração, a respeito dos irlandeses, as mãos de heróis como Finucane parecem se esticar para acalmar a situação.

Comuns, 28 de outubro de 1948

Flexibilidade

> O melhor método para adquirir flexibilidade é ter três ou quatro planos para todas as prováveis contingências, todos trabalhados com o máximo detalhe. Então, é muito mais fácil mudar de um para o outro, como e quando necessário.
>
> *Comuns, 21 de setembro de 1943*

Floculência
Todos sabem como ele [o Primeiro Ministro] deseja, ardentemente, trabalhar pela paz, e todos sabem que não há limites para sua coragem em tal vocação. No mês passado, ele disse a uma deputação das Igrejas que o aguardava: "Eu espero que vá em frente, pressionando, pressionando e pressionando. Ajude-nos a fazer a ampla, justa, fundamental, eterna coisa". Todos nós admiramos tais

sentimentos. Trajado como nobre, de alguma forma, uma eloquência floculante obtêm a lealdade de todos.

Comuns, 23 de novembro de 1932

Fora de
Devo agradecer ao senhor de honra por me fazer conhecer a palavra "fora de", a qual não tinha tido o prazer de conhecer. Para o benefício dos membros ingleses, posso dizer que é traduzida como "fora do escopo de". No início, achei que era um erro de impressão.

Comuns, 5 de dezembro de 1944

Força
As forças dominantes na história da humanidade têm vindo da percepção de grandes verdades e da fiel perseguição de grandes causas.

Comuns, 28 de março de 1950

> **Não deve ser usada mais força do que a necessária para garantir o cumprimento da lei.**
>
> *Comuns, 8 de julho de 1920*

Força Aérea
Não ter uma força aérea adequada no estado atual do mundo é comprometer os fundamentos da liberdade nacional e da independência.

Comuns, 14 de março de 1933

Força da Alemanha
Cuidado. A Alemanha é um país fértil em surpresas militares. O grande Napoleão, nos anos depois de Jena, foi completamente apanhado de surpresa pela força

do exército alemão que lutou a Guerra de Libertação. Apesar de ter oficiais por toda parte, o exército alemão que lutou na campanha de Leipzig foi três ou quatro vezes mais forte do que ele esperava.

Comuns, 28 de novembro de 1934

Força do Mar

Durante mais de 300 anos, nós, sozinhos entre as nações, temos empunhado aquela força misteriosa e decisiva que é chamada de força do mar. O que nós temos feito com ela? Nós suprimimos o traficante de escravos. Cartografamos os mares. Fizemos uma autoestrada segura para todos.

Comuns, 26 de março de 1913

De Trafalgar e Waterloo até a primeira guerra alemã, a marinha britânica era suprema em todos os mares. Nossa potência marítima, durante a maior parte do século XIX, igualou-se à de todas as outras nações juntas. Usamos mal esse poder? Pelo contrário, nunca houve tão poucos navios de guerra a flutuar. A história, que tem sido meu guia e inspiração, vai mostrar às gerações futuras que o controle dos mares que os britânicos detiveram por tanto tempo foi usado não para o exercício da ambição bélica, mas para manter a paz, suprimir o tráfico de escravos e para tornar os mares seguros para o comércio de todas as nações. Todos os nossos portos, mesmo os nossos próprios comércios costeiros, foram abertos à entrada e competição de homens e mercadorias de todas as terras.

Londres, 7 de maio de 1946

Forças Armadas

Nenhuma linha satisfatória de divisão pode, realmente, ser traçada entre a marinha e a aeronáutica, entre a aeronáutica e o exército, entre a marinha e o exército. Todas as tentativas de desenhar tal linha falharam.

Comuns, 21 de março de 1922

Todos os três serviços, nos tempos modernos, têm um novo fator comum que nunca tiveram até o século presente ou, de fato, até depois da recente Grande

Guerra. Quero dizer, ciência e invenção. Ciência e invenção estão varrendo tudo diante delas. A mesma ciência aplica-se a todos os três serviços, igualmente, e sua aplicação deve desempenhar um grande papel em todos os seus planos e perspectivas. Nada disso era conhecido no século XIX e, naqueles dias, a segregação dos serviços parecia relativamente simples. A Marinha, para citar Lord Fisher, foi um mistério sombrio cercado por doença do mar e não tinha nada em comum, exceto boa conduta, com a praça do quartel e o exército vestido de vermelho desses dias. A aeronáutica não existia.

Comuns, 21 de março de 1934

Forma da Assembleia

Há duas características principais da Câmara dos Comuns que vão comandar a aprovação e o apoio de reflexivos e experientes membros. Elas vão, não tenho dúvida, soar estranho para os ouvidos estrangeiros. A primeira é que sua forma deve ser oblonga e não semicircular. Aqui está um fator muito potente em nossa vida política. A assembleia semicircular, que atrai teóricos políticos, permite que cada indivíduo ou grupo mova-se em torno do centro, adotando vários tons de rosa de acordo com a mudança do clima.

Comuns, 28 de outubro de 1943

Forma mais baixa de Guerra

Nas últimas semanas, os submarinos alemães, tendo em grande parte abandonado as armas para o torpedo, desceram do torpedo para a mina. Esta é a mais baixa forma de guerra que se pode imaginar.

Comuns, 6 de dezembro de 1939

Fortificações

A Alemanha está, agora, fortificando a zona do Reno ou está prestes a fortificá--la. Não duvide que levará algum tempo.

Dissemos que, em primeira instância, apenas as entradas de campo estão eretas, mas aqueles que sabem com que perfeição os alemães podem carregar os entrincheirados campos como a Linha Hindenburg, com todas as massas de concreto e as câmaras subterrâneas incluídas - aqueles que se lembrarem, perceberão que as entradas dos campos entrincheirados diferem apenas de fortificações permanentes e trabalham de forma constante a partir do primeiro corte da relva até a sua forma final e perfeita.

Comuns, 6 de abril de 1936

Fortunas

> Receio não poder dar explicação alguma sobre as aberrações das fortunas no mundo.
>
> *Comuns, 20 de abril de 1910*

Fragilidade de Aviões

Afinal, um avião, embora uma engenharia de guerra muito formidável, também é uma estrutura muito frágil e uma carga explosiva do tamanho de um pequeno charuto é suficiente para derrubar o mais poderoso avião se atingir a longarina ou a hélice: mesmo um pássaro tem sido a causa de acidentes fatais. Simplesmente, atirar em um avião no ar é como tentar atirar em um pato voador com uma espingarda de chumbo. O que deve ser visado não é o golpe no avião, mas a criação no ar de condições extremamente nocivas, se não destrutivas para ele. Para esse propósito é claro que este resultado de atirar na fuselagem não deve ser momentâneo.

Comuns, 7 de junho de 1935

França

Até mesmo um isolacionista, acredito, chegaria ao ponto de dizer: "Se nós tivermos que nos misturar com o continente, deixe-nos, de qualquer forma, obter o máximo de segurança dos nossos compromissos".

Comuns, 24 de março de 1938

França

Por mais de 30 anos, tenho defendido a causa da amizade, da camaradagem e da aliança entre a França e a Grã-Bretanha. Nunca desviei dessa política durante toda a minha vida. Por tantos anos, estas duas nações compartilharam as glórias da Europa ocidental e se tornaram indispensáveis uma para a outra. É um princípio fundamental da política britânica que a aliança com a França deva ser inabalável, constante e eficaz.

Paris, 11 de novembro de 1944

Enquanto a França for forte e a Alemanha não estiver armada adequadamente não há chance de a França ser atacada com sucesso e, portanto, nenhuma obrigação surgirá sob Locarno para que possamos ir em auxílio da França. Estou seguro, por outro lado, de que a França é o país mais pacífico da Europa no presente momento, como é, felizmente, o mais eficientemente armado, nunca tentaria qualquer violação do Tratado ou cometeria um ato abertamente contra a Alemanha sem a sanção do Tratado, sem referência ao Tratado e, menos ainda, em oposição ao país com que está em relações tão amistosas – a Grã-Bretanha.

Comuns, 23 de março de 1933

Não estou recitando estes fatos com o propósito de recriminação. Que julgo ser totalmente fútil e até prejudicial. Não podemos nos dar a esse luxo. Eu os recito em ordem para explicar por que não tínhamos, como poderíamos ter tido, entre 12 e 14 divisões britânicas lutando na linha nesta grande batalha ao invés de apenas três. Agora, ponho tudo isso de lado. Coloquei na prateleira, do qual os historiadores, quando tiverem tempo, irão selecionar seus documentos para contar suas histórias. Temos que pensar no futuro e não no passado.

Comuns, 18 de junho de 1940

A notícia da França é muito ruim e lamento pelas galantes pessoas francesas que caíram nesta terrível desgraça. Nada vai alterar nossos sentimentos em relação a eles ou nossa fé de que a inventividade da França vai subir novamente. O que aconteceu na França não faz diferença em nossas ações e propósitos. Nós nos tornamos os únicos campeões em armas para defender a causa mundial. Faremos o nosso melhor para sermos dignos desta honra. Nós defenderemos nossa casa na ilha e, como Império Britânico, lutaremos até que a maldição de Hitler seja retirada da face da humanidade. Temos certeza de que, no final, tudo vai dar certo.

Londres, 17 de junho de 1940

Quando você tem um amigo e camarada, ao lado de quem enfrentou tremendas lutas, e seu amigo é atingido por um impressionante golpe, pode ser necessário ter certeza de que a arma que caiu de suas mãos não deve ser adicionada aos recursos de seu comum inimigo. Mas, não precisa suportar a maldade por causa dos gritos de delírios e gestos de agonia de seu amigo. Você não deve acrescentar à sua dor; deve trabalhar para a sua recuperação. A associação de interesse entre a Grã-Bretanha e a França permanece. A causa permanece. Deveres inescapáveis permanecem.

Comuns, 14 de julho de 1940

Muitos desses países foram envenenados por intrigas antes de serem atingidos pela violência. Eles foram apodrecidos por dentro antes de serem apanhados por fora. De que outra forma você pode explicar o que aconteceu na França - para o exército francês, para o povo francês, para os líderes dos franceses?

Comuns, 14 de julho de 1940

Muitos se fazem a pergunta: a França está acabada? Isso é uma longa e famosa história enfeitada por tantas manifestações de genialidade e valentia, carregando com ela tudo o que é preciso para a cultura e civilização e, acima de tudo, às liberdades da humanidade - é tudo o que agora afunda para sempre no oceano do passado ou a França afundará novamente e retomará seu legítimo lugar na estrutura do que pode, um dia, voltar a ser a família da Europa? Declaro a vocês, aqui, sobre esta considerável ocasião, mesmo agora, quando franceses mal orientados ou subornados estão atirando sobre os seus salvadores, declaro-vos a minha fé de que a França se erguerá novamente. Enquanto há homens como o General de Gaulle e todos aqueles que o seguem - e são uma legião em toda a França - e homens como o General Giraud, aquele guerreiro galante que nenhuma prisão pôde deter, enquanto houver homens como aqueles que se colocam à frente no nome e na causa da França, a minha confiança no futuro dessa nação é certa.

Mansion House, Londres, 10 de novembro de 1942

Gostaria de deixar bem claro que considero a restauração da França como uma das grandes potências da Europa como um dever sagrado do qual a Grã-Bretanha nunca irá retroceder. Isto não se origina apenas dos sentimentos que temos pela França, por tanto tempo nossa amiga nas vitórias e nas desgraças, mas, também, pelo fato de ser um dos interesses mais duradouros da Grã-Bretanha na Europa, que deve haver uma França e um exército francês fortes.

Comuns, 21 de setembro de 1943

Todos nós sabemos que os franceses são pacíficos. Eles são tão pacíficos quanto nós. Eles querem ser deixados sozinhos, como nós, e acrescentaria, como as pessoas da Rússia soviética também desejam ser deixadas em paz. Mas, os franceses parecem muito mais próximos do perigo do que nós. Não há faixa de água salgada para guardar suas terras e suas liberdades. Devemos lembrar-nos de que são os únicos de outros grandes países europeus que não reverteram ao despotismo ou à ditadura, de uma forma ou de outra.

Comuns, 24 de outubro de 1935

Por todo tipo de dissimulação e selvageria significa que ele [Hitler] está tramando e trabalhando para saciar, para sempre, as fontes das características culturais francesas e das inspirações francesas para o mundo. (...) Nunca vou acreditar que a alma da França está morta.

Londres, 1º de dezembro de 1940

França e Alemanha
Agora, vou dizer algo que vai surpreendê-los. O primeiro passo na recriação da família europeia deve ser uma parceria entre França e Alemanha. Desta

forma, somente a França pode recuperar a moral e liderança cultural da Europa. Não pode haver um renascimento da Europa sem uma França espiritualmente grande e uma Alemanha espiritualmente grande.

Zurique, 19 de setembro de 1946

Franceses
O Todo-Poderoso, em Sua infinita sabedoria, não achou por bem criar franceses à imagem dos ingleses.

Comuns, 10 de dezembro de 1942

Franquias
Tem sido frequentemente citado por observadores estrangeiros desconcertados que cada extensão da franquia na Grã-Bretanha tem deixado o partido conservador em uma posição mais forte. Mas, a razão ou uma das principais razões para que eles não vejam este fato indubitável é a constante e incessante melhoria na educação das pessoas, nas condições de vida e em seu crescente poder consciente de governar seu país efetivamente.

Central Hall, Westminster, 15 de março de 1945

Freios
Se um trem está correndo nas linhas erradas ladeira abaixo, a 60 milhas por hora, não é bom tentar pará-lo construindo uma parede de tijolos do outro lado da pista. Isso só significa que a parede seria estilhaçada, que o trem seria destruído e os passageiros esmagados. Primeiro, você tem que puxar os freios.

Londres, 22 de dezembro de 1951

Frenesi
A raça humana está passando por convulsões tormentosas e há um profundo anseio por algum espaço para respirar, por alguma pausa no frenesi.

Londres, 8 de outubro de 1951

Fronteiras de Yalta e Polônia
Em termos gerais, em Yalta, chegamos a um acordo sobre o leste das fronteiras da Polônia com base na plena independência polonesa. Não chegamos ao ponto de decidir que compensação deveria ser dada à Polônia pelas mudanças em suas fronteiras orientais em favor da Rússia - qual compensação deveria ser dada às custas da Alemanha – mas, houve algumas conversas durante os dias de Teerã, sobre a linha de Oder.

Comuns, 23 de janeiro de 1948

Frota
Havia uma vantagem que possuíamos sobre outros países da Europa, o que nos permitiu ter uma marinha muito maior e melhor do que eles poderiam ter, por maiores que fossem os sacrifícios que fizessem, e assim foi, enquanto todos esses poderes tinham a dependência de um grande exército e enormes preparativos terrestres para a defesa de suas fronteiras, nós, nesta ilha, fomos capazes de concentrar toda a nossa energia e força em nossa frota.

Comuns, 14 de maio de 1903

O comando de uma frota de batalha é muito mais íntimo e pessoal do que qualquer função desempenhada por generais em terra.

Comuns, 7 de março de 1916

O Primeiro Senhor do Mar move a frota. Ninguém mais a move.

Comuns, 5 de março de 1917

Frutos da Guerra
Eu não acredito que a Rússia Soviética deseje a guerra. O que eles desejam são os frutos da guerra e a expansão indefinida de seus poderes e doutrinas.

Westminster College, Fulton, Missouri, 5 de março de 1946

Função da Câmara dos Lordes
Não é função da Câmara dos Lordes governar o povo, mas garantir que o povo tenha o direito de governar a si mesmo.

Comuns, 16 de novembro de 1949

Futuro
Vamos ver como se desenvolve o curso dos eventos e não nos esforcemos para intrometer ou especular muito audaciosamente sobre esses mistérios do futuro que estão velados de nossos olhos, e que, se não estivessem velados pela sabedoria da providência, nos confrontariam com um estado de existência aqui abaixo muito menos interessante e excitante do que aquele em que nos encontramos.

Cairo, 3 de fevereiro de 1943

Futuro do Mundo

> O futuro do mundo é para as raças altamente instruídas que, sozinhas, podem lidar com o aparato científico necessário para a predominância em paz ou sobrevivência na guerra.
>
> *Londres, 21 de março de 1943*

G

VOCÊ NUNCA DEVE SUBESTIMAR O PODER DA MÁQUINA ALEMÃ.

É a máquina mais terrível já criada.

Westminster Central Hall, Londres, 31 de outubro de 1942

Gabinete de Guerra

Eu vou fazer algo que nunca foi feito antes e espero que a Casa não fique chocada com a quebra de precedentes. Irei tornar pública uma palavra de elogio para o Gabinete de Guerra. Em todos os 40 anos servidos nessa Casa, tenho ouvido dizer que o Departamento tem abusado antes, durante e depois de nossas várias guerras. E se a minha memória estiver correta, frequentemente, participei das merecidas críticas que era a parte deles.

Comuns, 2 de agosto de 1944

Gallipoli

Não quero que digam que se tratava de um plano civil impingido por um plano político amador sobre oficiais relutantes e especialistas.

Comuns, 15 de novembro de 1915

Estou preocupado em deixar claro para a Casa e não apenas para a Casa, mas para a marinha, que este empreendimento foi profundo, maduro e elaborado, que houve um grande volume de opiniões de especialistas por trás dele, que foi enquadrado inteiramente por mentes técnicas e especializadas que em nenhuma circunstância foram empreendidas com descuido ou leviandade.

Comuns, 15 de novembro de 1915

Gama

O Império Britânico foi construído por riscos correntes. Se nunca tivéssemos movido um centímetro além do alcance de nossa artilharia pesada, nosso império, provavelmente, seria limitado por esse mesmo escopo.

Comuns, 21 de março de 1922

Gandhi

Eu sou contra essa rendição a Gandhi. Eu sou contra essas conversas e acordos entre Lord Irwin e o Sr. Gandhi. A posição de Gandhi para a exclusão permanente do comércio britânico da Índia. Gandhi se posiciona pela substituição do domínio brâmane pela regra britânica na Índia. Você nunca será capaz de se reconciliar com Gandhi.

The Royal Albert Hall, Londres, 18 de março de 1931

Gangsters

Não deveria haver hesitação ou meias-medidas, não deveria haver compromisso ou negociação. Estes bandos de bandidos têm procurado escurecer a luz do mundo; têm procurado estar entre as pessoas comuns, de todas as terras, e marcham em direção à sua herança. Eles próprios serão lançados no poço da morte, da vergonha e, somente quando a terra for limpa e purgada de seus crimes e de sua vilania, devemos abandonar a tarefa que nos impuseram, uma tarefa que relutamos em empreender, mas que, agora, vamos fazer de forma mais fiel e meticulosa.

Ottawa, 30 de dezembro de 1941

Ganhe ou Perca

Se ganharmos, ninguém vai se importar. Se perdermos, não haverá ninguém para se importar.

Comuns, 25 de junho de 1941

Ganso

> Não estou, no mínimo, sendo chamado de ganso. Já fui chamado de muitas coisas piores do que isso.
>
> *Comuns, 3 de dezembro de 1952*

Garantia

Nós lutamos muito, muito tempo, pela paz e sofremos com isso; mas, a partir do momento em que demos nossa garantia de que não ficaríamos parados, vendo a Polônia ser pisoteada pela violência nazista, nunca olhamos para trás, nunca sinalizamos, nunca duvidamos, nunca vacilamos. Nós estávamos seguros de nosso dever, temos cumprido e o cumpriremos sem guinada ou afrouxamento, até o fim.

Guildhall, Londres, 8 de junho de 1943

Garantir

Se pudesse fazer do meu jeito, escreveria a palavra "segurado" sobre a porta de cada casa de campo e sobre o livro mata-borrão de cada homem público, porque estou convencido de que através de sacrifícios que são concebivelmente pequenos, que estão dentro das possibilidades dos homens mais pobres, no trabalho regular, as famílias podem ser protegidas contra catástrofes que, de outra forma, seriam esmagadoras.

Manchester, 23 de maio de 1909

Gasolina

As excursões africanas dos dois ditadores têm custado a seus países, em mortos e capturados, 950.000 soldados, além de quase 2.400.000 toneladas de transporte marítimo destruído, sendo ambos os números exclusivos de grandes navios e aeronaves danificadas. Também, foram perdidas para o inimigo 6.200 armas, 2.550 tanques e 70.000 caminhões, que o americano denomina por camiões e que, segundo sei, foi adotado pelos funcionários combinados no Noroeste da África em troca do uso da palavra petróleo no lugar da gasolina.

Congresso dos EUA, Washington, DC, 19 de maio de 1943

Gastos

As despesas são sempre populares; a única parte impopular sobre isso é a elevação do dinheiro para pagar as despesas.

Comuns, 13 de maio de 1901

General Auchinleck

Embora a batalha ainda não esteja terminada, não tenho hesitação em dizer isso, para o bem ou para o mal, é a batalha do General Auchinleck. Observando esses fatos, como é meu dever fazer, do dia a dia e, muitas vezes, de hora em hora e vendo o lado marítimo dos relatórios como eles chegam, senti a minha confiança no General Auchinleck crescer continuamente e, embora tudo seja perigoso na guerra, acredito que encontramos nele, como também encontramos no General Wavell, uma figura militar de primeira ordem.

Comuns, 11 de dezembro de 1941

General de Gaulle

Que o General de Gaulle estava certo ao acreditar que a maioria dos franceses em Dakar foram favoráveis ao movimento francês livre, não tenho dúvida; de fato, acho que seu julgamento foi extremamente seguro e nossa opinião sobre ele tem sido reforçada por tudo o que nós vimos de sua conduta em circunstâncias de peculiar e perplexa dificuldade. O governo de Sua Majestade não tem qualquer intenção de abandonar a causa do General de Gaulle até a sua fusão, como fusionada será, na maior causa da França.

Comuns, 8 de outubro de 1940

> Nestes últimos quatro anos, tive muitas diferenças com o General de Gaulle, mas nunca me esqueci e nunca posso me esquecer de que ele ficou como o primeiro francês eminente a enfrentar o inimigo comum no que parecia ser a hora da ruína de seu país e, possivelmente, do nosso; é justo e correto que ele fique em primeiro lugar nos dias em que a França será novamente criada e levantada por si só, para o seu legítimo lugar entre as grandes potências da Europa e do mundo.

Comuns, 2 de agosto de 1944

General Eisenhower

O General Eisenhower assumiu o comando das Forças Expedicionárias reunidas na Grã-Bretanha. Nenhum homem tem trabalhado com mais habilidade ou intensamente para a unificação e boa vontade das grandes forças do que o General Eisenhower. Ele tem uma inventividade para reunir todos os aliados e se orgulha de ser considerado um aliado, assim como um dos comandantes dos Estados Unidos.

Comuns, 2 de agosto de 1944

General Sikorski

O nome do General Sikorski será lembrado, por muito tempo, na história. Sua fé sustentou o espírito da Polônia em sua hora mais escura. Sua coragem inspirou os poloneses a continuar sua longa e implacável luta contra o invasor alemão. Sua condição de estadista sempre teve em vista a unidade aliada em ação comum contra a Alemanha e a restauração da independência e da grandeza da Polônia. Enquanto sua memória for estimada, a realização do grande trabalho pelo qual deu sua vida será assegurada.

Londres, 5 de julho de 1944

Generalidade de MacArthur

O uso engenhoso das aeronaves para resolver os intrincados problemas táticos, para o transporte de reforços, suprimentos e munições, incluindo armas de campo, é uma característica proeminente da generalidade da MacArthur e deve ser cuidadosamente estudada por todos os envolvidos na condução técnica da guerra.

Comuns, 11 de fevereiro de 1943

Generalidades

Muitas vezes, nos dizem que "a Câmara dos Comuns pensa isso" ou "sente aquilo". Os jornais escrevem: "O sentimento geral era de grave mal-estar", "ali foi muito inquietante no Lobby", etc. Tudo isso é telegrafado em todo o mundo e produz efeitos malignos. Ninguém tem o direito de dizer o que é a opinião da Câmara dos Comuns. Sofremos, agora, por não termos divisões. Temos debates, para os quais uma minoria muito pequena de membros é capaz de contribuir devido ao tempo disponível. Eles expressam suas ansiedades e queixas, tornam nossos assuntos os piores possíveis e estas visões estão indevidamente presentes nos relatórios que chegam ao público ou são ouvidos no exterior. Estes membros não representam a opinião da Câmara dos Comuns ou da nação, nem suas declarações dão uma imagem verdadeira dos prodigiosos esforços de guerra do povo britânico. O parlamento deveria ser uma arena em que as queixas e reclamações se tornam vocais. A imprensa também deve ser uma campainha de alarme rápida e vigilante, tocando quando as coisas não estão indo para o caminho certo. Mas, é um fardo pesado que se acrescenta a nós que temos que suportar que a ideia deve ser difundida no país e no exterior como sendo a opinião da Câmara dos Comuns, que nossos assuntos estão sendo conduzidos de forma incompetente e fútil, que o conjunto da gigantesca movimentação da indústria britânica é apenas uma grande confusão e um fracasso.

Comuns, 29 de julho de 1941

Geografia e Bombas

O próximo ponto é uma questão de geografia. As fronteiras da Alemanha estão muito mais perto de Londres do que as costas marítimas desta ilha estão de Berlim e, enquanto, praticamente todo o bombardeio alemão da força aérea pode chegar a Londres com uma carga eficaz, poucos dos nossos aviões podem chegar a Berlim com qualquer carga apreciável de bombas. Isso deve ser considerado como um dos fatores para se julgar entre os dois países.

Comuns, 19 de março de 1935

Geração Perdida

Lembre-se de que temos uma geração perdida, nunca devemos esquecer disso – o florescer do passado, perdido nas grandes batalhas da última guerra. Deveria ser mais uma geração entre estes jovens e nós, figuras mais velhas que, em breve, sairiam de cena. Deveria haver outra geração de homens, com suas luzes cintilantes e figuras de destaque. Devemos fazer tudo o que pudermos para tentar preencher a lacuna e, como digo, não há nada mais seguro para fazer do que correr riscos na juventude.

Comuns, 29 de novembro de 1944

Gestapo

Nenhum governo socialista conduzindo toda a vida e indústria do país poderia se dar ao luxo de permitir expressões gratuitas, afiadas ou com palavras de descontentamento do público. Eles teriam que se apoiar em algum tipo de Gestapo, sem dúvida, muito humanamente dirigida em primeira instância. E isto cortaria a opinião em seu início; pararia as críticas à medida que se levantassem e reuniria todo o poder para o partido supremo e para os líderes partidários, erguendo-se como um pináculo estatal acima de suas vastas burocracias de funcionários públicos, não mais funcionários e não mais civis. E onde o povo simples e comum - as pessoas comuns, como eles gostam de chamá-los na América – onde estariam, uma vez que este poderoso organismo os tinha em suas mãos?

Londres, 4 de junho de 1945

Gettysburg

Eu estava dirigindo, no outro dia, não muito longe do campo de Gettysburg, que conheço bem, como a maioria dos seus campos de batalha. Foi a batalha decisiva da Guerra Civil Americana. Ninguém, depois de Gettysburg, duvidou do caminho de pavor que a guerra tomaria, mas muito mais sangue foi derramado após a Vitória da União em Gettysburg do que em todos os combates que ocorreram antes.

Congresso dos EUA, Washington, DC, 19 de maio de 1943

Eu sou uma criança da Câmara dos Comuns. Fui criado na casa do meu pai para acreditar na democracia. "Confie no povo" - essa foi a sua mensagem. Eu costumava vê-lo animado nas reuniões e nas ruas com multidões de homens trabalhadores, há muito tempo, naqueles dias aristocráticos vitorianos, quando, como Disraeli disse, o mundo era para poucos, para muito poucos. Portanto, tenho estado em plena harmonia durante toda a minha vida com as marés que fluíram em ambos lados do Atlântico contra o privilégio, o monopólio e tenho dirigido, confiantemente, em direção ao ideal de Gettysburg de "governo do povo, pelo povo, para o povo".

Congresso dos EUA, Washington, DC, 26 de dezembro de 1941

Governo

Porque um governo não pode, a cada momento, dar uma explicação do que está fazendo e o que está acontecendo, seria, e será, um grande erro assumir que nada está sendo feito.

Comuns, 11 de novembro de 1942

O governo de Sua Majestade está vinculado às leis que eles administram. Eles não estão acima da lei.

Comuns, 22 de fevereiro de 1906

Sempre foi considerado, no passado, como um infortúnio para um país quando era governado de um ponto de vista particular ou sob o interesse de qualquer classe particular, seja da Corte, da Igreja, do Exército, das classes mercantis ou trabalhadoras. Todo país deve ser governado de algum ponto de vista central, onde todas as classes e todos os interesses sejam, proporcionalmente, representados.

Comuns, 29 de julho de 1903

Governo Cientista

Em muitas ocasiões no passado, vimos tentativas de especialistas de um tipo e de outro de governar o mundo. Tem havido governos teocráticos, governos militares e governos aristocráticos. Agora, é sugerido que deveríamos ter cientista - não científico - governos. É o dever dos cientistas, como o de todas as outras pessoas, servir o Estado e não o governar porque são cientistas. Se eles quiserem governar o Estado, devem ser eleitos para o parlamento ou ganhar distinção na Casa Alta e, assim, ganhar acesso a algumas das várias administrações que são formadas de tempos em tempos.

Comuns, 7 de novembro de 1945

Governos e Rebeldes

O líder do partido liberal fala do governo e dos rebeldes. Ele parece pensar que todos os governos devem ser infalíveis e todos os rebeldes devem ser vis. Tudo depende do que é governo e de quem são os rebeldes.

Comuns, 14 de abril de 1937

Grã-Bretanha

> Para que nossa defesa naval seja totalmente eficaz, deve haver uma força militar suficiente, neste país, para tornar necessário que um invasor venha em números tão grandes que oferecerá um alvo para a Marinha e, certamente, será interceptado se embarcar.
>
> *Comuns, 17 de março de 1914*

Quando aspiramos levar toda a Europa de volta, da beira do abismo para os planaltos da lei e da paz, devemos, nós mesmos, dar o maior exemplo. Não devemos deixar nada para trás. Como podemos continuar levando nossa vida confortável e fácil aqui em casa sem sequer pronunciar a palavra "compulsão", relutantes de tomar as medidas necessárias para que os exércitos que prometemos possam ser recrutados e equipados sozinhos? Como podemos continuar – deixe-me dizê-lo com particular e sincera franqueza – com menos do que toda a força da nação incorporada no instrumento governante? Estes muitos procedimentos, que o governo deve à nação, não são só indispensáveis para os deveres que aceitamos, mas, pela sua própria adoção, podem resgatar o nosso povo e os povos de muitas terras de águas escuras e amargas que estão subindo, rapidamente, de todos os lados.

Comuns, 13 de abril de 1939

Até agora, então, percorremos o terrível caminho que escolhemos na chamada do dever. O humor da Grã-Bretanha é sabiamente e justamente avesso à exultação rasa ou prematura. Não é hora de ostentações ou de profecias brilhantes, mas há isto – há um ano, nossa posição parecia abandonada e quase desesperada aos olhos de todos, menos ao nosso. Hoje, podemos dizer em voz alta, diante de um mundo espantado: "Ainda somos mestres do nosso destino. Nós ainda somos capitães de nossa alma".

Comuns, 9 de setembro de 1941

O mundo exterior que há pouco tempo teve, apenas, uma visão moderada de nossas perspectivas, agora, acredita que a Grã-Bretanha sobreviverá. Mas, entre sobrevivência imediata e vitória duradoura há um longo caminho a percorrer. Em percorrendo-o, vamos mostrar ao mundo a perseverança, a firmeza da raça britânica, a gloriosa resiliência e flexibilidade de nossas antigas instituições.

Mansion House, Londres, 9 de novembro de 1940

Grã-Bretanha e América
A experiência de uma longa vida e os sussurros do meu sangue me fizeram ter a convicção de que há nada mais importante para o futuro do mundo do que a associação fraterna dos nossos dois povos no trabalho justo, tanto na guerra como na paz.

Transmitido do Capitólio, Washington, DC, 19 de maio de 1943

Grã-Bretanha e Polônia
Seria uma afetação fingir que a atitude dos britânicos e, acredito que a do governo dos Estados Unidos em relação à Polônia, são idênticas à da União Soviética. Toda e qualquer provisão deve ser feita para as diferentes condições de história e geografia que regem a relação das democracias ocidentais, por um lado, e dos soviéticos, por outro. Governo do outro lado com a nação polonesa. O Marechal Stalin tem, repetidamente, se declarado a favor de uma Polônia forte, amistosa, soberana e independente. Nisso, nosso grande aliado oriental está de total acordo com o governo de Sua Majestade, também, a julgar pelas declarações públicas americanas, com o dos Estados Unidos. Nós, nesta ilha e por todo nosso Império, que desembainhou a espada contra os poderosos da

Alemanha por causa da sua agressão contra a Polônia, temos sentimentos e deveres para com a Polônia que mexem, profundamente, com a raça britânica. Tudo ao nosso alcance foi e será feito para garantir tanto em carta, quanto no espírito, os propósitos declarados pelos três grandes aliados para a Polônia.
Comuns, 28 de setembro de 1944

Grã-Bretanha em Guerra
Em nossas guerras, os episódios são, em grande parte, adversos, mas os resultados finais têm, até então, sido satisfatórios. Distante, nós corremos sobre as correntes que podem girar ao nosso redor, mas a maré nos leva para a sua ampla frente, sem resistência de inundação. Na última guerra, o caminho era uma subida quase sem fim. Nós nos encontramos com decepções contínuas e com desastres muito mais sangrentos do que qualquer coisa que tenhamos experimentado até agora. Mas, no final, todas as oposições caíram juntas e todos os nossos inimigos se submeteram à nossa vontade.
Mansion House, Londres, 10 de novembro de 1942

Deve ser sempre assumido, é claro, que a Grã-Bretanha vai ficar ao lado de suas obrigações. Provavelmente, será melhor do que sua palavra legal.
Comuns, 23 de março de 1933

Grã-Bretanha Sozinha
Agora, ficamos sozinhos nas trincheiras e enfrentamos o pior que o poder e a inimizade do tirano podem fazer. Suportando, humildemente, diante de Deus, mas conscientes de que servimos a um propósito de desdobramento, estamos prontos para defender nossa terra natal contra a invasão pela qual está ameaçada. Estamos lutando sozinhos; mas não estamos lutando apenas por nós mesmos.
Comuns, 14 de julho de 1940

Gradualidade
Na minha experiência de grandes empresas, descobri que, muitas vezes, é um erro tentar resolver tudo de uma vez. Longe, na linha do horizonte, podemos ver os picos das Montanhas Desfrutáveis. Mas, não podemos dizer o que há entre nós e

elas. Sabemos para onde queremos ir, mas não podemos prever todas as etapas da viagem, nem podemos planejar nossas marchas como em uma operação militar.

The Royal Albert Hall, Londres, 14 de maio de 1947

> **Gratidão Britânica**
> O público britânico e a grande nação que herda um pouco dessa ilha nebulosa, são menos propensos a serem gratos pelos benefícios recebidos do que são pelos males evitados.
>
> *Comuns, 13 de abril de 1927*

Grandes Poderes

A organização mundial não pode ser baseada em uma ditadura dos grandes poderes. É seu dever servir o mundo e não, governá-lo.

Comuns, 27 de fevereiro de 1945

Grandeza Humana

Há muitos testes pelos quais podemos medir a grandeza dos homens que serviram a causas elevadas, mas, esta manhã, vou selecionar apenas um deles, a saber, a influência favorável exercida sobre a fortuna da humanidade.

Comuns, 11 de outubro de 1946

O preço da grandeza é a responsabilidade. Se o povo dos Estados Unidos tivesse continuado em uma situação medíocre, lutando com o território selvagem, absorvidos em seus próprios negócios e sem um fator de consequência no movimento do mundo, poderiam ter ficado esquecidos e sem perturbação além de seus próprios oceanos protetores: mas, não se pode subir para ser, em muitos aspectos, a comunidade líder no mundo civilizado sem estar envolvido em seus problemas, sem ser convulsionado por suas agonias e inspirado por suas causas.

Universidade de Harvard, 6 de setembro de 1943

Greve Geral

> Sabemos, agora, com precisão, o prejuízo que foi feito, de qualquer forma, às nossas finanças. Nos encontramos esta tarde sob a sombra do ano passado. Não é o momento de lamentar o passado; é o momento de pagar as contas. Não é para repartir a culpa; minha tarefa é apenas repartir o fardo. Não posso me apresentar perante o Comitê com o pretexto de imparcialidade de juiz; sou apenas o carrasco público.
>
> *Comuns, 11 de abril de 1927*

Guerra
No geral, a guerra consiste nas mesmas melodias tocadas através dos tempos, embora, às vezes, somente em uma flauta de junco ou uma gaita de foles e, às vezes, através de uma orquestra moderna e completa.

Londres, 4 de julho de 1950

Guerra Aérea
Parece-me haver quatro linhas de proteção pelas quais podemos garantir a melhor chance e uma boa chance de imunidade para o nosso povo dos perigos da guerra aérea – uma política externa pacífica; a convenção que regula o combate aéreo; a paridade no poder aéreo para tornar essa convenção válida e, resultante dessa paridade, um sistema de som de defesa doméstico – em adição a todos esses outros arranjos, se todos eles falharem.

Comuns, 8 de março de 1934

Qualquer nação que se recuse a entrar em discussões de uma convenção para regular o combate aéreo seria, consequentemente, deixada em uma posição de horrível isolamento ao proclamar sua intenção de fazer a guerra como uma operação científica e técnica sobre mulheres e crianças para aterrorizar a população civil.

Comuns, 8 de março de 1934

Guerra Civil na Espanha
Não é uma questão de se opor ao nazismo ou ao comunismo, mas de se opor à tirania em qualquer forma que se apresente; e, como não encontrei em qualquer uma dessas duas facções espanholas que estão em guerra qualquer garantia satisfatória que os ideais com que me importo sejam preservados, não sou capaz de me jogar de cabeça para o risco de ter que disparar, imediatamente, um canhão para um lado ou para o outro deste problema. Acho mais fácil manter essa sensação de desprendimento de ambos os lados porque, antes de dar qualquer ajuda para ambos os lados, devemos saber o que a vitória de um deles significaria para aqueles que são derrotados.

Comuns, 14 de abril de 1937

Guerra de Nervos
Se, como foi sugerido em uma recente oração, houver uma disputa de nervosismo, força de vontade e resistência, na qual todas as pessoas inglesas e alemãs tiverem que se engajar, seja rápido ou demorado, não devemos encolher a partir disso. Acreditamos que o espírito e o temperamento criados sob instituições de liberdade se mostrarão mais duradouros e resilientes do que qualquer coisa que possa ser tirada da aplicação mais eficiente da disciplina mecânica.

Comuns, 5 de setembro de 1940

Guerra Desnecessária
O presidente Roosevelt, um dia, perguntou como essa guerra deveria ser chamada. Minha resposta foi: "A Guerra Desnecessária". Se os Estados Unidos tivessem tomado uma parte ativa na Liga das Nações e se a Liga das Nações tivesse preparada para usar forças de correções, mesmo que só tivesse sido uma força europeia, para evitar o rearmamento da Alemanha, não haveria necessidade de mais um sério derramamento de sangue. Se os Aliados tivessem

resistido fortemente a Hitler, nos primeiros estágios até a sua apreensão na Renânia, em 1936, ele teria sido forçado a recuar e uma chance teria sido dada aos elementos sãos da vida alemã, que eram muito poderosos, especialmente no Alto Comando, para libertar a Alemanha do governo e do sistema maníaco do abismo no qual estavam caindo.

Bruxelas, 16 de novembro de 1945

Guerra do Futuro
É bem possível que, por um processo de sublime ironia, tenhamos atingido um palco, nesta história, onde a segurança será a criança forte do terror, e sobrevivência do irmão gêmeo da aniquilação.

Comuns, 1º de março de 1955

Guerra dos Guerreiros Desconhecidos
Tudo depende, agora, de toda a força de vida da raça britânica, em cada parte do mundo, de todos os nossos povos associados e de todas as nossas ajudas, em todas as terras, fazendo o seu melhor, noite e dia, dando tudo, ousando tudo, suportando tudo - até o máximo - até o fim. Esta não é uma guerra de caciques ou de príncipes, de dinastias ou de ambições nacionais; é uma guerra de povos e de causas. Há grandes números não só nesta ilha, mas em todas as terras, que prestarão um serviço fiel nesta guerra cujos nomes nunca serão conhecidos, cujas escrituras nunca serão gravadas. Esta é uma guerra de Guerreiros Desconhecidos; que todos se esforcem, sem falhar na fé ou no dever, e a maldição de Hitler será retirada de nossa era.

Comuns, 14 de julho de 1940

Guerra dos Trinta Anos
Não estamos diante da perspectiva de uma nova guerra, mas de algo muito semelhante à possibilidade de uma retomada da guerra que terminou em novembro de 1918.

Comuns, 19 de março de 1935

Guerra Fria
O que estamos enfrentando não é uma sacudida violenta, mas um impulso prolongado.

Comuns, 5 de março de 1953

Guerra no Deserto
A guerra no deserto ocidental ou, na verdade, em todos os desertos que cercam o Egito, só pode ser conduzida por um número relativamente pequeno de pessoas altamente equipadas. Aqui, a sorte da guerra está sujeita às oscilações violentas e meros números não contam. Pelo contrário, o movimento de grandes números no deserto levaria, se as coisas dessem errado, apenas ao desastre em uma escala maior. Foi o que aconteceu com os italianos.

Comuns, 7 de maio de 1941

A guerra do deserto tem que ser vista para que se acredite nela. Grandes exércitos, com seus inúmeros transportes e pequenas moradias, estão dispersos e espalhados como se fossem um pote de pimenta sobre as vastas encostas e planícies indeterminadas do deserto, quebrando aqui e ali apenas por um vinco de areia, por uma terra ou um afloramento de rocha. O solo, na maioria dos lugares, especialmente em todas as eminências de comando, é rocha com apenas uma polegada ou duas de areia sobre a parte superior e nenhuma cobertura pode ser obtida para armas ou tropas, exceto por jateamento. Por mais espalhadas que as tropas estejam, há um elaborado sistema de sinalização, cujo enorme desenvolvimento é incrível. Quanto mais melhorias existem em nossos meios de comunicação, mais pessoas são necessárias para servir à Agência de Sinal. Mas, devido a este elaborado sistema de sinalização, no qual dezenas de milhares de pessoas estão engajadas, este exército, espalhado por vastas áreas, pode ser movido e trazido para a ação com extraordinária rapidez e enormes distâncias podem ser cobertas por ambos os lados no que teria parecido ser, há alguns anos, um incrível curto espaço de tempo.

Comuns, 8 de setembro de 1942

Guerra Total
Por mais duro que seja dizer, uma coisa terrível ao lidar com nossa preciosa carne e sangue, é nosso interesse e o interesse americano que toda a frente

ocidental e o ar, em todos os lugares e voos possíveis, devem estar em contínua ação contra o inimigo, queimando e sangrando suas forças a cada oportunidade e em todas as ocasiões, nós devemos pôr um fim a esse horror.

Comuns, 18 de janeiro de 1945

Guerra Universal

Há outra diferença mais óbvia a partir de 1914. Todas as nações beligerantes estão engajadas, não apenas os soldados, mas toda a população, homens, mulheres e crianças. As frentes estão em toda parte. As trincheiras são cavadas nas cidades e nas ruas. Todos os vilarejos são fortificados. Todas as estradas estão bloqueadas. A linha de frente passa pelas fábricas. Os operários são soldados com armas diferentes, mas com a mesma coragem. Estas são as grandes e distintas mudanças em relação ao que muitos de nós vimos na luta há um quarto de século.

Comuns, 20 de agosto de 1940

Guia

O verdadeiro guia da vida é fazer o que é certo.

Huddersfield, 15 de outubro de 1951

Guilhotina

Quem fala em revolução deve estar preparado para a guilhotina.

Comuns, 10 de outubro de 1902

H

NÃO PODEMOS VER COMO A LIBERTAÇÃO VIRÁ.

Ou quando virá, mas nada é mais certo do que o fato de que cada traço das pegadas de Hitler será apagado e purgado.

E, se necessário, banido da superfície da terra.

St James's Palace, Londres, 12 de junho de 1941

Hagiologia em Medicina

Tenho sentido, de vez em quando, que deveria haver uma hagiologia da ciência médica e que devemos ter dias de santos para comemorar as grandes descobertas que foram feitas para toda a humanidade, talvez, para todo o sempre - ou para qualquer tempo que reste para nós. A natureza, como muitos de nossos estadistas modernos, é pródiga de dor. Gostaria de encontrar um dia em que pudéssemos tirar férias, um dia de alegria, quando pudéssemos festejar a boa Santa Anestesia e o casto e puro Santo Antisséptico.

Guildhall, Londres, 10 de setembro de 1947

Haile Selassie

Foi uma satisfação para mim ver, pela primeira vez, em carne e osso, Haile Selassie, aquela figura histórica que defendeu a causa de seu país em meio às tempestades da Liga das Nações, que foi a primeira vítima da ânsia de poder e conquista de Mussolini e que foi, também, o primeiro a ser restaurado ao seu antigo trono pelos pesados esforços dos exércitos ingleses e indianos, nos longínquos dias de 1940 e 1941.

Comuns, 27 de fevereiro de 1945

Harrow

Hitler, em um de seus recentes discursos, declarou que a luta foi entre aqueles que já passaram pelas escolas de Adolf Hitler e aqueles que estiveram em Eton. Hitler esqueceu Harrow.

Harrow, 18 de dezembro de 1940

Harvard

Estou hoje, mais uma vez, em seus bosques acadêmicos - bosques, creio que seja a palavra correta - onde o conhecimento é conquistado, onde o aprendizado é estimulado, onde as virtudes são inculcadas e o pensamento encorajado. Aqui, nos amplos Estados Unidos, com um oceano respeitável de cada lado de nós, podemos olhar o mundo em toda sua maravilha e em toda sua angústia.

Universidade de Harvard, 6 de setembro de 1943

Herbert Henry Asquith

Aos 40 anos, com um enorme histórico jurídico atrás dele, estava como Secretário do Interior. Aos 50 anos, era o Primeiro-Ministro. Ele fez o seu caminho por sua distinção no debate da Câmara dos Comuns, argumento claro e lúcido, expresso em termos felizes, com muitos vislumbres de humor e lampejos de réplica, brevidade e clareza – essas eram suas armas naqueles dias de discussões longas e sonoras. Ele não era um orador exuberante, derramando seu apelo sentimental ou apaixonado. Mas, havia poucos que poderiam enfrentá-lo no tenso debate de questões, grandes ou pequenas. Ali estava um homem que lidava com processos fundamentados, que colocava as coisas em sua escala e relação adequadas, que via a raiz do problema e simplificava a história.

Comuns, 6 de dezembro de 1950

Hiato em Armamentos Aéreos

Há o mesmo tipo de impotência e desesperança em lidar com este problema aéreo, já que se trata de lidar com o problema do desemprego ou a questão da moeda ou a questão da economia. Todos os males são vividamente retratados e os sentimentos mais admiráveis são expressos, mas conforme uma linha de ação prática, bases sólidas que podemos pisar passo a passo, existe nesta grande esfera, como em outras esferas de atividade governamental, uma lacuna, um hiato, uma sensação de que não há mensagem dos lábios do profeta surge. Não adianta abrir espaços vazios sobre os problemas do ar. Ainda menos, há utilidade em ceder fingimento, em qualquer forma.

Comuns, 14 de março de 1933

Hipocrisia

> Preocupo-me tão pouco com qualquer homem nesta Câmara pela hipocrisia do império que desempenha um papel tão grande no jargão da discussão política moderna, mas gostaria de ver as grandes nações de língua inglesa trabalhando juntas em majestade, liberdade e em paz.
>
> *15 de fevereiro de 1911*

> Eu digo, francamente, que preferiria ter uma manutenção da paz hipócrita a um vício simples e descarado, assumindo a forma de guerra ilimitada.
>
> *Comuns, 14 de abril de 1937.*

Hiroshima

Há vozes que afirmam que a bomba nunca deveria ter sido usada, de jeito nenhum. Não posso me associar a tais ideias. Seis anos de guerra total convenceram a maioria das pessoas que se os alemães ou japoneses tivessem descoberto essa nova arma, tê-la-iam usado sobre nós, para a nossa completa destruição, com a máxima alacridade. Estou surpreso que pessoas muito dignas, pessoas que, na maioria dos casos, não tinham a intenção de seguir com a frente japonesa, adotem a posição que, ao invés de jogar uma bomba, deveríamos ter sacrificado um milhão de americanos e um quarto de milhão de ingleses em batalhas desesperadas e massacres por uma invasão do Japão. As gerações futuras irão julgar essas decisões terríveis e acredito que, se estiverem vivendo em um mundo mais feliz, do qual a guerra foi banida e onde reina a liberdade, não irão condenar aqueles que lutaram em seu benefício em meio aos horrores e misérias desta época horripilante e feroz.

Comuns, 16 de agosto de 1945

A bomba trouxe paz, mas só os homens podem manter essa paz e, daí para a frente, vão mantê-la sob penalidades que ameaçam a sobrevivência não apenas da civilização, mas da própria humanidade. Posso dizer que estou de total acordo com o presidente que os segredos da bomba atômica devem, na medida do possível, não serem transmitidos, neste momento, a nenhum outro país do mundo. Isto não é um plano ou desejo de poder arbitrário, mas para a segurança comum do mundo. Nada pode deter o progresso da pesquisa e experimentos em todos os países, mas, embora a pesquisa proceda em muitos lugares, a construção das imensas usinas necessárias para transformar a teoria em ação não pode ser improvisada, em nenhum país.

Comuns, 16 de agosto de 1945

História

Caso nas próximas eleições gerais haja uma tentativa de reavivar essas antigas controvérsias, estamos tomando medidas para ter poucos livretos registrando essas afirmações, em diferentes momentos, de todas as principais figuras envolvidas nesses tempos desconcertantes. Pela minha parte, considero que será muito melhor para todos os partidos deixar o passado à história, especialmente porque, eu mesmo proponho escrever essa história.

Comuns, 23 de janeiro de 1948

A história, com sua lâmpada trêmula, cambaleia adiante do longo caminho do passado, tentando reconstruir suas cenas, reavivar seus ecos e acender com brilhos pálidos da paixão de outrora.

Comuns, 12 de novembro de 1940

O direito de guiar o curso da história é o prêmio mais nobre da vitória. Ainda estamos trabalhando na colina; ainda não atingimos a crista; não podemos examinar a paisagem ou, sequer, imaginar como sua condição será quando aquela manhã ansiosa vier. A tarefa que está diante de nós é, ao mesmo tempo, prática, simples e severa. Espero - na verdade, eu rezo - que não sejamos considerados indignos de nossa vitória se depois de labuta e da tribulação ela nos for concedida. Quanto ao resto, temos que conquistar a vitória. Essa é a nossa tarefa.

Comuns, 20 de agosto de 1940

Tem sido dito que a lição dominante da história é que ela é impossível de ser ensinada.
Assembleia Geral da Virgínia, Richmond, 8 de março de 1946

Quando a situação era controlável, foi negligenciada, agora que está completamente fora de controle, aplicamos, tarde demais, os remédios que, então, poderiam efetuar uma cura. Não há nada de novo na história. É tão antiga quanto os livros de profecias. Cai naquele longo e sombrio catálogo da infrutífera experiência e da comprovada falta de instrução da humanidade. Desejo de previsão, relutância em agir quando a ação seria simples e eficaz, falta de clareza de pensamento, confusão de conselhos até que a emergência venha, até que a autopreservação atinja seu gongo dissonante - estas são as características que constituem a repetição interminável da história.

Comuns, 2 de maio de 1935

É bem possível que os capítulos mais gloriosos da nossa história ainda não tenham sido escritos. Na verdade, os próprios problemas e perigos que nos envolvem e ao nosso país devem fazer ingleses e inglesas desta geração felizes por estar aqui, em tal momento. Devemos nos alegrar com as responsabilidades com as quais o destino nos honrou e orgulhar-nos de sermos guardiões de nosso país em uma época em que sua vida está em jogo.

The Royal Society of St George, Londres, 24 de abril de 1933

Hitler

Tão apaixonado é este homem em seu desejo de sangue e conquista, tão destrutivo é o poder que ele exerce sobre a vida dos alemães, que até deixou escapar, outro dia, que seus exércitos estariam melhor vestidos e suas locomotivas mais bem preparadas para o segundo inverno na Rússia do que estavam na primeira vez.

Londres, 10 de maio de 1942

Quando Herr Hitler escapou de sua bomba, em 20 de julho, descreveu sua sobrevivência como providencial; penso que, de um ponto de vista puramente militar, podemos todos concordar com ele, pois, certamente, seria muito lamentável se os aliados fossem privados, nas fases finais da luta, dessa forma de genialidade bélica pelo qual o Cabo Schickelgruber contribuiu para a nossa vitória.

Comuns, 28 de setembro de 1944

Não conheço razão alguma para supor que Hitler não está no controle total de suas faculdades mentais e dos recursos de seu país. Acho que, provavelmente, se arrepende de ter trazido o apetite desenfreado e a ambição desmedida à suas negociações com as outras nações. Tenho poucas dúvidas de que se Hitler pudesse ter o passado de volta, executaria seu trabalho um pouco diferente.

Ele, provavelmente, lamenta ter recusado repetidos esforços para evitar a guerra, esforços que quase desprestigiaram o governo britânico. Devo pensar que, agora, ele se arrepende de não ter refreado suas paixões antes de trazer a miséria para o mundo.

Washington, DC, 25 de maio de 1943

Ninguém pode dizer até onde o império de Herr Hitler vai se estender antes desta guerra acabar, mas não tenho dúvidas de que vai passar tão rápido quanto, talvez, mais rapidamente do que o império de Napoleão, embora, é claro, sem nenhum de seus brilhos ou suas glórias.

Comuns, 5 de setembro de 1940

Hitler e Napoleão

Eu sempre detesto comparar Napoleão a Hitler, pois parece um insulto ao grande imperador e guerreiro conectá-lo, de qualquer forma, a um esquálido chefe de partido e carniceiro. Mas, há um aspecto no qual devo traçar um paralelo. Estes dois homens eram temperamentalmente incapazes de desistir da menor sobra de qualquer território para o qual suas agitadas conquistas os tivessem carregado. Assim, depois de Leipzig, em 1813, Napoleão deixou todas as suas guarnições no Reno e 40.000 homens em Hamburgo. Ele se recusou a retirar muitos outros elementos de vital importância de seus exércitos e teve que começar a campanha de 1814 com recrutas crus e algumas tropas experientes trazidas às pressas da Espanha. Da mesma forma, Hitler espalhou, com sucesso, os exércitos alemães por toda parte da Europa e, por obstinação, em todos os pontos, desde Stalingrado e Tunísia até o presente momento, despojou-se do poder de concentrar-se na força principal para a luta final.

Comuns, 28 de setembro de 1944

Homem

O único guia para um homem é sua consciência. O único escudo para sua memória é a retidão e sinceridade de suas ações. É muito imprudente caminhar através da vida sem este escudo porque somos tão frequentemente ridicularizados pela falta de nossas esperanças, mas, com este escudo, por mais que o destino possa jogar, marchamos sempre nas fileiras de honra.

Comuns, 12 de novembro de 1940

Nenhum homem pode ser um apenas coletivista ou apenas individualista. Ele deve ser tanto um individualista quanto um coletivista. A natureza do homem é dupla. O caráter da organização da sociedade humana é duplo. O homem é, ao mesmo tempo, um ser único e um animal gregário. Para alguns fins, ele deve ser coletivista, para outros, ele é e permanecerá para sempre um individualista.

St Andrew's Hall, Glasgow, 11 de outubro de 1906

Homem Comum

> Mal adivinhamos que o que foi chamado "O Século do Homem Comum" testemunharia, como característica excepcional, homens comuns se matando com mais facilidade do que quaisquer outros nos cinco séculos juntos da história do mundo.
>
> *Boston, Massachusetts, 31 de março de 1949*

Homem-Poder

Homem-poder - e quando digo que incluo, é claro, a mulher-poder – é em um ritmo de intensidade que nunca foi alcançado antes, neste país, nem mesmo na última guerra e, certamente, não nesta. Eu acredito que nosso homem-poder não é apenas totalmente estendido, mas aplicado, em geral, a melhor vantagem. Tenho a sensação de que a comunidade nesta ilha está correndo a um nível

muito alto, com um bom ritmo e que apenas se pode manter nossa dinâmica - não podemos aumentar nosso ritmo - esse mesmo fato nos permite superar nossos inimigos e, possivelmente, até mesmo nossos amigos.
Comuns, 13 de outubro de 1943

Homens Ricos
Homens ricos, embora valiosos para a receita, não são vitais para um estado saudável da sociedade, mas uma sociedade na qual os homens ricos se livram dos motivos de ciúmes não é um estado saudável.
Comuns, 24 de abril de 1950

Honra como Guia
Eu tenho pensado neste período difícil, quando tantas lutas e tantas manobras críticas e complicadas estão em curso que, acima de todas as coisas importantes, a nossa política e conduta devem estar no mais alto nível e que essa honra deve ser o nosso guia.
Londres, 27 de abril de 1941

Hora
Até agora, o tempo tem estado ao nosso lado, mas o tempo é um aliado mutável. Ele pode estar com você em um período e contra você em outro, então, se você passar para aquele outro, ele pode voltar, novamente, a ser mais fiel do que antes.
Comuns, 30 de março de 1940

Hora do Medo
Quando o perigo está a uma distância, quando há muito tempo para fazer os preparativos necessários, quando você pode dobrar galhos em vez de ter que quebrar ramos maciços - é correto, na verdade, é um dever fazer soar o alarme. Mas, quando o perigo se aproxima muito, quando é evidente que muito mais não pode ser feito no tempo disponível, não é serviço debruçar-se sobre as deficiências ou negligências daqueles que têm sido os responsáveis. O momento para se assustar é quando os males podem ser remediados; quando não podem ser totalmente remediados, devem ser confrontados com coragem. Quando o

perigo está longe, podemos pensar em nossas fraquezas; quando está perto, não devemos esquecer de nossas forças.

City Carlton Club, Londres, 28 de junho de 1939

Hora Sublime

Este é um dos períodos mais impressionantes da longa história da França e da Grã-Bretanha. É também, sem dúvida, o mais sublime. Lado a lado, sem ajuda, exceto por seus amigos e parentes nos grandes domínios e pelos impérios largos que descansam sob seu escudo - lado a lado, os britânicos e os povos franceses avançam para salvar não apenas a Europa, mas a humanidade da tirania mais imunda e destruidora da alma que tem escurecido e manchado as páginas da história. Atrás deles - atrás de nós - por trás dos exércitos e das frotas da Grã-Bretanha e da França – reúne-se um grupo de estados despedaçados e raças espancadas: os tchecos, os poloneses, os noruegueses, os dinamarqueses, os holandeses, os belgas - sobre os quais as longas noites de barbárie desceram, inquebráveis até mesmo por uma estrela de esperança, a menos que conquistemos, como devemos conquistar; como vamos conquistar.

Londres, 19 de maio de 1940

Hostilidade para Alemanha

Certamente, vemos os alemães serem odiados como nenhuma raça jamais foi odiada na história humana, ou com tão boa razão. Vemo-los espalhados sobre uma dúzia de países outrora livres e felizes, com suas garras fazendo apodrecer feridas cujas cicatrizes nunca serão apagadas. A tirania nazista e o militarismo prussiano, essas duas odiosas dominações podem, muito bem, prever e temer a desgraça que se aproxima.

Londres, 31 de agosto de 1943

Humores dos Britânicos

Em uma vida longa e variada, tenho observado e tentado constantemente medir os humores e as inspirações do povo britânico. Não há inimigo que não enfrentarão. Não há dificuldades que não possam suportar. Quer o teste seja afiado, curto, longo ou cansativo, eles podem fazer. O que eles não perdoam são falsas promessas e vãs jactâncias.

Brighton, 4 de outubro de 1947

I

SOU UM GRANDE ADMIRADOR DOS ESCOCESES.

Sou bastante amigável com os galeses, especialmente com um deles.

Devo confessar algum sentimento sobre a Irlanda antiga, apesar da máscara feia que ela tenta usar.

Sociedade Real de São Jorge, Londres, 24 de abril de 1933

Ideias Extravagantes
Nenhuma ideia é tão estranha que não deva ser considerada com uma pesquisa, mas, ao mesmo tempo, com um olho firme.
Comuns, 23 de maio de 1940

Ideologias
Dizem que não devemos nos envolver numa discussão sobre ideologias. Isto significa que não devemos apoiar o comunismo contra o nazismo ou vice-versa, estamos todos de acordo. Ambas as doutrinas são igualmente odiosas. Certamente, não devemos jogar uma contra a outra. Mas, certamente, devemos ter uma opinião entre certo e errado, entre agressor e vítima?
Free Trade Hall, Manchester, 9 de maio de 1938

Igreja e Estado
Na era atual, o Estado não pode controlar a Igreja em questões espirituais; só pode se divorciar dela.
Comuns, 14 de junho de 1928

Igualdade
Um homem pode ser pobre; pode não ter nada, exceto seu trabalho para vender; pode ser um trabalhador manual por um salário semanal, mas na liberdade da comunidade deve gozar de direitos de cidadania tanto quanto qualquer lorde, qualquer prelado ou capitalista no país.
Comuns, 30 de maio de 1911

A única regra segura para fazer justiça eleitoral entre os homens é assumir - um grande pressuposto em alguns casos - que todos são iguais e que todas as discriminações são insalubres e antidemocráticas.
Comuns, 31 de julho de 1906

O fundamento do nosso sistema político é a igualdade de direitos e a igualdade de importância e valor dos direitos políticos de que gozam as pessoas de cada classe.

Comuns, 30 de maio de 1911

Durante esta Guerra, ocorreram grandes mudanças na mente dos homens e não há mudança que seja mais marcante em nosso país do que o contínuo e rápido apagamento das diferenças de classe.

Escola Harrow, Harrow, 1º de dezembro de 1944

Igualdade do Ar

> Discursos são feitos por ministros líderes dizendo que temos que ter igualdade aérea, que não podemos aceitar nada menos. Nós não temos isso. Nós já somos decididamente inferiores à Alemanha e deve ser dito, é claro, à França.
>
> *Comuns, 31 de maio de 1935*

Ilhas Faroe

Também estamos, neste momento, ocupando as Ilhas Faroe, que pertencem à Dinamarca e são um ponto estratégico de grande importância, cujo povo mostrou toda disposição para nos receber com calorosa consideração. Protegeremos as Ilhas Faroe de todas as severidades da guerra e nos estabeleceremos ali, convenientemente, pelo mar e pelo ar até o momento em que serão devolvidas à Coroa e ao povo da Dinamarca, liberadas do trono sujo em que esteve mergulhada pela agressão alemã.

Comuns, 11 de abril de 1940

Ilusão
Vamos partir para as nossas férias. Ministros exaustos, ansiosos mas, impotentes membros do parlamento, um público cuja opinião está mais desorientada e mais sem expressão do que qualquer coisa que possa recordar na minha vida - todos procurarão a ilusão de descanso e paz.
Comuns, 20 de julho de 1936

Imaginação
Não se pode dizer, pelas aparências, como as coisas vão correr. Por vezes, a imaginação torna as coisas muito piores do que são; no entanto, sem a imaginação não se pode fazer muito. As pessoas que são imaginativas veem muito mais perigos do que talvez existam, certamente, muito mais acontecerá; mas, depois, devem rezar para que lhes seja dada coragem extra para levar esta imaginação de longo alcance.
Escola Harrow, Harrow, 29 de outubro de 1941

Impasse
É sempre um erro da diplomacia pressionar um assunto quando é bastante claro que nenhum progresso adicional está para ser feito. Também, é um grande erro se você, alguma vez, deu a impressão de que está usando uma linguagem que é mais preocupada com a sua política doméstica do que com as fortunas reais e méritos dos vários grandes países do continente a quem oferece conselho.
Comuns, 14 de março de 1934

Impedimentos
É minha convicção que, acumulando impedimentos de todos os tipos, contra a agressão, de fato, afastaremos a terrível catástrofe, os medos que obscurecem a vida e estragam o progresso de todos os povos do globo.
Congresso, Washington, DC, 17 de janeiro de 1952

A grande guerra do futuro será diferente, portanto, de qualquer coisa que tenhamos conhecido no passado neste aspecto significativo, que cada lado, não sofrerá o que mais teme, a perda de tudo o que já conheceu. Os impedimentos crescerão continuamente em valor. No passado, um agressor foi tentado por uma esperança de roubar uma vantagem inicial. No futuro, pode ser dissuadido pelo conhecimento de que o outro lado tem o poder certo de infligir com agilidade, inevitabilidade e retaliação esmagadora.

Comuns, 1 de março de 1955

Um país como o nosso, possuidor de imenso território e riqueza, cuja sua defesa foi negligenciada, não pode evitar a guerra dilatando seus horrores ou mesmo por uma exibição contínua de qualidades pacíficas, ou ignorando o destino das vítimas de agressões em outros lugares. A guerra será evitada, nas circunstâncias atuais, apenas pelo acúmulo de impedimentos contra o agressor.

Comuns, 24 de março de 1938

Império

Alguns estrangeiros zombam do Império Britânico porque não há laços de pergaminho ou grilhões que obriguem sua ação unida. Mas, existem outras forças, muito mais sutis e muito mais compulsivas para que a estrutura inteira responda espontaneamente.

Estas marés profundas estão fluindo agora. Elas arrastam em seu fluxo diferenças de classe e partido. Elas se sobrepõem aos vastos espaços oceânicos que separam os domínios do rei. O telégrafo elétrico é uma história antiga; a transmissão sem fio é nova; mas, nós confiamos num processo muito mais difundido e igualmente instantâneo. Há certas coisas que poderiam acontecer, o que não seria necessário discutir. Não seriam levantadas questões constitucionais. Todos, desde o rancho mais solitário ou a legislatura mais egocêntrica, veriam o dever a olhá-los de frente e todos os corações teriam a mesma convicção. Não apenas a mesma convicção, mas a mesma determinação em agir.

Comuns, 20 de abril de 1939

Todos os tipos de apetites gananciosos têm sido animados e muitos dedos com comichão estão se esticando, arranhando na vasta pilhagem de um império abandonado.

Royal Albert Hall, Londres, 18 de março de 1931

O Império Britânico existia sobre os princípios de uma família e não de um sindicato.

Conferência Imperial, Downing Street, 7 de maio de 1907

Vamos, então, procurar nos impressionar, ano após ano, com um Império Britânico inclusivo, não um personagem exclusivo. Nós que estamos deste lado da Casa, que ansiamos por irmandades maiores e padrões de justiça social mais exatos, valorizemos e apreciemos o Império Britânico pelo que representa, mais do que qualquer outra organização similar já representou, a cooperação pacífica de todos os tipos de homens, em todos os tipos de países, porque pensamos que é, pelo menos nesse aspecto, um modelo do que esperamos que um dia o mundo inteiro se torne.

Comuns, 15 de julho de 1907

Já o Sr. Gandhi se move cercado por um círculo de homens ricos, que veem na ponta de seus dedos a aquisição de um império mais barato em termos do que já foi oferecido no mundo. Senhor, o senador romano Didius Julianus estava jantando em um restaurante quando lhe disseram que a Guarda Pretoriana colocou o império em leilão e estava vendendo-o na vala do acampamento deles; ele correu e, de acordo com Gibbon, comprou-o por £200 libras esterlinas por soldado. Isso foi bastante barato; mas os termos sob os quais o império está sendo oferecido a este grupo ao redor do Sr. Gandhi são ainda mais baratos.

Comuns, 12 de março de 1931

Lembro-me de sair de uma reunião do gabinete numa tarde de agosto, em 1914, quando a Guerra era certa e a frota já estava mobilizada com este sentimento: "Como vamos explicar tudo isso para o Canadá, Austrália, África do Sul e Nova Zelândia; não, como vamos explicar tudo isso ao nosso próprio povo no pouco tempo que resta?". Mas, quando saímos da feroz controvérsia da sala do gabinete ao ar livre, o conjunto dos povos do Império Britânico, de todas as raças e de todas as regiões, já havia se armado. Nossos velhos inimigos, inimigos recentes, generais Botha e Smuts, já estavam selando seus cavalos para reunir seus comandos ao ataque contra a Alemanha e os irlandeses, cujos nomes carrego em minha memória, com respeito, John Redmond, seu irmão e outros do antigo Partido Parlamentar Irlandês, que lutaram conosco por tantos anos nesta Casa, pleiteando a causa da Irlanda, com grande eloquência e renome parlamentar; lá se foram, fazendo destes discursos de apoio absoluto e unidade com esse país até que todos disseram: "O lugar mais brilhante do mundo é a Irlanda". Pode ser que uma grande oportunidade tenha sido perdida na época. Nós devemos manter nossos olhos abertos. Eu sempre mantenho os meus sobre as questões irlandesas.

Comuns, 21 de abril de 1944

Império Britânico

Governos que tomaram o poder pela violência e por usurpação têm, muitas vezes, recorrido ao terrorismo em seus esforços desesperados para manter o que roubaram; mas, a estrutura sublime e venerável do Império Britânico, onde a autoridade legal descende de mão em mão, geração após geração, não precisa de tal ajuda. Tais ideias são absolutamente estranhas ao modo britânico de fazer as coisas.

Comuns, 8 de julho de 1920

Entre as várias forças que mantêm o Império Britânico unido é – e certamente não me oponho à expressão que meu honorável amigo e membro da Seaham utilizou – o "autointeresse esclarecido". Isso tem um papel valioso e importante a desempenhar, mas tenho certeza de que ele não faria o erro de colocá-lo na frente daquelas mais profundas e mais misteriosas influências que fazem com que os seres humanos façam o mais incalculável, imprevisto e, do ponto de vista estreito, coisas sem lucro. É a nossa união na liberdade e para o bem do nosso modo de viver que o grande fato, reforçado pela tradição e sentimento, não depende de qualquer coisa que poderia ser escrita em qualquer conta, mantida em algum volume grande.

Comuns, 21 de abril de 1944

Se o Império Britânico está fadado a passar da vida para a história, devemos esperar que isso não seja pelo lento processo de dispersão e decadência, mas por alguns esforços supremos pela liberdade, pelo direito e pela verdade.

Canada Club, Londres, 20 de abril de 1939

É um fato sóbrio que o Império Britânico produz dentro de seus limites cada mercadoria que o luxo pode imaginar ou a indústria exigir.

Comuns, 8 de março de 1905

Imperium et Libertas

A máxima de Lord Beaconsfield, *Imperium et Libertas*, continua a ser o nosso guia. Esta verdade já foi provada, em abundância, desde que essas palavras foram ditas. Sem liberdade, não há fundamento para o nosso império; sem império, não há salvaguarda para a nossa liberdade.

Salão Central, Westminster, 15 de março de 1945

Impostos

Os espíritos se aguentam um pouco melhor em condições sombrias, mas em condições climáticas normais, espera-se que retomem sua descida contínua.

Comuns, 24 de abril de 1928

Imprensa

Nós zombamos da imprensa, mas eles nos dão uma imagem extremamente verdadeira de algo grande que está em andamento, um quadro muito mais completo e detalhado do que podemos receber dos ministros da Coroa.

Comuns, 13 de abril de 1939

Imprensa do Tempo de Guerra

Eu simpatizo muito, como um antigo ex-jornalista e correspondente de guerra, com os muitos representantes competentes da imprensa que esperavam aqui, diariamente, mas sei que eles entendiam. Todos esses assuntos têm que ser secretos, não pode haver nenhuma informação detalhada dada aqui diariamente ou mesmo no final do processo. O inimigo vai aprender em breve, no devido tempo, tudo o que decidimos aqui. Acho que dissemos isso no ano passado, agora, venho a pensar nisso – quase estas mesmas palavras. Bem, eles aprenderam. O que era, então, segredo, é agora público. O que, então, estava escondido, é agora aparente. O que estava, então, germinando, está agora em pé. O que era, então, um terno broto, tornou-se uma gigantesca árvore da floresta. O que era, então, um projeto, tornou-se um golpe, um golpe mortal para a maior das potências militares que se elevaram contra a civilização e o progresso do mundo.

A Cidadela, Quebec, 16 de setembro de 1944

Impulso Instintivo

A raça britânica não é acionada, principalmente, pela esperança de ganho material. Caso contrário, há muito tempo, devíamos ter afundado no oceano do passado. Em quase todas as ocasiões, é agitada por sentimentos e instintos em vez de programas ou cálculos mundanos.

Blackpool, 5 de outubro de 1946

Impulso Teutônico

Nós lutamos contra a tirania e procuramos nos preservar da destruição. Estou convencido de que os povos britânicos, americanos e russos, que sofreram perdas sem medida, perigo e derramamento de sangue, duas vezes em um quarto de século, através do impulso teutônico de dominação, desta vez, tomarão medidas para colocá-los além do poder da Prússia ou de toda a Alemanha, para voltar a atacá-los com um plano de vingança e de longa duração.

Comuns, 21 de setembro de 1943

Imunidade da Grã-Bretanha

Pode ser difícil para o nosso povo insular, com a sua longa imunidade, perceber esta alteração feia e desagradável em nossa posição. Somos pessoas invictas. Já se passaram quase mil anos desde que fomos subjugados por uma força externa. Todas as nossas perspectivas para as várias gerações têm sido influenciadas por uma sensação de invencível e inexpugnável segurança em casa. Essa segurança já não é absoluta ou certa, temos de nos dirigir com coragem, com seriedade às novas condições em que temos que viver agora e sob as quais as nações continentais sempre viveram.

Comuns, 4 de março de 1937

Incongruidade
Abandonar a Índia, com todas as consequências terríveis que se seguiriam lá, mas ter uma guerra com os judeus, a fim de dar a Palestina aos árabes, no meio da execução do mundo, parece levar a incongruência de pensamento e a política a níveis que, raramente, têm sido alcançados na história da humanidade.
Comuns, 12 de novembro de 1946

Incorruptibilidade
Existe um fosso fixado entre a conduta privada e a das pessoas num cargo público e, acima de tudo, numa posição ministerial. O abuso ou uso indevido, para benefício pessoal de poderes especiais e privilégios inerentes ao cargo sob o Estado, é considerado o mais culpado e, à parte de qualquer questão de acusação nos termos da lei, é decisivo no que diz respeito aos ministros.
Comuns, 3 de fevereiro de 1949

Indenização Alemã

> A Alemanha pagou, desde a guerra, uma indenização de cerca de um bilhão de libras esterlinas, mas pediu emprestado, ao mesmo tempo, cerca de dois bilhões de libras esterlinas, com as quais quer pagar essa indenização e equipar as suas fábricas.
> *Comuns, 23 de novembro de 1932*

Índia
Qual tem sido o efeito do nosso imenso ato de rendição na Índia? No dia seguinte à nossa vitória e dos nossos serviços, sem os quais a liberdade não teria sobrevivido, estamos a despojar-nos do poderoso e maravilhoso império que havia sido construído na Índia por duzentos anos de esforços e sacrifícios e o número de dos assuntos do reino serão reduzidos a apenas um quarto do que já foi, por várias

gerações. No entanto, neste preciso momento e na presença deste ato de abdicação voluntária sem paralelo, continuamos a ser abusados, incessantemente, pela falta de laço soviético e por certos elementos pouco amigáveis nos Estados Unidos, por ser um poder imperialista de conquista de terras em busca de expansão e engrandecimento. Enquanto a Rússia soviética está expandindo ou procurando expansão em todas as direções e já trouxe muitos domínios extras, direta ou indiretamente, sob seu controle despótico do Kremlin e dos rigores da disciplina comunista, nós, que nada procuramos desta guerra, a não ser cumprir com o nosso dever, estamos de fato, reduzindo nós próprios a uma fração do nosso antigo tamanho e de população, somos bem-sucedidos resistido à censura mundial.

Blackpool, 5 de outubro de 1946

A Índia é um continente tão grande e mais populoso do que a Europa, não menos dividida por raças e diferenças religiosas do que a Europa. A Índia não tem mais unidade do que a Europa, exceto aquela superficial unidade que foi criada pelas nossas regras e orientações nos últimos 150 anos.

Westminster, 7 de maio de 1946

Todos os grandes países, nesta guerra, contam os seus exércitos em milhões, mas os exércitos indianos têm uma característica peculiar não encontrada nos exércitos da Grã-Bretanha, Estados Unidos, Rússia, França ou nos exércitos dos nossos inimigos, na medida em que é inteiramente composto por voluntários. Ninguém foi recrutado ou compelido. A mesma coisa é amplamente verdadeira em o nosso grande Império Colonial.

Guildhall, Londres, 30 de junho de 1943

Indignação

É muito fácil dizer que seus oponentes foram culpados de uma violação de fé, mas é um grande erro respingar a tinta com tanta liberdade que suas palavras deixam de ter qualquer significado real e deixam de carregar qualquer sentido de afronta, mesmo àqueles a quem são aplicadas, e deixam de suportar qualquer conexão com qualquer sentimento genuíno de indignação por parte daqueles em nome de quem são faladas.

Comuns, 27 de março de 1911

Inesperado

Pouquíssimas batalhas previstas, que têm de ser preparadas durante um longo período, desenvolvem-se na forma como são planejadas e imaginadas de antemão. O inesperado intervém em todas as etapas. A vontade e potência do inimigo se sobrepõem ao curso prescrito ou esperado dos eventos. A vitória é tradicionalmente elusiva. Acidentes acontecem. Erros são cometidos. Às vezes, as coisas certas acabam mal e, muitas vezes, as coisas erradas acabam bem. A guerra é muito difícil, especialmente para aqueles que estão participando dela ou conduzindo-a.

Comuns, 11 de dezembro de 1941

Infantaria

Esta guerra prossegue pelo seu terrível caminho através do abate da infantaria. É esta infantaria, que é a mais difícil de reabastecer, que é continuamente desgastada de ambos os lados e, embora todos os outros serviços do exército sejam necessários à sua sobrevivência e à sua manutenção (...) é esta parte da luta que é a verdadeira medida do seu poder militar e a única medida verdadeira.

Comuns, 23 de maio de 1916

Influência Britânica

É conhecido por povos e governantes que, toda – e é sobre o todo que devemos julgar essas coisas - influência britânica, é uma influência gentil, saudável e é feita para a felicidade geral e bem-estar da humanidade.

Comuns, 17 de maio de 1901

Ingenuidade

Tenho simpatia e respeito pelas pessoas bem-intencionadas e leais que compõem a União da Liga das Nações neste país, mas o que mais me impressiona nelas é seu longo sofrimento e sua inesgotável ingenuidade. Qualquer esquema, de qualquer tipo de desarmamento, posto em qualquer país, desde que esteja rodeado de fraseologia, é saudado por elas, os discursos são ovacionados e aqueles que falam, ganham a recompensa de seus aplausos.

Comuns, 23 de novembro de 1932

Inglaterra

Há algumas coisas que vou me aventurar a mencionar sobre a Inglaterra. Elas não são faladas em sentido ingrato. Aqui, dificilmente ocorreria a alguém que os bancos fechariam suas portas contra seus depositantes. Não se questiona a imparcialidade dos tribunais e da justiça. Ninguém pensa em perseguir um homem por causa de sua religião ou de sua raça. Todos, exceto os criminosos, olham para o policial como um amigo e servidor do público. Nós cuidamos da pobreza e da desgraça com mais compaixão, apesar de todos os nossos fardos, do que qualquer outro país. Aqui, podemos fazer valer os direitos do cidadão contra o Estado ou criticar o governo sem faltar ao nosso dever para com a Coroa ou em nossa lealdade ao Rei. Esta antiga e poderosa Londres em que estamos reunidos ainda é o centro financeiro do mundo. Do prédio do Ministério da Marinha a meia milha de distância, as encomendas podem ser enviadas para uma frota que, embora muito menor do que costumava ser, ou do que deveria ser, ainda é insuperável nos mares. Mais de 80% das vítimas britânicas da Grande Guerra eram ingleses. Mais de 80% dos impostos são pagos pelos contribuintes ingleses. Temos o direito de mencionar estes fatos para tirar deles autoridade e coragem.

Royal Society of St George, Londres, 24 de abril de 1933

Despojada de seu império no Oriente, privada da soberania dos mares, sobrecarregada de dívidas e impostos, seu comércio e transporte fechados por tarifas e cotas estrangeiras, a Inglaterra afundaria ao nível de um poder de quinta categoria e nada restaria de todas as suas glórias, exceto um população muito maior do que esta ilha poderia suportar.

Royal Society of St George, Londres, 24 de abril de 1933

Nesta única noite do ano inteiro nos é permitido usar uma esquecida, quase proibida palavra. Podemos mencionar o nome do nosso país para falarmos de nós mesmos como "ingleses" e podemos até levantar o slogan "St George para a Merrie England".

Royal Society of St George, Londres, 24 de abril de 1933

Inglês Básico
Alguns meses atrás, persuadi o Gabinete Britânico a criar um comitê de ministros para estudar e documentar sobre o inglês básico. Aqui, há um plano. Há outros, mas aqui existe um plano muito cuidadosamente forjado para uma linguagem internacional capaz de uma transação muito ampla de prática de negócios e intercâmbio de ideias. Tudo isso é composto em cerca de 650 substantivos e 200 verbos ou outras partes da fala – nada mais do que poderia ser escrito em um lado de uma única folha de papel.
Universidade de Harvard, 6 de setembro de 1943

Inglês básico não é destinado para uso entre pessoas de língua inglesa, mas para permitir a uma quantidade muito maior de pessoas que não têm a sorte de conhecer a língua inglesa, participar mais facilmente em nossa sociedade.
Comuns, 4 de novembro de 1943

Iniciativa na Guerra
Um dos primeiros grandes princípios da guerra é tomar a iniciativa para revidar o ataque do inimigo já na sua ação, para confrontar com uma série de situações inéditas e inesperadas que não lhe deixam tempo para prosseguir com uma política própria.
Comuns, 21 de fevereiro de 1917

Inovações
Devemos ter cuidado com as inovações inúteis, especialmente, quando guiados pela lógica.
Comuns, 17 de dezembro de 1942

Inquéritos
Quando a Câmara ficou muito ansiosa, há alguns meses, sobre os nossos armazéns existentes estarem apenas cerca da metade cheios e alguns honoráveis membros tiveram a audácia de sugerir que, talvez, seria melhor preenchê-los e mantê-los quase cheios em vez de meio vazios, o Ministro para a Coordenação da Defesa avançou com um plano. Foi o tipo de plano que é sempre popular,

sempre aceitável e sempre, em sua maioria, eficaz em acalmar a agitação e afastar as questões parlamentares. Seu plano foi criar um inquérito. Haveria um inquérito, o qual ele próprio presidiria. Claro que, uma vez que isso tenha sido anunciado, obviamente, todas as outras questões levantadas podem ser respondidas mais eficazmente dizendo: "Silêncio! O inquérito ainda está acontecendo; o caso está sob judice. Não devemos interromper estes trabalhos e estudos que estão sendo empreendidos. Temos de esperar, com paciência, até que toda a matéria possa ser apresentada". Esse inquérito ainda está ocorrendo.

Comuns, 20 de julho de 1936

Inquietação

Na semana passada, perguntaram-me se estava ciente de algum mal-estar que existia no país por causa da gravidade da situação de guerra. Por isso, achei que seria uma coisa boa ir e ver por mim mesmo o que significava essa "inquietação", e fui para algumas de nossas grandes cidades e portos marítimos que tinham sido mais pesadamente bombardeados, e para alguns dos lugares onde as pessoas mais pobres tinham sentido isso de uma forma mais grave. Voltei não só reconfortado, mas renovado. Deixar os escritórios em Whitehall, com seu incessante zumbido de atividade e estresse, sair para as ruas e cais de Londres, Liverpool, Manchester, Cardiff, Swansea ou Bristol, é como sair de uma estufa sobre a ponte de um navio de combate. É um tônico o qual devo recomendar doses fortes a qualquer pessoa que esteja sofrendo de mau humor.

Londres, 27 de abril de 1941

Inspiração

Uma história maravilhosa está a desenrolar-se diante dos nossos olhos. Como terminará, não é permitido saber. Mas, em ambos os lados do Atlântico, todos sentimos, repito, todos que somos parte dela, que o nosso futuro e o de muitas gerações está em jogo. Estamos certos de que o carácter da sociedade humana será moldado pelas resoluções que tomamos e pelos atos que fazemos. Não precisamos lamentar o fato de que temos sido chamados a enfrentar tais responsabilidades solenes. Podemos nos orgulhar, e até regozijar, no meio das nossas atribulações por termos nascido nesta época cardinal, por uma idade tão grande e por uma oportunidade tão esplêndida de serviço aqui embaixo.

Londres, 16 de junho de 1941

É uma mensagem de bom ânimo para as nossas forças de combate nos mares, no ar, nos nossos exércitos em prontidão, em todos os seus postos e estações. Eles sabem que têm atrás de si um povo que não vacilará, nem se cansará da luta – embora esta seja dura e prolongada; mas que, em vez disso, vamos tirar do coração, do próprio sofrimento, os meios de inspiração e sobrevivência, uma vitória conquistada não só por nós próprios, mas para todos; uma vitória conquistada não só para o nosso tempo, mas para os longos e melhores dias que estão por vir.

Londres, 11 de setembro de 1940

Instrumentalidades

Mas, as armas - as instrumentalidades, como o presidente Wilson as chamou – não são suficientes por si mesmas. Temos que lhes acrescentar o poder das ideias. As pessoas dizem que não devemos nos deixar arrastar para uma teoria antagonista entre dominância nazista e democracia; mas, o antagonismo é aqui, agora. É exatamente este conflito de ideias espirituais e morais que dá aos países livres uma grande parte da sua força. Ver estes ditadores em seus pedestais, rodeados pelas baionetas dos seus soldados e pelos cassetetes da sua polícia. De todos os lados, são guardados por massas de homens armados, canhões, aviões, fortificações e afins - eles se gabam e vangloriam-se perante o mundo, mas, nos seus corações, há medo não dito. Têm medo de palavras e pensamentos: palavras ditas no estrangeiro, pensamentos que se agitam em casa - ainda mais poderosos porque são proibidos - aterroriza-os.

Londres, 16 de outubro de 1938

Insultos

Todos os tipos de insultos foram lançados, mas nós, políticos experientes, não nos importamos com o que as pessoas pelas quais não temos qualquer respeito dizem a nosso respeito.

Comuns, 12 de novembro de 1946

Intelectuais

Os historiadores têm notado, ao longo dos séculos, uma peculiaridade dos ingleses que lhes têm custado caro. Sempre jogamos fora, após uma vitória, a maior parte das vantagens que obtivemos na luta. As piores dificuldades que sofremos não provêm do nada. Elas vêm de dentro. Não vêm das casas de campo dos trabalhadores assalariados. São provenientes de um tipo peculiar de pessoas inteligentes encontradas em nosso país que, se acrescentam algo à sua cultura, tiram muito da sua força.

Sociedade Real de São Jorge, Londres, 24 de abril de 1933

Interesse

Se nós, nesta pequena ilha, crescermos gradualmente para um estado considerável, se formos capazes de dar aos nossos assalariados algum alívio das mais duras formas de pressão econômica e se construirmos uma atitude descente e tolerante, uma sociedade compassiva, flexível e infinitamente variada, é porque, em todas as grandes crises da nossa história, o interesse da Grã-Bretanha marchou com o progresso e a liberdade da humanidade.

Canada Club, Londres, 20 de abril de 1939

Interferência

Por vezes, tenho uma sensação, na verdade, tenho uma sensação muito forte de interferência. Gostaria de salientar isto. Às vezes, tenho a sensação de que algumas mãos guias tem interferido. Tenho a sensação de que temos um guardião porque servimos a uma grande causa e que teremos esse guardião, assim, desde que sirvamos fielmente a essa causa. E que causa é essa! Só se tem olhado para as provas esmagadoras que vão se derramando no dia a dia das crueldades bestiais dos nazistas e nas temíveis misérias da Europa, em todas as terras em que penetraram; as pessoas são enterradas, exploradas, espiadas, aterrorizadas, alvejadas por pelotões de soldados, dia após dia, em execuções e em todo o tipo de vexações mesquinhas acrescentadas àquelas escuras e atos sangrentos de terrorismo. Pense no que eles fariam a nós se estivessem aqui. Pense no que eles fariam a nós que lhes barramos o caminho para o saque do mundo inteiro, a quem mais odeiam porque nos temem e nos invejam mais. Pense no que eles fariam.

Westminster Central Hall, Londres, 31 de outubro de 1942

Internacionalista
Sou um grande admirador dos escoceses. Sou bastante amigável dos galeses, especialmente de um deles. Devo confessar algum sentimento sobre a Irlanda antiga, apesar da máscara feia que ela tenta usar.

Sociedade Real de São Jorge, Londres, 24 de abril de 1933

Interrupções
Todos os anos em que estive na Câmara dos Comuns sempre tive que dizer a mim mesmo uma coisa: "Não interrompa", e nunca fui capaz de cumprir essa resolução.

Comuns, 10 de julho de 1935

Intuição de Hitler
Sou livre em admitir que no Norte da África construímos o melhor do sabíamos. O inesperado veio em auxílio do plano e multiplicou os resultados. Por isso, temos de agradecer à intuição militar do cabo Hitler. Podemos reparar, como previ na Câmara dos Comuns, há três meses, o toque da mão-mestra. A mesma insensatez obstinada que condenou o Marechal de Campo von Paulus e o seu exército à destruição em Stalingrado, trouxe esta nova catástrofe aos nossos inimigos na Tunísia.

Discurso ao Congresso dos EUA, 19 de maio de 1943

Invasão
Acima de tudo, não devemos ser guiados pelo senhor presidente [Sr. Stanley Baldwin] neste estado de espírito indefeso e sem esperança. A nossa ilha está cercada no mar. Sempre foi assim e, embora a Câmara não possa ter percebido, o mar era, nos primeiros tempos, uma grande desvantagem porque um invasor podia atravessar o mar e ninguém sabia onde iria desembarcar; muitas vezes ele próprio não se conhecia.

Comuns, 14 de março de 1933

O simples fato de uma invasão planejada em uma escala tão vasta, não ter sido tentada, apesar da necessidade muito grande do inimigo de nos destruir em nossas cidades e que todos estes meses ansiosos, quando estávamos sozinhos e todo o mundo imaginando, ficaram em segurança - esse fato constitui, em si, uma das vitórias históricas das Ilhas Britânicas e é um marco monumental na nossa marcha à diante.

Comuns, 5 de novembro de 1940

As dificuldades do invasor não terminam quando põe os pés na terra. Um novo capítulo de perigos se abre sobre ele. Estou confiante que conseguiremos derrotar e, em grande, parte destruir este tremendo massacre pelo qual somos agora ameaçados e, de qualquer forma, aconteça o que acontecer, todos nós iremos à luta até ao fim. Sinto-me tão certo de que seremos vitoriosos, assim como o sol vai nascer amanhã.

Comuns, 17 de setembro de 1940

O transporte disponível e, agora, pronto, é suficiente para transportar, em uma viagem, quase meio milhão de homens. Deveríamos, claro, esperar o afogamento de muitos no caminho e a destruição de uma grande parte de seus navios. Mas, quando se reflete sobre os muitos pontos a partir dos quais poderiam começar e sobre o fato do mesmo setor mais provável de invasão, ou seja, o setor em que o apoio de caças inimigos está disponível para os seus bombardeiros e torpedos, que se estende desde Wash até as Ilhas Wight, é quase tão grande quanto toda a frente da França desde os Alpes até ao mar e, também, sobre os perigos do nevoeiro ou nevoeiro artificial, é de se esperar que muitas interposições ou tentativas de interposições sejam feitas, simultaneamente, em nossa ilha. Esperamos lidar com elas à medida que ocorrerem e, também, cortar o fornecimento através do mar pelo qual o inimigo tentará alimentar as suas interposições.

Comuns, 17 de setembro de 1940

Invasão da Escandinávia

Considero que a ação de Hitler de invadir a Escandinávia é uma estratégia e um erro político tão grandes quanto o que foi cometido por Napoleão em 1807, quando invadiu a Espanha. Hitler violou a independência e o solo de povos viris que habitam países muito grandes e expansivos, capazes de manter, com ajuda britânica e francesa, uma resistência prolongada contra seus soldados e sua Gestapo. Ele quase dobrou a eficiência dos bloqueios aliados. Ele assumiu toda uma série de compromissos sobre a costa norueguesa pela qual terá, agora, que lutar, se necessário, durante todo o verão contra poderes que possuem forças navais vastamente superiores e capazes de transportar-se para as cenas de ação mais facilmente do que ele pode.

Comuns, 11 de abril de 1940

Invasão da Grécia

Sem a menor provocação, sem qualquer pretensão de negociação, Signor Mussolini invadiu a Grécia, ou tentou invadir, e sua aeronave tem assassinado um número crescente de civis gregos, mulheres e crianças em Salonika e em muitas outras cidades gregas abertas. O rei grego, seu governo e o povo grego resolveram lutar pela vida e honra para que o mundo não seja facilmente conduzido em cadeias.

Comuns, 5 de novembro de 1940

Ao corajoso povo grego e seus exércitos - agora defendendo o seu solo nativo do último ultraje italiano, enviamos, do coração da velha Londres, nossa fiel promessa de que, em meio a todos os nossos fardos e ansiedades, faremos o nosso melhor para ajudá-los em sua luta, nós nunca deixaremos de atacar os agressores com força cada vez maior, a partir deste momento, até que os crimes e traições que andam por aí, no pescoço de Mussolini, e a desgraça de nome italiano forem trazidos para justiça condescende e exemplar.

Mansion House, Londres, 9 de novembro de 1940

Inverno Geral

Então, Hitler cometeu seu segundo erro. Ele se esqueceu do inverno. Há um inverno, sabe, na Rússia. Durante muitos meses, a temperatura pode permanecer muito baixa. Há neve, geada e tudo mais. Hitler esqueceu-se deste inverno russo. Ele deve ter sido muito pouco instruído. Todos nós ouvimos falar disso na escola; mas ele se esqueceu. Eu nunca teria cometido um erro tão grave como esse.

Londres, 10 de maio de 1942

Inversão

Os romanos tinham uma máxima: "Encurtem as vossas armas e prolonguem as vossas fronteiras". Mas, a nossa máxima parece ser: "Diminua as suas armas e aumente as suas obrigações". Sim, e "diminuam as armas dos vossos amigos".

Comuns, 14 de março de 1934

Irlanda e Inglaterra

O descontentamento que prevalecia entre a Inglaterra e a Irlanda não surgiu tanto das diferenças de religião e raça, nem como da crença de que a conexão inglesa não era lucrativa, nem pagável. Se a Irlanda fosse mais próspera, seria mais leal e, se fosse mais leal, seria mais livre.

Comuns, 19 de maio de 1904

Desafio, respeitosamente, e desafio dialeticamente, você, pelo máximo exercício de sua imaginação para conjurar ou imaginar qualquer conjunto de circunstâncias em que a ruína da Inglaterra não significaria, também, a ruína da Irlanda.

Comuns, 30 de abril de 1912

O fato de não podermos utilizar as costas do sul e do oeste da Irlanda para reabastecer as nossas frotas de navios e aviões e, assim, proteger o comércio da Irlanda e da Grã-Bretanha, é um fardo pesadíssimo e penoso que nunca deveria ter sido colocado sobre nossos ombros, por mais largos que sejam.

Comuns, 5 de novembro de 1940

No caso dos portos irlandeses, na primavera de 1938, dados políticos absolutamente errados, na minha opinião, foram apresentados aos Chefes de Gabinete – e a outro conjunto de Chefes de Gabinete – e eles deram conselhos que quase nos levaram à nossa ruína. [Risos.] Já ouvi todas estas risadas zombeteiras antes, no tempo de um antigo governo. Lembro-me de ter estado, uma vez, sozinho na Câmara, protestando contra a cessão dos portos do sul da Irlanda. Lembro-me dos olhares de incredulidade, das zombarias, escárnios e risos que tive de encontrar de todos os lados, quando disse que o Sr. de Valera poderia declarar a Irlanda neutra.

Comuns, 24 de maio de 1946

Irmandade entre Homens

Eu me alegro na perspectiva, agora tornando-se clara e certa, de que a ideologia nazista, imposta de forma horrível sobre uma grande população, atualmente, será espancada até o chão. Esses fatos e manifestações que vejo ocorrendo continuamente com a Guerra Mundial, caindo frente ao seu fim, me fazem cada vez mais confiante de que quando estiver ganho, quando os odiosos sistemas agressivos nazista e fascista forem derrubados e quando cada precaução for tomada contra sua subida novamente, pode haver um nova irmandade entre os homens que não será baseada em ideologia bruta, mas sobre amplas e simples ideias caseiras de paz, justiça e liberdade. Portanto, estou feliz que a guerra esteja se tornando menos ideológica entre sistemas rivais e, cada vez mais, um meio pelo qual ideais elevados e benefícios sólidos podem ser alcançados pelas amplas massas e em todos os lugares.

Comuns, 2 de agosto de 1944

Israel

A criação de um estado judeu na Palestina é um acontecimento na história do mundo a ser visto na perspectiva não de uma geração ou de um século, mas na perspectiva de mil, dois mil ou mesmo três mil anos.

Comuns, 26 de janeiro de 1949

Itália

A rendição italiana foi um golpe de sorte, mas não teve nada a ver com a data fixada para a colheita. A verdade é que o anúncio do Armistício foi adiado para se enquadrar no ataque e não o ataque atrasado para se encaixar com o anúncio.

Comuns, 21 de setembro de 1943

Nunca fomos seus inimigos, até agora. Na última guerra contra os hunos bárbaros éramos seus camaradas. Durante 15 anos após essa guerra, fomos seus amigos. Apesar de as instituições que vocês tomaram depois da guerra não serem parecidas com a nossa forma de pensar, podíamos ainda marchar em paz e boa vontade.

Londres, 23 de dezembro de 1940

ITÁLIA

O destino da Itália é, de fato, terrível e, pessoalmente, acho muito difícil alimentar a animosidade contra o povo italiano. A massa avassaladora da nação regozijou-se com a ideia de ser entregue à tirania dos fascistas e eles desejavam, quando Mussolini fosse derrubado, tomar o seu lugar o mais rapidamente possível ao lado dos exércitos britânicos e americanos que, como seria de se esperar, livrariam rapidamente o país dos alemães.

Comuns, 24 de maio de 1944

Em nossa situação atual, não há dúvida de que uma nuvem sobreveio a velha amizade entre a Grã-Bretanha e a Itália, uma nuvem que pode muito facilmente não falecer, embora seja, sem dúvida, o desejo de todos. É uma velha amizade e não devemos esquecer, o que é um fato pouco conhecido, que quando a Itália entrou na Tríplice Aliança, no século passado, ela estipulou, particularmente, que em nenhuma circunstância as suas obrigações fossem cumpridas sob o comando da Aliança, o que coloca-a em conflito armado com a Grã-Bretanha.

Comuns, 11 de julho de 1935

É ao povo italiano, 40 milhões deles, que compete dizer se querem que esta coisa terrível aconteça ou não ao seu país. Um homem, e um só homem, trouxe-os para este desfiladeiro. Não havia necessidade de irem para a guerra; ninguém ia atacá-los. Fizemos o nosso melhor para induzi-los a permanecer neutros, para gozarem de paz e prosperidade num mundo de tempestade. Mas, Mussolini não conseguiu resistir à tentação de apunhalar a França prostrada e o que pensava ser a Grã-Bretanha indefesa, pelas costas. Loucos sonhos de glória imperial, a luxúria da conquista e do saque, a arrogância da tirania há muito desenfreada, levaram-no ao seu ato fatal e vergonhoso. Em vão, eu o adverti: não o assediaria. A hiena na sua natureza partiu todos os limites da decência e do senso comum. Hoje, o seu império desapareceu. Temos mais de uma centena de generais italianos e quase 300 milhares dos seus soldados nas nossas mãos, como prisioneiros de guerra. A agonia agarra a terra justa da Itália. Isto é apenas o começo e o que têm os italianos para mostrar para ele? Um breve passeio com a permissão alemã ao longo da Riviera; uma visita voadora à Córsega; uma luta sangrenta com os patriotas heroicos da Iugoslávia; um ato de vergonha eterna na Grécia; as ruínas de Génova, Turim, Milão. Um homem e o regime que criou trouxeram estas calamidades sem medida sobre os trabalhadores dotados e outrora felizes do povo italiano, com quem, até aos dias de Mussolini, os anglófonos do mundo tinham tantas simpatias e nunca uma discussão.

Londres, 29 de novembro de 1942

Iugoslávia

Este povo corajoso e inabalável, cuja história, durante séculos, foi de luta pela vida e que deve sua sobrevivência às suas montanhas e à suas qualidades de luta, faria de tudo para aplacar o monstro nazista. Se este povo tivesse uma causa comum com os gregos quando estes foram atacados pela Itália e atiraram de volta aos invasores, a destruição completa dos exércitos italianos na Albânia poderia, certa e rapidamente, ter acontecido muito antes que as forças alemãs pudessem ter chegado ao teatro de guerra. E, mesmo em janeiro e fevereiro deste ano, esta extraordinária oportunidade militar ainda estava aberta. Mas, o governo do Príncipe Paul, sem aprender com destino de tantos outros países menores da Europa, não apenas observou com a mais estrita neutralidade e recusou-se até a entrar em conversas efetivas com a Grécia, com a Turquia ou conosco, como abraçou a ilusão de que poderia preservar sua independência ao remendar algum tipo de pacto ou compromisso com Hitler. Mais uma vez, vimos a odiosa técnica de envenenamento alemã ser empregada. Neste caso, no entanto, foi para o governo e não para a nação que as doses e a inoculação foram administradas.

Comuns, 9 de abril de 1941

Iugoslávia em Revolta

Nesta manhã, a nação iugoslava encontrou sua alma. Uma revolução tem acontecido em Belgrado e os ministros, que ontem entregaram a honra e a liberdade do país, estão presos. Este movimento patriótico surge da ira de uma valente e guerreira raça diante da traição de seu país pela fraqueza de seus governantes e pelas intrigas dos poderes do Eixo.

Londres, 27 de março de 1941

O JULGAMENTO HUMANO PODE FALHAR.

Você pode agir muito sabiamente, mas pode se tornar um grande fracasso.

Por outro lado, pode-se fazer uma coisa tola e acabar bem. Tenho visto muitas coisas acontecerem, mas o fato continua a ser que a vida humana é apresentada a nós como uma simples escolha entre certo e errado.

Hotel Bristol, Oslo, 12 de maio de 1948

Japão

O Japão, com toda a sua traição e ganância, permanece insubstituível. Os danos que ele tem infligido (...) e suas crueldades detestáveis exigem justiça e retribuição.

Londres, 8 de maio de 1945

Devo admitir que, tendo votado na aliança japonesa, há quase 40 anos, em 1902, tendo sempre feito o meu melhor para promover boas relações com o Império Insular do Japão, tendo sido sempre um sentimental de boa vontade para os japoneses e um admirador de seus muitos dons e qualidades, devo ver com grande pesar a abertura de um conflito entre o Japão e o mundo de língua inglesa.

Mansion House, Londres, 10 de novembro de 1941

Em nossas conferências, em janeiro de 1942, entre o presidente e eu, entre nossos altos conselheiros especializados, ficou evidente que, enquanto a derrota do Japão não significaria a derrota da Alemanha, a derrota da Alemanha significaria, infalivelmente, a ruína do Japão.

Congresso dos EUA, Washington, DC, 19 de maio de 1943

Não acredito que o Japão, profundamente enredado na China, sangrando em todo os poros da China, sua força se desvanecendo em um tarefa impossível e com todo o peso da Rússia sobre ele, no norte da China, desejará fazer uma guerra contra o Império Britânico até descobrir como correm as coisas na Europa.

City Carlton Club, Londres, 28 de junho de 1939

Ninguém mais deve subestimar a gravidade e a eficiência da máquina de guerra japonesa. Seja no ar, no mar ou homem para homem na terra, eles já provaram ser formidáveis, mortíferos e, lamento dizer, bárbaros antagonistas. Isto prova que nunca houve a menor chance, embora estivéssemos muito mais bem preparados, em muitos aspectos, de resistirmos a eles sozinhos, enquanto tínhamos a Alemanha nazista em nossa garganta e a Itália fascista em nossa barriga.

Londres, 15 de fevereiro de 1942

Jogo Japonês
Os japoneses, cujo jogo é o que posso chamar de inferno enquanto o sol brilha...

Comuns, 27 de janeiro de 1942

John G Winant
É um grande prazer ver o Sr. Winant entre nós. Ele dá a sensação que todos os homens do presidente Roosevelt me dão, que seriam mortos a tiros em vez de verem esta causa perdida.

Londres, 27 de março de 1941

Jornalismo
Fui jornalista e, metade da minha vida toda, ganhei meu sustento com a venda de palavras e, espero, de pensamentos.

Ottawa, 12 de janeiro de 1952

Jovens
Vocês, jovens, podem estar na batalha, nos campos ou no ar. Outros serão os herdeiros da vitória de seus anciãos ou de seus pais e isso será para garantir que o que for alcançado não seja rejeitado, seja pela violência da paixão ou por pura estupidez. Mas, deixem-se levar pela visão, coragem e humanidade que guiam nossos passos para que não se possa dizer que nosso país só cumpriu o seu dever na guerra, mas, depois, nos anos de paz, isso demonstrará sabedoria, equilíbrio e sinceridade, o que contribuiu em grau não desprezível para atar as feridas assustadoras causadas pela luta.

Escola Harrow, Harrow, 5 de novembro de 1943

Judiciário Britânico

O Judiciário britânico, com suas tradições e registros, foi um dos maiores patrimônio vivos de nossa raça e de nosso povo. Sua independência fazia parte de nossa mensagem ao mundo em constante crescimento, que se elevava tão rapidamente ao nosso redor.

Comuns, 23 de março de 1954

Juízes Britânicos

Os juízes tiveram que manter, e de fato mantiveram, embora livres de crítica, um padrão muito mais vigoroso do que o exigido de qualquer classe que conheça no reino. O que teria pensado de um Lorde Presidente da Suprema Corte se ele ganhasse o Derby? [Risos.] No entanto, poderia citar um sólido precedente onde tais atos haviam sido perpetrados por um Primeiro Ministro que, de modo geral, tinha escapado bem. [Risos].

Comuns, 23 de março de 1954

Julgamento Humano

O julgamento humano pode falhar. Você pode agir muito sabiamente, você pensa, mas pode tornar-se um grande fracasso. Por outro lado, pode-se fazer uma coisa tola e acabar bem. Tenho visto muitas coisas acontecerem, mas o fato continua ser que a vida humana é apresentada a nós como uma simples escolha entre certo e errado. Se você obedecer a essa lei, verá que esse caminho é, de longe, mais seguro do que qualquer cálculo que possa ser feito.

Hotel Bristol, Oslo, 12 de maio de 1948

Julgamento por Júri

A antiga fundação anglo-saxônica de todo o nosso sistema de justiça criminal é julgada pelo júri.

Comuns, 15 de julho de 1948

Consideramos isso como uma salvaguarda fundamental de nossas liberdades democráticas e vida, um princípio que tem sido tecido em toda a história de nosso sistema judicial, que a questão suprema, "culpado ou inocente?" deve ser decidida pelo povo comum.

Comuns, 15 de julho de 1948

Júlio César
Júlio César ganhou muito mais por sua clemência do que por sua destreza.

Comuns, 1º de julho de 1952

Justiça
A justiça move-se lentamente e sem remorsos em seu caminho, mas, eventualmente, atinge seu objetivo.

Comuns, 23 de julho de 1929

Justiça Social
Neste momento da história, as grandes massas trabalhadoras de todos os países têm, pela primeira vez, a oportunidade de uma vida mais plena e menos sobrecarregada. A ciência permite espalhar uma mesa mais farta do que jamais foi oferecida a milhões e para dezenas de milhões. Menos horas de trabalho, maiores garantias contra o infortúnio individual: uma cultura mais ampla e mais simples: uma cultura mais consciente do senso de justiça social: uma sociedade mais simples e mais igualitária - estes são os tesouros que, depois de todas estas gerações e séculos de impotência e confusão, estão ao alcance da humanidade.

Comuns, 9 de maio de 1938

Juventude da América
Para a juventude da américa, eu digo: "vocês não podem parar". Não há um lugar de parada neste ponto. Não pode haver pausa. Nós devemos continuar. Deve ser a anarquia mundial ou a ordem mundial.

Universidade de Harvard, 6 de setembro de 1943

L

ALGUNS DIZEM QUE ISSO É UMA MENTIRA.

Bem, lembro-me de um ditado irlandês espirituoso que diz:

"Há um monte de mentiras terríveis que giram ao redor do mundo e o pior de tudo é que a metade delas são verdadeiras".

Comuns, 22 de fevereiro de 1906

Lady Astor
Quando o membro honorável para *Caithness*, [Sir Archibald Sinclair], permaneceu sobre o ponto da Rússia e enfatizou isso, ouvi uma espécie de comoção atrás de mim. Ouvi a Nobre Senhora, Membro da Divisão Sutton de Plymouth, [Viscondessa Astor], expressar sua antipatia a qualquer contato com os russos bolcheviques. Onde estava essa antipatia quando ela visitou a Rússia Soviética com o Sr. Bernard Shaw? A Nobre Dama foi tratada com grande consideração. Mas, o ponto que a Câmara deve notar – é um ponto muito sério e, espero que eu seja capaz de colocá-lo sem qualquer ofensa – é que quando ela foi à Rússia e deu todos os seus aplausos e créditos ao país, era um tempo em que a influência da Rússia era profundamente prejudicial aos interesses deste país.
Comuns, 13 de abril de 1939

Legalidade na guerra
Não pode haver justiça se, em uma luta mortal, o agressor pisoteia cada sentimento da humanidade e se aqueles que lhe resistem permanecem enredados nos farrapos das convenções legais violadas.
Londres, 30 de março de 1940

Legislação
Não sou da opinião de que cada projeto de lei deve ser aprovado no parlamento exatamente na forma que o gabinete do dia julga adequado. Acredito na discussão parlamentar e sustento, firmemente, que os representantes eleitos pelo povo e da Câmara dos Lordes, em sua relação estabelecida pela Lei do parlamento, devem participar da elaboração da legislação.
Scarborough, 11 de outubro de 1952

Legislação e Caridade
Eu me oponho, por princípio, a fazer pela legislação o que é apropriado para a caridade.
Comuns, 31 de julho de 1901

Lei da Máfia
Não permito que um partido ou um órgão se chame de democrata porque estão se esticando cada vez mais para as formas mais extremas de revolução. Eu não aceito um partido representando, necessariamente, a democracia porque se torna mais violento à medida que se torna menos numeroso. Deve-se ter algum respeito pela democracia e não usar a palavra de forma leviana. A última coisa que se assemelha à democracia é a lei da máfia, com bandos de gângsteres, com armas mortíferas, forçando seu caminho para as grandes cidades, apreendendo as delegacias de polícia e os postos-chave do governo, esforçando-se para introduzir um regime totalitário.

Comuns, 8 de dezembro de 1944

Lei Marcial
A lei marcial não é lei alguma. A lei marcial é força bruta. É claro que toda lei marcial é ilegal e uma tentativa de introduzir ilegalidades na lei marcial, que não é lei militar, é como tentar adicionar água salgada ao mar.

Comuns, 2 de abril de 1906

Leis da Humanidade
Consideração pela vida dos outros e pelas leis da humanidade, mesmo quando a pessoa está lutando pela sua vida e no maior estresse, não excede a recompensa.

Comuns, 2 de fevereiro de 1917

Leis Econômicas
Em questões de direito econômico, não importa nada o que os eleitores pensam, ou votam, ou dizem. As leis econômicas prosseguem.

Comuns, 16 de julho de 1929

Leis Inexoráveis
Não estou me baseando em promessas individuais, mas no trabalho de leis inexoráveis.

Comuns, 5 de junho de 1928

Leite

Não há investimento mais belo, para qualquer comunidade, do que dar leite para os bebês.

BBC, 21 de março de 1943

Lenin

Lenin foi enviado para a Rússia, pelos alemães, da mesma forma que vocês podem enviar uma ampola contendo uma cultura de febre tifoide ou cólera a ser derramada no abastecimento de água de uma grande cidade, e trabalhará com precisão surpreendente.

Comuns, 5 de novembro de 1919

Logo que Lenin chegou, começou a acenar com um dedo aqui e outro ali para obscurecer pessoas em retiros abrigados em Nova York, em Glasgow, em Berna e em outros países, e ele reuniu o espírito líder de uma seita formidável, a seita mais formidável do mundo, da qual ele era o sumo sacerdote e chefe. Com estes espíritos ao seu redor, começou a trabalhar com habilidade demoníaca para despedaçar todas as instituições das quais o Estado e a nação russa dependiam. A Rússia foi derrubada. A Rússia havia sido derrubada. Ela foi derrubada na poeira.

Comuns, 5 de novembro de 1919

Liberais

Na minha opinião, um liberal é um homem que deveria ser um limitador da força contra uma política extravagante. Ele é um homem que deve manter a calma na presença do clamor dos jingos. É um homem que acredita que a confiança entre as nações gera confiança, que o espírito de paz e boa vontade faz a segurança que busca. E, acima de tudo, acho que um liberal é um homem que deve manter um olhar azedo para os alarmistas de todos os tipos e de todos os tamanhos, por mais distintos que sejam, por mais ridículos – e, às vezes, os mais distintos são os mais ridículos - um ar frio, arrepiante, azedo para todos eles, quer seu pânico venha do mar, do ar, da terra ou das águas sob a terra.

Free Trade Hall, Manchester, 23 de maio de 1909

Liberalismo

O liberalismo fornece, imediatamente, o impulso superior e o caminho praticável; apela para as pessoas por sentimentos de generosidade e humanidade; procede por cursos de moderação; por passos graduais, por um esforço constante do dia a dia, de ano a ano. O liberalismo alista centenas de milhares do lado do progresso e da reforma democrática popular e faz militantes do socialismo reagirem violentamente.

St Andrew's Hall, Glagsow, 11 de outubro de 1906

O liberalismo é um espírito de aceleração - é imortal. Viverá através de todos os dias, sejam eles dias bons ou ruins. Não! Acredito que até queimará mais forte, brilhante e mais útil nos dias ruins do que nos bons - como as luzes dos portos, que brilham através do mar, um brilho noturno calmo, com suave refulgência, mas através da tempestade, uma mensagem de vida para aqueles que navegam em águas agitadas.

Kinnaird Hall, Dundee, 14 de maio de 1908

Liberalismo e Socialismo

O liberalismo tem sua própria história e sua própria tradição. O socialismo tem suas fórmulas e objetivos próprios. O socialismo procura derrubar a riqueza; o liberalismo procura acabar com a pobreza. O socialismo destruiria os interesses privados; o liberalismo preservaria os interesses privados da única maneira em que possam ser preservados com segurança e justiça, ou seja, reconciliando-os com os direitos públicos. O socialismo mataria as empresas; o liberalismo salvaria as empresas a partir dos tresmalhos de privilégio e preferência. O socialismo assalta a preeminência do indivíduo; o liberalismo procura e deve buscar mais no futuro, construir um padrão mínimo para a massa. O socialismo exalta a regra; o liberalismo exalta o homem. O socialismo ataca o capital; o liberalismo ataca o monopólio.

Kinnaird Hall, 14 de maio de 1908

Liberdade

A causa da liberdade tem nela uma recuperação de poder e virtude que podem ser retiradas da desgraça, da nova esperança e da nova força.

Londres, 16 de outubro de 1938

LIBERDADE

Agora, o velho leão com seus filhotes ao seu lado está sozinho contra caçadores com armas mortíferas, impelidos por uma fúria desesperada e destrutiva. A tragédia vai se repetir? Ah não! Isto não é o fim do conto. As estrelas em seus cursos proclamam a libertação da humanidade. Não é tão fácil que o prosseguimento do progresso do povo seja barrado. As luzes da liberdade não devem ser tão facilmente apagadas.

Londres, 16 de junho de 1941

Não é apenas a questão suprema de autopreservação que está envolvida na realização destes perigos, mas, também, a causa humana e do mundo na preservação dos governos livres e das civilizações ocidentais contra as forças avançadas do autoritarismo e despotismo.

Comuns, 31 de maio de 1935

Nós temos nossos erros, nossas fraquezas e falhas, mas na luta que esta ilha competente fez, se não tivesse sido a mais difícil de todas, se o espírito de liberdade que arde no peito britânico não fosse puro, uma chama deslumbrante e inextinguível, poderíamos, ainda, não termos chegado perto do fim desta guerra.

Universidade de Bristol, Bristol, 21 de abril de 1945

A questão surge: "O que é liberdade?" Há um ou dois testes muito simples e práticos pelos quais pode ser conhecida".

Tem sido dito que o preço da liberdade é a vigilância eterna. A questão surge: "O que é liberdade?". Há um ou dois testes muito simples e práticos pelos quais pode ser conhecida no mundo moderno em condições de paz - a saber:

Existe o direito à livre expressão de opinião, de oposição e críticas ao governo do dia?

O povo tem o direito de tirar um governo que desaprova e os meios constitucionais fornecidos podem fazer sua vontade prevalecer?

Os seus tribunais de justiça estão livres da violência do executivo e das ameaças de violência da máfia, livres de qualquer associação com partidos políticos?

Estes tribunais irão administrar leis abertas e bem estabelecidas, associadas na mente humana com os princípios gerais da decência e justiça?

Haverá jogo limpo tanto para os pobres como para os ricos, para pessoas privadas bem como para funcionários do governo?

Os direitos do indivíduo sujeitos aos seus deveres para com o Estado serão mantidos, afirmados e exaltados? É o camponês ou operário comum, que ganha a vida diariamente, esforçando-se para criar uma família, livre do medo de que alguma organização policial, sob o controle de um único partido, como a Gestapo, iniciada pelos partidos nazista e fascista, vai tocá-lo no ombro e embalá-lo sem julgamento justo ou aberto à escravidão ou aos maus-tratos?

Londres, 28 de agosto de 1944

Libertação da Europa

Temos um princípio sobre os países libertos ou os arrependidos que procuramos, de acordo com nossa capacidade e recursos, dar o melhor. Este é o princípio. Afirmo-o no mais amplo e em termos familiares: governo do povo, pelo povo, para o povo, criado com base em eleições por sufrágio livre e universal, com sigilo da cédula e nenhuma intimidação. Essa é e tem sido, sempre, a política deste governo, em todos os países. Esse é nosso único objetivo, nosso único interesse, nosso único cuidado. É com esse objetivo que tentamos fazer nosso caminho através de todas as dificuldades, obstáculos e perigos do longo caminho. Confie nas pessoas, certifique-se de que elas tenham uma chance justa de decidir seu destino sem ser aterrorizadas por um quartel ou regimento. Há nossa política para a Itália, para a Iugoslávia e para a Grécia. Que outros interesses temos além disso? Por isso nos esforçaremos, somente por isso.

Comuns, 18 de janeiro de 1945

Libertação da Itália

Devemos ter o cuidado de não nos colocarmos no tipo de posicionamento de que os alemães fizeram mal em tantos países - o de ter que manter e administrar em detalhe, dia a dia, por um sistema de regras nazistas, toda a vida de populações muito grandes. Um tal curso pode bem, na prática, virar o sentido da libertação, que em breve poderá estar em nosso poder conceder ao povo italiano, num descontentamento amuado contra nós e todas as nossas obras. Os socorristas poderão, em breve, de fato, ser considerados como tiranos; podem até ser odiados pelo povo italiano tanto ou quase tanto como os seus aliados alemães. Não desejo, certamente, no caso da Itália, pisar num caminho que possa levar a esquadrões de execução, campos de concentração e, acima de tudo, ter de carregar sobre os nossos ombros muitas pessoas que devem transportar a si mesmas.

Comuns, 17 de julho de 1943

Lidando com Terroristas

Nenhum país no mundo está menos apto para um conflito com terroristas do que a Grã-Bretanha. Isso não é por causa de sua fraqueza ou covardia; é por causa de sua contenção, de sua virtude e pelo modo de vida que temos adotado, há muito tempo, nesta ilha.

Comuns, 31 de janeiro de 1947

Liderança

Nada é mais perigoso em tempo de guerra do que viver na temperamental atmosfera de uma sondagem Gallup, sempre sentindo o pulso e tomando sua temperatura. Vejo que os líderes deveriam manter seus ouvidos no chão. Tudo o que posso dizer é que a nação britânica terá muita dificuldade em olhar para os líderes que são detectados nessa postura um pouco desajeitada.

Comuns, 30 de setembro de 1941

Qualquer pessoa que lidere um partido deve ter um cérebro maior do que o seu, deve ter um número de pessoas através das quais possa operar.

Comuns, 20 de julho de 1936

Não adianta levar outras nações para cima do jardim e depois fugir quando o cachorro rosna.

Comuns, 11 de junho de 1937

Se hoje sou tratado com muita gentileza pelo povo, certamente, não é por ter seguido a opinião pública nos últimos anos. Há apenas um dever, um curso seguro, que é o de tentar estar certo e não ter medo de fazer ou dizer o que acredito ser certo. Essa é a única maneira de merecer e ganhar a confiança das pessoas, nestes dias de problemas.

Comuns, 30 de setembro de 1941

Não pense mal da grandeza de nossos compatriotas qualquer que seja a torrente de abusos que possa obstruir a ação necessária. Deixe a Casa cumprir seu dever. Deixe o governo dar a liderança e a nação não falhará na hora da necessidade.

Comuns, 28 de novembro de 1934

Liga das Nações
Tenho simpatia e respeito aos bem-intencionados, às pessoas leais de coração que compõem a União da Liga das Nações neste país, mas o que mais me impressiona nelas é seu longo sofrimento e sua ingenuidade inesgotável. Qualquer esquema, de qualquer tipo de desarmamento, posto em qualquer país, desde que esteja rodeado de fraseologia, é saudado por eles, os discursos são aplaudidos e aqueles que falam ganham seus aplausos.

Comuns, 23 de novembro de 1932

Limites de Potência
O parlamento pode obrigar as pessoas a obedecer ou a se submeter, mas não pode obrigar que concordem.

Comuns, 27 de setembro de 1926

Limpeza de Chamas
O fato de o Império Britânico estar invencível e de o domínio nazista estar ainda resistindo, acenderá, novamente, a centelha da esperança nos peitos de centenas de milhões de homens e mulheres deprimidos ou desesperados em toda a Europa. Muito além de seus limites e destas faíscas, em breve, virão limpando e devorando a chama.

Comuns, 20 de agosto de 1940

Linguagem Forte

Acho que nenhuma expressão de escárnio ou severidade que tenha sido usada por nossos críticos chegou em qualquer lugar perto da linguagem que tenho usado, não apenas oralmente, mas em uma corrente de escritos em minutos. Na verdade, imagino que muitos dos meus colegas estão usando esses termos falando comigo.

Comuns, 25 de junho de 1941

Não tenho objeção a um uso adequado de uma linguagem forte, mas uma certa quantidade de arte e uma certa quantidade de poder seletivo é necessária, se o efeito deve ser produzido.

Comuns, 9 de dezembro de 1925

Linha de Menos Resistência

Parece sempre tão fácil resolver problemas tomando a linha de menos resistência. Várias vezes, na minha vida, vi este curso levar a um resultado mais inesperado e o que parece ser o caminho mais fácil, é o mais duro e mais cruel.

Comuns, 24 de maio de 1946

Linha de Referência

Tentei encontrar uma linha de referência e a tomo como três meses após Dunkirk. Então, será admitido, nosso pessoal trabalhou no limite máximo de sua força moral, mental e física. Homens caíram exaustos em seu entorno, operários e operárias não tiraram a roupa por uma semana seguida. Refeições, descanso e relaxamento, tudo desapareceu de suas mentes e continuaram até a última gota de suas forças.

Comuns, 29 de julho de 1941

Liquidação de Pessoas

É parte da técnica estabelecida na "guerra fria" que os soviéticos começaram contra todos nós que, em qualquer país que tenha caído em seu poder, pessoas de caráter, homens de coração e personalidade que se destacam em qualquer camada social, desde o trabalhador braçal até o professor universitário, devem ser o que é chamado em seu jargão selvagem de "liquidados".

Llandudno, 9 de outubro de 1948

Livre Inicitiva

Onde você achar que o empreendimento estatal é, provavelmente, ineficaz, então, utilize empresas privadas e não guarde rancor de seus lucros.

St Andrew's Hall, Glasgow, 11 de outubro de 1906

À frente do nosso mastro principal, nós, como os Estados Unidos, hasteamos a bandeira da livre iniciativa. Estamos determinados que a genialidade e o espírito nativo de aventura, de assumir riscos tanto na paz quanto na guerra, suportará nossas fortunas para o futuro, encontrando trabalho e comércio rentável para nosso povo, também, estamos determinados que a boa e parcimoniosa manutenção da casa, nacional e privada, deve sustentar nossa economia.

Central Hall, Westminster, 15 de março de 1945

A velha campanha do radical contra a exploração, monopólios, vantagens injustas e afins, da qual participei em meus dias de juventude, foi um corretivo saudável e necessário ao sistema de livre iniciativa.

Perth, 28 de maio de 1948

Livros

> Livros, em toda a sua variedade são, muitas vezes, o meio pelo qual a civilização pode ser levada, triunfantemente, para a frente.
>
> *Ministério da Informação Cinematográfica, 1941*

Certamente, ter sido considerado, até agora, como o escritor de livros de guerras é preocupante; na verdade, já em 1900, que faz muito tempo, poderia vangloriar-me de ter escrito tantos livros quanto Moisés, e não parei de escrevê-los desde então, exceto quando fui, momentaneamente, interrompido pela guerra, em todo o período de intervenção.

Londres, 4 de julho de 1950

Londres Pode Ganhar

É a prática e, em alguns casos, o dever de muitos de meus colegas e muitos membros da Câmara visitar as cenas de destruição tão prontamente, eu mesmo vou de vez em quando. Em toda a minha vida, nunca fui tratado com tanta gentileza quanto pelas pessoas que mais sofreram. Poderia pensar que, se trouxe algum grande benefício para eles, em vez do sangue e das lágrimas, foi o trabalho e o suor, que é tudo o que tenho prometido. De todos os lados, há o grito: "Nós podemos ganhar", mas com ele, há também o grito: "Vamos revidar".

Comuns, 8 de outubro de 1940

Londrinos

Lembro-me de uma noite de inverno, viajando para uma estação ferroviária - que ainda trabalhava - no meu caminho para o norte para visitar as tropas. Estava frio e chovendo. A escuridão quase havia caído nas ruas enegrecidas. Eu vi, em todos os lugares, longas filas de pessoas, entre elas, centenas de moças em suas meias de seda e sapatos de salto alto, que tinham trabalhado duro o dia todo e estavam esperando por ônibus atrás de ônibus, que já passavam por aqui superlotados, na esperança de chegar em suas casas para passar a noite. Quando, naquele momento, o doloroso lamento da sirene sinalizou a aproximação dos bombardeiros alemães, confesso-lhes que meu coração sangrou por Londres e pelos londrinos.

County Hall, Londres, 14 de julho de 1941

Lord Lloyd

Lord Lloyd e eu somos amigos há muitos anos e somos políticos próximos, juntos durante os últimos 12 anos. Juntos, nós defendemos várias causas que não receberam os aplausos da grande maioria; mas é justamente nesse tipo de causa, onde se está nadando contra o rio, que se aprende o valor e a qualidade de um camarada e amigo.

Comuns, 6 de fevereiro de 1941

Lorde Baden-Powell

Conheci B-P muitos anos antes do nascimento do Movimento Escoteiro. Ele era um homem de caráter, visão, entusiasmo e passou essas qualidades para o movimento que criou e está criando um papel importante em moldar o caráter de nossa raça. Robustez, boa convivência, competência prática, amor ao país e, acima de tudo, nestes tempos, resolução indomável, ousadia e iniciativa diante do inimigo, estas são as marcas de um escoteiro. (...) "Sempre Alerta" para se levantar, fielmente, para o correto e verdadeiro, não importa para onde os ventos soprem.

Londres, 16 de julho de 1942

Lorde Baldwin

> Naquela época, o Sr. Baldwin era mais sábio do que é agora, costumava, frequentemente, seguir meus conselhos.
>
> *Comuns, 22 de maio de 1935*

Tem sido a minha sorte ter altos e baixos em minhas relações políticas com ele, os baixos, no geral, talvez, tenham predominado, mas, de qualquer forma, nós sempre preservamos relações pessoais agradáveis, até onde esteja envolvido, são muito valorizadas. Tenho certeza de que ele não desejaria, em sua conduta de assuntos públicos, diminuir a colocação de questões reais que despertem críticas e eu, certamente, prosseguirei nesse sentido.

Comuns, 12 de novembro de 1936

Lorde Charles Beresford, MP

Ele é um daqueles oradores de quem se dizia: "Antes deles se levantarem, não sabem o que vão dizer; quando estão falando, não sabem o que estão dizendo e, quando se sentam, não sabem o que disseram".

Comuns, 20 de dezembro de 1912

Loucura

Seria uma grande reforma na política se a sabedoria pudesse ser feita para se espalhar tão fácil e rapidamente quanto a loucura.

Comuns, 16 de agosto de 1947

Loucura Japonesa

Outro erro de nossos inimigos foi cometido pelo Japão quando atacaram o Estados Unidos em Pearl Harbor, em vez de nos atacar sozinhos, já que estávamos ocupados com a Itália e a Alemanha na Europa. Foi uma sorte que, levados por suas conspirações e esquemas sombrios, tontos e deslumbrados, debruçados em cima dos planos, surgiram sobre uma nação pacífica, foram levados e cambaleados sobre a borda e, por causa do afundamento de meia dúzia de navios de guerra e a destruição de um porto naval, sofreram as implacáveis energias e poderes, sem medida, dos 130 milhões de habitantes instruídos dos Estados Unidos. Temos muito pelo que agradecer.

Westminister Central Hall, Londres, 31 de outubro de 1942

Luta por Liberdade

Sabemos que outros corações, em milhões e dezenas de milhões, batem como os nossos; que outras vozes proclamam a causa pela qual nos esforçamos; outras mãos fortes empunham os martelos e moldam as armas de que precisamos; outros olhos claros e brilhantes estão fixos em convicções das tiranias que devem ser destruídas.

Londres, 18 de março de 1941

Luto

Somente a fé em uma vida após a morte, em um mundo mais brilhante onde os queridos se reencontrarão - somente isso e a medida do tempo podem dar consolo.

Comuns, 8 de setembro de 1942

Luz Solar

Avançaremos juntos. O caminho para cima é vigoroso. Há em nossa jornada vales escuros e perigosos pelos quais temos que passar e lutar, à nossa maneira. Mas, é certo e seguro que, se nós perseverarmos, e nós perseveraremos, nós atravessaremos estas trevas e vales perigosos em uma luz solar mais ampla, genial e mais duradoura a qual a humanidade jamais conheceu.

Leeds, 16 de maio de 1942

M

UMA MEDALHA BRILHA, MAS, TAMBÉM, LANÇA UMA SOMBRA.

Não é possível satisfazer a todos.

O que é possível é dar a maior satisfação para o maior número e machucar o sentimento do menor.

Comuns, 22 de março de 1944

Mal

O tempo passa rapidamente. Tudo está em constante mudança. Quando o primeiro começo do mal que pode, posteriormente, desafiar a paz e a liberdade e até mesmo a vida do Estado faz sua aparição no horizonte, é o momento de soar o alarme e tentar, mesmo por frenéticos esforços, despertar autoridades sonolentas para novos perigos; mas, uma vez que estamos no zona de perigo, uma vez que todos podemos ver que estamos marchando por esse longo e escuro vale do qual falei com a Casa há dois anos, então, um clima de frieza e tranquilidade é ordenado.

Comuns, 4 de março de 1937

Males

Os males podem ser criados muito mais rapidamente do que podem ser curados.

Liverpool, 2 de outubro de 1951

Malfeitores

Apelo a todos os homens patrióticos, de ambos os lados do Oceano Atlântico, para que carimbem seus pés nos malfeitores e semeadores de joio, onde quer que estejam, e para deixar as grandes máquinas rolarem para a batalha sob as melhores condições possíveis para seu sucesso.

Comuns, 11 de fevereiro de 1943

Malta

Há quase dois anos, Malta está contra o inimigo. O que é um espinho que tem estado do lado deles! Que pedágio tem custado aos seus comboios! Podemos nos perguntar se foi feito um esforço muito grande pela Alemanha e Itália para se livrarem deste inimigo agressivo e feroz? Nas últimas seis semanas, mais de 450 aeronaves alemãs de primeira linha e, talvez, 200 italianas, têm descarregado sua fúria sobre Malta. Um bombardeio intermitente caiu sobre o porto, sobre a cidade e, às vezes, até 300 aeronaves atacaram em um único dia. A terrível provação tem sido suportada com uma fortaleza exemplar pela guarnição e pelas pessoas. Perdas muito pesadas foram infligidas à força aérea do inimigo.

Comuns, 23 de abril de 1942

Manchetes

Os jornais, com suas manchetes sedutoras, não fazem justiça à proporção de eventos atuais. Todos estão ocupados ou são oprimidos pelos constantes cuidados e dificuldades da vida diária. As manchetes brilham, a cada dia, diante deles. Qualquer desordem ou confusão, em qualquer parte do mundo, em qualquer tipo de argumento, problema, disputa, fricção ou motim - tudo brilhando através do panorama. As pessoas vão cansadas para a cama no final de seu longo, sombrio e preocupante dia ou, então, deixam de lado os cuidados e vivem para o momento. Mas, todo esse tempo, um tremendo evento na Ásia está caminhando para o seu auge e devemos ser indignos dos tempos em que vivemos ou dos atos que praticamos se, através de uma contenção indevidamente cuidadosa, parecêssemos inconscientes da gravidade ou descuidados do desfecho, dos acontecimentos que afetam a vida de um grande número de seres humanos que, até o presente, têm residido, bem ou mal, por baixo do nosso escudo protetor.

Comuns, 12 de dezembro de 1946

Mania de Desperdício

O Membro de Honra Certo de Caernarvon Boroughs [Sr. David Lloyd George] vai pedir emprestado £200.000.000 e gastá-lo (...) ao pagar os desempregados para fazer pistas de corrida para os motoristas abastados fazerem simples fugas de pedestres; e estamos certos de que a mera perspectiva disso reavivou completamente o partido liberal. Em todo caso, trouxe um recruta notável. Lord Rothermere, autor principal do livro da campanha antirresíduos, alistou-se como o Guerreiro Feliz da Mania de Desperdício.

Comuns, 15 de abril de 1929

Máquina de Guerra

Hitler é um monstro da maldade, insaciável em sua ânsia por sangue e pilhagem. Não contente em ter toda a Europa sob seu calcanhar ou aterrorizada em várias formas de submissão abjeta, agora, deve carregar seu trabalho de destruição e desolação sobre as vastas multidões da Rússia e da Ásia. A terrível máquina militar que nós e o resto do mundo civilizado tão estupidamente, tão passivamente, tão insensatamente, permitimos que os gângsteres nazistas fortalecessem, ano a ano, a partir de quase nada, não pode ficar parada para não enferrujar ou cair aos pedaços. Deve estar em movimento contínuo, moendo vidas humanas, pisoteando os lares e os direitos de centenas de milhões de homens. Além disso, deve ser alimentada, não apenas com carne, mas com óleo.

Londres, 22 de junho de 1941

Máquina de Guerra Alemã

Você nunca deve subestimar a potência da máquina alemã. É a máquina mais terrível que já foi criada. Depois da última guerra, eles mantiveram os cérebros do exército alemão juntos. Eles mantiveram o seu grande staff unido. Embora suas armas tenham sido tiradas, esta tremenda associação de pessoas que só pensam na guerra, estudando a guerra, impiedosos na guerra científica, foram capazes de treinar e construir um exército que, como você viu, em poucas semanas, desmanchou em pedaços o outrora famoso exército da França, marchou país após país e baixou todas as formas de oposição. E só agora, nos vastos territórios da Rússia, se vê confrontado com esta raça imensa e valente que se opôs a ele.

Westminster Central Hall, Londres, 31 de outubro de 1942

Marcha do Tempo

As coisas acontecem tão rapidamente hoje em dia e há muitas delas acontecendo que se tem alguma dificuldade para medir, uniformemente, a marcha do tempo. Para mim, posso dizer que há semanas que parecem passar em um piscar de olhos há outras que são indissoluvelmente longas e lentas. Às vezes, é quase difícil acreditar que tanta coisa tenha acontecido e em outras, que tão pouco tempo tenha passado.

Mansion House, Londres, 9 de novembro de 1940

Marechal de Campo Montgomery

Deixe-me também prestar minha homenagem a este veemente e formidável General Montgomery, uma figura comunitária, austera, severa, realizadora, incansável, sua vida dada ao estudo da guerra, que atraiu a si mesmo a confiança e a devoção de seu exército.

Comuns, 11 de fevereiro de 1943

O Marechal de Campo Montgomery é um dos maiores mestres vivos da arte da guerra. Como Stonewall Jackson, foi professor e professor da ciência militar antes de se tornar um ator no cenário mundial. Tem sido minha sorte e grande prazer estar muitas vezes com ele, em importantes momentos na longa marcha de Mersa Matruh para o Reno. Seja na véspera de uma grande batalha ou enquanto a luta estava realmente em andamento, sempre encontrei a mesma personalidade dinâmica, vigorosa e eficiente com cada aspecto da vasta operação em sua mente e cada unidade de poderosos exércitos em suas garras.

Comuns, 22 de outubro de 1945

Marechal de Campo Smuts

Em todos os aspectos, ele parecia ser um dos mais esclarecidos, corajosos e homem de mente nobre que conhecemos nestes primeiros 50 anos do século XX.

Comuns, 7 de junho de 1951

Ele e eu somos velhos camaradas. Não posso dizer que, alguma vez, tenha havido um pontapé em nosso galopar. Fui examinado por ele quando era prisioneiro de guerra e escapei; mas, fizemos uma paz honrosa e generosa de ambos os lados e, nos últimos 40 anos, temos sido camaradas trabalhando juntos.

Westminster Central Hall, Londres, 31 de outubro de 1942

Marechal Foch

Em um momento de desastre, quando parecia que os exércitos franceses e britânicos podiam ser divididos uns dos outros pelos avanços alemães, o ilustre Marechal assumiu o comando do campo acometido e, depois de um mês crítico e agonizante, restaurou a sorte da guerra. O General Weygand, que era chefe de sua família militar - como os franceses colocaram - disse: "Se o Marechal Foch estivesse aqui agora, não desperdiçaria tempo lamentando o que foi perdido. Ele diria: 'Não cederemos outra jarda'".

Corn Exchange, Cambridge, 19 de maio de 1939

Marinha em Ação

Esforços maravilhosos têm sido feitos por nossa Marinha e Força Aérea; pelas centenas de navios varredores de minas que, com seus maravilhosos aparelhos mantêm nossos portos limpos apesar de tudo o que o inimigo pode fazer; pelos homens que constroem e reparam nossas imensas frotas de navios mercantes; pelos homens que os carregam e descarregam; e, preciso dizer, pelos oficiais e homens da Marinha Mercante que saem todo o tempo e diante de todos perigos para lutar pela vida de sua terra natal, por uma causa que compreendem e servem.

BBC, 27 de abril de 1941

A Marinha tem uma dupla função. Na guerra, é nosso meio de segurança; na paz, sustenta o prestígio, a reputação e a influência desta pequena ilha; e é um fator importante para a coesão do Império Britânico e a comunidade. As tarefas que a Marinha tem desempenhado em tempo de paz não são menos magníficas do que aquelas alcançadas na guerra. A partir de Trafalgar em diante, por mais de 100 anos, a Britannia governou as ondas. Havia uma grande medida de paz, a liberdade dos mares era mantida, o tráfico de escravos foi extirpado, a doutrina Monroe dos Estados Unidos encontrara sua sanção no poder naval britânico.

Comuns, 8 de março de 1948

A Marinha Real, especialmente depois da tonificação que recebeu, é insuperável no mundo e, ainda, é o principal baluarte de nossa segurança; mesmo nesta última hora, se as medidas corretas forem tomadas e se o espírito certo prevalecer na nação britânica e no Império Britânico, podemos nos cercar com outros baluartes igualmente seguros, o que nos protege contra qualquer tempestade que possa soprar.

Comuns, 19 de março de 1936

Marinha Francesa

Sob os longos cuidados do Almirante Darlan e M. Campinchi, o Ministro da Marinha, foi desenvolvida uma magnífica força de combate e de marinhagem. Não só fomos assistidos de todas as formas acordadas antes da guerra, mas, além de tudo, um conjunto de fardos foi retirado de nossos ombros por cooperação leal e cada vez mais vigorosa da frota francesa. Parece-me uma coisa maravilhosa que quando a França está fazendo um esforço sobre a terra, deve, ao mesmo tempo, oferecer à causa aliada um poderoso reforço por mar.

Comuns, 8 de novembro de 1939

Marinha Italiana

Nos disseram, também, que a marinha italiana deve sair e ganhar a superioridade marítima nestas águas.

Se eles a pretendem seriamente, direi apenas que teremos o maior prazer em oferecer ao Signor Mussolini uma passagem livre e protegida através do Estreito de Gibraltar para que possa desempenhar o papel que aspira. Há uma curiosidade geral na frota britânica em descobrir se os italianos estão no nível em que se encontravam na última guerra ou se eles decaíram.

Comuns, 18 de junho de 1940

Marinhas

Sempre pensei que a união dessas duas grandes forças [as marinhas britânicas e americanas], não para fins de agressão ou interesses egoístas estreitos, mas em uma causa honrosa, constitui o que posso chamar de liberdade humana e progresso.

Corn Exchange, Cambridge, 19 de maio de 1939

Marinheiros

Acho que é uma regra segura tratar os marinheiros, de todos os países, da mesma forma como corajosos e habilidosos.

Comuns, 16 de março de 1939

A estratégia final da marinha britânica consiste em basear os homens contentes, em lares prósperos e saudáveis, dos quais as crianças, geração após geração, podem retornar aos navios que seus pais ensinaram para homenageá-los.

Comuns, 26 de março de 1913

Massacres
Devo dizer que não fazia ideia, quando a guerra chegou ao fim, dos horríveis massacres que ocorreram; os milhões e milhões que foram abatidos. Que nos surgiu gradualmente após a luta terminar.

Comuns, 1º de agosto de 1946

Máxima
Os romanos tinham uma máxima: "Encurtem suas armas e prolonguem suas fronteiras". Mas nossa máxima parece ser: "Diminua suas armas e aumente suas obrigações". Sim, e diminua as armas de seus amigos.

Comuns, 14 de março de 1934

Medalhas
O objetivo de dar medalhas, estrelas e fitas é dar orgulho e prazer para aqueles que mereceram. Ao mesmo tempo, uma distinção é algo que nem todos possuem. Se todos o têm, é de menos valor. Deve haver, portanto, quebras de coração e desapontamentos sobre a linha de fronteira. Uma medalha reluz, mas também lança uma sombra. A tarefa de elaboração de regulamentos para tais prêmios é aquela que não admite uma solução perfeita. Não é possível satisfazer a todos sem executar a risco de não satisfazer a ninguém. Tudo o que é possível é dar a maior satisfação para o maior número e ferir os sentimentos do menor número possível.

Comuns, 22 de março de 1944

Médias
Há exultação no estudo de questões de seguro porque há um senso de elaborar novos e crescentes poderes que foram dedicados à humanidade. Não é, apenas, uma questão de ordem diante da confusão. Não é, apenas, uma questão de força coletiva da nação para tornar eficaz a economia e os esforços do indivíduo, mas trazemos a magia das médias para ajudar milhões.

Comuns, 25 de maio de 1911

Medicamentos Pessoais

A ciência, estimulada pelo desejo da época, nos apresentou, na última década, um maravilhoso conjunto de novos e altamente atraentes medicamentos pessoais. Temos M e B, penicilina, tetramicina, aureomicina e várias outras que não colocarei em risco minha reputação profissional mencionando, ainda menos na tentativa de colocar em ordem.

Royal College of Physicians, Londres, 10 de julho de 1951

Mediterrâneo

Obter e manter o comando do Mediterrâneo em caso de guerra é um dever da frota. Uma vez que isso seja alcançado, todas as forças terrestres europeias nas costas do norte da África serão afetadas de forma decisiva. Aqueles que têm do Mediterrâneo por trás deles, podem ser reforçados e abastecidos em qualquer extensão. Aqueles que não têm tal comando, são como flores cortadas em um vaso.

Comuns, 16 de março de 1939

Medo

É muito melhor assustar-se de antemão do que quando o perigo, realmente, acontece. É muito melhor estar assustado agora do que ser morto no futuro.

Comuns, 28 de novembro de 1934

Megalomania

> No início desta guerra, a megalomania era a única forma de sanidade.
> *Comuns, 15 de novembro de 1915*

Melhor Momento

Preparemo-nos, pois, para os nossos deveres e, assim, suportemos que, se o Império Britânico e sua comunidade durarem mil anos, os homens ainda dirão: "Este foi o seu melhor momento".

Comuns, 18 de junho de 1940

Melhoramento Social

Quando me tornei amigo e parceiro de Lloyd George, agora mais do que há 40 anos, este profundo amor do povo, o profundo conhecimento de suas vidas e das pressões injustificadas e desnecessárias sob as quais viveram, impressionaram, de forma indelével, minha mente.

Comuns, 28 de março de 1945

Mensagem de Churchill

Nestes últimos anos de vida, há uma mensagem da qual eu me concebo a ser um portador. É uma mensagem muito simples que pode ser bem compreendida pelo povo de ambos os nossos países. É que devemos ficar juntos. Devemos ficar juntos sem nenhuma maldade, não por ganância, mas em defesa dessas causas que prezamos não só para nosso próprio benefício, mas porque acreditamos que significam a honra e a felicidade de longas gerações de homens.

Assembleia Geral da Virgínia, Richmond, 8 de março de 1946

Mentiras

Alguns dizem que isso é uma mentira. Bem, lembro-me de um ditado irlandês espirituoso que diz: "há um monte de mentiras terríveis que giram ao redor do mundo e o pior de tudo é que a metade delas são verdadeiras".

Comuns, 22 de fevereiro de 1906

Mercado Negro

Se você destrói um mercado livre, você cria um mercado negro.

Comuns, 3 de fevereiro de 1949

Milionários

Nem deveria ser suposto, como você imagina, ler em alguns dos jornais de esquerda que todos os americanos são multimilionários de Wall Street. Se todos eles fossem multimilionários, isso não seria motivo para condenar um sistema que produziu tais resultados materiais.

The Royal Albert Hall, Londres, 21 de abril de 1948

Militarismo

A tirania nazista e o militarismo prussiano são os dois principais elementos na vida alemã que devem ser absolutamente destruídos. Eles devem ser absolutamente erradicados se a Europa e o mundo quiserem ser poupados de um terceiro e ainda mais assustador conflito.

Comuns, 21 de setembro de 1943

Minas Magnéticas

Um esforço estridente tem sido feito pela propaganda alemã para persuadir o mundo de que nós colocamos essas minas magnéticas nos caminhos de nossos próprios portos a fim de, aparentemente, passarmos fome. Quando esta inanidade expirou em meio a um escárnio geral, foi feita a alegação alternativa de que o afundamento dos navios neutros, pelas minas, foi outro triunfo da ciência e marinha alemã, e deveria convencer todas as nações de que o domínio alemão dos mares estava completo.

Comuns, 6 de dezembro de 1939

A mina magnética, e todas as outras minas espalhadas nas águas, próximas a nossa ilha, não nos apresentam qualquer problema que consideremos insolúvel. Deve ser lembrado que na última guerra sofremos perdas muito graves devido às minas e que mais de 600 navios britânicos foram contratados, exclusivamente, para a varredura de minas. Devemos nos lembrar disso. Devemos sempre esperar algumas coisas ruins da Alemanha, mas vou me aventurar a dizer que é com crescente confiança que esperamos o futuro desenvolvimento ou variantes de seu ataque.

Londres, 20 de janeiro de 1940

Mineiros em Guerra

Lamento muito que tenhamos que impedir tantos mineiros de ir para a guerra nas forças armadas. Respeito seus sentimentos, mas não podemos nos dar ao luxo nem permitir isso. Temos muitas necessidades de seus serviços nas minas, há perigos nelas também e onde há perigo, há honra. "Fazer bem sua parte, aí está toda a honra", e esse é o lema que quero dar a todos aqueles que, de uma infinita variedade de maneiras, estão tomando uma parte igualmente digna na consumação de nosso alto propósito.

Westminster Central Hall, Londres, 31 de outubro de 1942

Misericórdia

Muito antes da revelação cristã, o mundo havia descoberto, pela prática, que a misericórdia para com um inimigo derrotado valia bem a pena e que era muito mais fácil ganhar controle sobre grandes áreas ao fazer prisioneiros do que fazendo com que todos lutassem até a morte contra você.

Comuns, 1º de julho de 1952

Míssil

O míssil contém, aproximadamente, a mesma quantidade de explosivo que a bomba voadora. Entretanto, é projetado para penetrar um pouco mais fundo antes de explodir. Isto resulta em danos um pouco mais pesados nas imediatas proximidades da cratera, mas com um efeito de explosão menos extenso. O míssil voa através da estratosfera, subindo até 60 ou 70 milhas e ultrapassa a velocidade do som. Devido à sua alta velocidade, nenhum aviso público confiável ou suficiente pode, nas circunstâncias atuais, ser dado.

Comuns, 10 de novembro de 1944

Mistérios do Futuro

Eu não tenho medo do futuro. Vamos em frente em seus mistérios, vamos rasgar além dos véus que o escondem de nossos olhos, vamos seguir em frente com confiança e coragem. Todos os problemas do mundo do pós-guerra, alguns que parecem tão desconcertantes agora, serão mais fáceis de resolver com a vitória decisiva e quando ficar claro que a vitória nas armas não foi jogada fora pela loucura ou pela violência quando chegar o momento de colocar os fundamentos da futura ordem mundial, será hora de dizer grandes palavras de paz e verdade para todos.

The Royal Albert Hall, Londres, 29 de setembro de 1943

Moderação

O desacordo é muito mais fácil de expressar e, muitas vezes, muito mais excitante para o leitor do que um acordo. O maior fator comum da opinião pública não é um terreno fértil para epigramas animados e antíteses afiadas. A expressão de princípios amplos e simples que, provavelmente, comanda o parecer favorável e não excita a dissidência de vastas comunidades, deve necessariamente estar em termos guardados. Eu mesmo não deveria temer nem mesmo a acusação de platitude em tal declaração se ela apenas buscasse o melhor do maior número.

Comuns, 12 de julho de 1954

Moedas de Níquel

Agora, a dona de casa britânica, enquanto está nas filas para comprar sua ração de pão, remexerá no bolso em vão por seis pences de prata. Sob o governo socialista, o níquel terá que ser bom o suficiente para ela. No futuro, poderemos dizer: "Toda nuvem tem um revestimento de níquel".

Blackpool, 5 de outubro de 1946

Monarquia Constitucional

Se for verdade, como já foi dito, que cada país recebe a forma de governo que merece, podemos, certamente, nos lisonjear. A sabedoria de nossos antepassados nos levou a uma situação invejada e invejável. Nós temos o Parlamento mais forte do mundo. Temos a mais antigo, a mais famosa, a mais honrada, a mais segura e a mais útil monarquia no mundo. Rei e Parlamento, ambos com segurança e solidez, com base na vontade do povo expressa através de eleições livres e justas sobre o princípio do sufrágio universal.

Comuns, 15 de maio de 1945

Monopólios

Há um sentimento crescente, que compartilho inteiramente, contra a permissão daqueles serviços que estão na natureza de monopólios para passar para mãos privadas.

St Andrew's Hall, Glasgow, 11 de outubro de 1906

Acredito que o monopólio pelo Estado de todos os meios de produção, distribuição e troca seria fatal tanto para nosso bem-estar nacional quanto à nossa liberdade pessoal, já que há muito tempo desfrutamos delas. O custo da administração do Estado retira mais dos trabalhadores do que jamais foi tirado dos lucros das empresas privadas. Não é o interesse dos assalariados ter que lidar com todo o poderoso empregador estatal em vez de ter que lidar com a flexibilidade dos negócios privados. Quando as perdas são feitas sob o presente sistema, estas perdas são suportadas pelos indivíduos que sofreram, arriscando e julgando as coisas de forma errada, enquanto no Estado, todos os prejuízos são trimestrais sobre os contribuintes e a comunidade como um todo. A eliminação do motivo de lucro e do interesse próprio como um guia prático nas inúmeras transações da vida cotidiana irá restringir, paralisar e destruir o engenho britânico, a parcimônia, o artifício e a boa gestão doméstica em todas as etapas de nossa vida e produção, e a vontade de reduzir todas as nossas indústrias de um processo de obtenção de lucro para um processo de obtenção de prejuízo.

Belle Vue, Manchester, 6 de dezembro de 1947

Monstruosidade Alemã

A monstruosa engenharia de poder e tirania alemã tem sido espancada, quebrada, derrotada e superada pela valentia russa no estado geral e na ciência, e tem sido batida em um grau que pode ser mortalmente comprovado.

Mansion House, Londres, 9 de novembro de 1943

Moradia

As casas são construídas de tijolos, argamassa e boa vontade, não de política, preconceitos e despeito.

Cardiff, 8 de fevereiro de 1950

A boa moradia é a primeira dos serviços sociais. Más moradias, fazem mais doenças do que o melhor serviço de saúde pode curar.

Glasgow, 18 de maio de 1951

Morte

Temos que organizar nossas vidas e a vida de nossas cidades baseados em viver sob o fogo e em ter sempre essa adicional - não muito grave - chance de morte adicionada ao caráter precário comum da existência humana.

Comuns, 8 de outubro de 1940

Morte de Soldados

Os soldados devem morrer, mas sua morte nutre a nação que lhes deu seus nascimentos.

Londres, 14 de julho de 1943

Motivos Ulteriores

Havia um costume na China antiga de que todos os que desejassem criticar o governo tinham o direito de homenagear o imperador e, desde que ele cometesse suicídio, muito respeito era pago às suas palavras e nenhum motivo ulterior era atribuído. Isso parece, de muitos pontos de vista, um sábio costume, mas, certamente, seria o último a sugerir que deveria ser feito uma retrospectiva.

Comuns, 12 de novembro de 1941

Motor de Combustão Interna

Não estamos muito longe - não podemos dizer a que distância - de alguma forma de motores de combustão para navios de guerra, de todos os tipos, e os motores de combustão indireta e a utilização de petróleo para gerar vapor dará lugar, no futuro, ao emprego direto da sua própria força explosiva.

Comuns, 26 de março de 1913

Sempre considerei que a substituição do cavalo pelo motor interno de combustão teve um marco muito sombrio no progresso da humanidade.

Comuns, 24 de junho de 1952

Mudança de Opinião

É sempre ruim para um governo mudar de ideia, mas deve fazê-lo de tempos em tempos, por respeito à Câmara dos Comuns e fora da influência que os debates exercem sobre a sua mente coletiva. Mas, o que é pior ainda é mudar de ideia e depois ter que mudá-la novamente. Isso é uma dupla desvantagem e, certamente, devemos evitar isso.

Comuns, 6 de outubro de 1944

Mudar

Mudanças nas pessoas são causadas, de tempos em tempos, pela marcha dos eventos e pelo dever de melhoria contínua. Mudanças nas máquinas são unidas pela experiência e, naturalmente, enquanto vivemos devemos aprender. A mudança é agradável à mente humana e dá satisfação, às vezes, de curta duração para a ardente e ansiosa opinião pública.

Comuns, 29 de julho de 1941

Mulheres

O esforço de guerra não poderia ter sido alcançado se as mulheres não tivessem marchado em milhões e empreendido em todo tipo de tarefas e trabalhos para o qual qualquer outra geração, a não ser a nossa – a menos que você volte para a Idade da Pedra – os teria considerado impróprios; trabalho no campo, trabalho pesado nas fundições e nas lojas, trabalho muito refinado no rádio e instrumentos de precisão, trabalho nos hospitais, trabalho de escritório, de todos os tipos, trabalho em todas as fábricas de munições, trabalho em baterias mistas – tenho um interesse especial por essas sociedades mais notáveis, onde há mais mulheres do que homens e onde estão as armas manuseadas com a máxima habilidade e proficiência. Estas baterias mistas têm salvado dezenas de milhares de homens fortes do emprego estático e os deixado livres para os exércitos de campo e para as baterias móveis. Nada tem sido ressentido e os limites das atividades das mulheres têm sido definitivamente, vastamente e permanentemente ampliado.

The Royal Albert Hall, Londres, 29 de setembro de 1943

Munique

Estamos na presença de um desastre da primeira magnitude que se abateu sobre a Grã-Bretanha e a França. Não nos deixemos cegar por isso. E devem, agora, aceitar que todos os países da Europa Central e Oriental farão os melhores termos que puderem com o poder triunfante nazista. O sistema de alianças na Europa Central, no qual a França tem confiado sua segurança foi varrido e não vejo como pode ser reconstituído.

Comuns, 5 de outubro de 1938

O chanceler do Tesouro [Sir John Simon] disse que foi a primeira vez que Herr Hitler havia sido obrigado a se retrair - acho que era essa a palavra - em qualquer grau. Não devemos, realmente, perder tempo depois de todo este longo debate sobre a diferença entre as posições alcançadas em Berchtesgaden, em Godesberg e em Munique. Elas podem ser simplesmente resumidas se a Casa me permitir uma metáfora. Foi exigida £1 no ponto de vista da pistola. Quando foi dada, foram exigidas £2 na ponta da pistola. Finalmente, o ditador consentiu em levar £1 17 libras. 6d. e o resto em promessas de boa vontade para o futuro.

Comuns, 5 de outubro de 1938

Muitas pessoas, sem dúvida, acreditam honestamente que estão apenas doando os interesses da Tchecoslováquia, ao passo que temo que vamos descobrir que temos profundamente comprometido, e talvez ameaçado, a segurança e até mesmo a independência da Grã-Bretanha e da França. Esta não é apenas uma questão de desistir das colônias alemãs, como estou certo que nos será pedido. Tampouco, se trata apenas de perder influência na Europa. É muito mais profundo do que isso. Você tem que considerar o caráter do movimento nazista e a regra que ele implica.

Comuns, 5 de outubro de 1938

Não suponha que este seja o fim. Este é apenas o início do cálculo. Este é apenas o primeiro gole, a primeira amostra de um copo amargo que nos será oferecido anualmente, a menos que, por uma suprema recuperação de saúde moral e vigor marcial, nós nos levantemos novamente e tomemos nossa posição para liberdade, como nos velhos tempos.

Comuns, 5 de outubro de 1938

Não guardo rancor ao nosso povo leal, corajoso, que estava pronto para fazer o seu dever e que nunca vacilou sob a tensão da semana passada - não lhes guardo rancor pela explosão natural e espontânea de alegria e alívio quando souberam que a dura provação não lhes será exigida no momento; mas eles devem saber a verdade. Eles devem saber que houve negligência grosseira e deficiência em nossas defesas; eles devem saber que sofremos uma derrota sem guerra, cujas consequências nos acompanharão em nosso caminho; eles devem saber que passamos por um marco terrível em nossa história, quando todo o equilíbrio da Europa foi desfeito e as terríveis palavras têm sido pronunciadas contra as democracias ocidentais: "Tu pesaste na balança e achaste falta".

Comuns, 5 de outubro de 1938

Mussolini

Italianos, lhes direi a verdade. Tudo isso por causa de um homem. Um homem sozinho que tocou o povo italiano em uma luta mortal contra o Império Britânico e privou a Itália da simpatia e intimidade dos Estados Unidos da América. Que ele é um grande homem não posso negar, mas o fato de que, após 18 anos de poder desenfreado, liderou seu país à horrível beira da ruína não pode ser negado por ninguém. É um homem que, contra a Coroa e a Família Real da Itália, contra o Papa e todas as autoridades do Vaticano e da Igreja Católica Romana, contra a vontade do povo italiano, que não tinha desejo desta guerra, reuniu os fiduciários e herdeiros da Roma antiga sobre o lado dos ferozes bárbaros pagãos.

Londres, 23 de dezembro de 1940

A campanha de sucesso na Sicília trouxe a queda de Mussolini e o repúdio sincero do povo italiano ao credo fascista. Mussolini escapou, de fato, para comer o pão da aflição na mesa de Hitler, para atirar em seu genro, ajudar os alemães a vingar as massas italianas que tinham professado amar e sobre as quais ele tinha governado por mais de 20 anos. Este destino e julgamento, mais terrível que a morte, superou o ditador vaidoso que esfaqueou a França pelas costas e pensava que seu crime lhe havia rendido o império do Mediterrâneo.

Londres, 26 de março de 1944

A ANTIGA ATENAS

dominou uma tribo no Peloponeso

e quando eles haviam hostilizado o exército, em uma praia nua para abate, eles os colocam livre e disseram: "Isto não foi porque eram homens; isso foi feito por causa da natureza do homem".

Commons, 18 de janeiro de 1945

Nacionalidades

Ao lidar com nacionalidades, nada é mais fatal do que uma evasão. Os erros serão perdoados, sofrimentos e perdas serão perdoados ou esquecidos, as batalhas serão lembradas apenas quando recordam as virtudes marciais dos combatentes; mas qualquer coisa como chicane, qualquer coisa como um truque, sempre será classificado.

Comuns, 5 de abril de 1906

Nacionalismo

Onde o nacionalismo significa o desejo de orgulho e poder, a loucura por suprema dominação por peso ou força; onde está o desejo insensato de ser o maior do mundo, há um perigo e um vício. Onde há amor ao país e prontidão para morrer por ele, significa que há amor à tradição e à cultura. A construção gradual, ao longo dos séculos, de uma entidade social dignificada pela nacionalidade, então, é a primeira das virtudes.

Estados Gerais da Holanda, Haia, 9 de maio de 1946

Nacionalização

A nacionalização da indústria é a desgraça do sindicalismo.

Blackpool, 14 de outubro de 1950

Nações de Língua Inglesa

Eu gostaria de definir que as grandes nações de língua inglesa trabalhem juntas em majestade, em liberdade e em paz. O caminho está aberto.

Comuns, 15 de fevereiro de 1911

Nações Unidas

Uma falha, um crime, um único crime, pode roubar das Nações Unidas e do povo britânico, em cuja constância esta grande aliança se tornou, a vitória da qual dependem suas vidas e honra. Um enfraquecimento em nosso propósito e, portanto, em nossa unidade – seria um crime mortal. A respeito de quem quer que seja culpado por esse crime ou por provocá-lo em outros, deve-se dizer que era melhor que uma pedra fosse amarrada em seu pescoço e fosse lançado ao mar.

Londres, 15 de fevereiro de 1942

NATUREZA

Nada a Temer

Temos os meios e temos a oportunidade de organizar toda uma vasta força do Império Britânico, da Pátria Mãe e direcioná-las, de forma firme e inabalável, para o cumprimento de nosso propósito, de reivindicação de nossa causa, para cada um e para todos, como na Marinha Real, a palavra de ordem deveria ser: "Continue e não tema nada."

Comuns, 6 de dezembro de 1939

Não!

Alexandre, o Grande, observou que o povo da Ásia era escravo porque não tinha aprendido a pronunciar a palavra "não". Que isso não seja o epitáfio dos povos de língua inglesa ou da democracia parlamentar, da França ou dos muitos liberais sobreviventes dos Estados da Europa.

Londres, 16 de outubro de 1938

Napoleão

Alguns compararam as conquistas de Hitler com as de Napoleão. Pode ser que a Espanha e a Rússia, em breve, fornecerão novos capítulos a esse tema. Deve-se lembrar, entretanto, que os exércitos de Napoleão carregavam com os ventos ferozes, libertadores e igualitários da Revolução Francesa, enquanto o império de Hitler não tem nada além de autoafirmação racial, espionagem, pilhagem, corrupção e a bota prussiana.

Comuns, 7 de maio de 1941

Natureza

O homem, neste momento de sua história, emergiu em maior supremacia sobre as forças da natureza do que jamais se sonhou. Ele tem isso em seu poder para resolver com bastante facilidade os problemas da existência material. Ele conquistou os animais selvagens e até conquistou os insetos e o micróbios. Diante dele está, como deseja, uma era dourada de paz e progresso. Tudo está em suas mãos. Ele só tem que conquistar seu último e pior inimigo - ele mesmo. Com visão, fé e coragem pode estar ao nosso alcance conquistar uma vitória coroada para todos.

Comuns, 28 de março de 1950

Natureza do Homem

Li em algum lugar que, quando os atenienses antigos, em uma ocasião, dominaram uma tribo no Peloponeso que lhes havia feito grandes lesões, meios traiçoeiros e quando tinham o exército hostil reunidos em uma praia para o abate, os perdoaram, os puseram livres e disseram: "Isso não era porque eram homens; foi feito por causa da natureza do homem".

Comuns, 18 de janeiro de 1945

Navios de Guerra

Sempre acreditamos, antes da guerra, que os navios nunca poderiam ser afundados sem o nosso conhecimento. Os alemães tinham o direito de construir navios de 10.000 toneladas de acordo com o Tratado, mas eles, por uma ocultação que o Ministério da Marinha foi totalmente incapaz de perceber, converteram-nos em navios de 26.000 toneladas. Vamos ter cuidado quando virmos todos esses incidentes extremamente desconfortáveis ocorrendo.

Comuns, 22 de julho de 1935

O poder ofensivo dos navios de guerra modernos é completamente desproporcional ao seu poder defensivo. Nunca a desproporção foi tão gritante. Se você quiser criar uma imagem verdadeira em sua mente de uma batalha entre dois grandes modernos navios robustos, não deve pensar nisso como se fossem dois homens de armadura a atacar um ao outro com espadas pesadas. É mais como uma batalha entre duas cascas de ovos a baterem uma na outra com martelos.

Comuns, 17 de março de 1914

Navios Franceses

Durante a última quinzena, a marinha britânica, além de bloquear o que foi deixado da frota alemã e perseguir a frota italiana, impôs sobre isso o triste dever de colocar, fora de ação, pelo tempo de guerra, os navios capitais da marinha francesa. Estes, sob os termos do Armistício, **assinados no vagão ferroviário de Compiègne**, teriam sido colocados dentro do poder da Alemanha. A transferência destes navios para Hitler teria colocado em risco a segurança tanto da Grã-Bretanha quanto dos Estados Unidos. Nós, portanto, não tivemos escolha a não ser agir como agimos e agir imediatamente. Nossa dolorosa tarefa, agora, está completa. Embora o inacabado navio de guerra Jean Bart ainda descanse em um porto marroquino e há um número de navios de guerra franceses em Toulon e em vários portos franceses, em todos os países do mundo, estes não estão em condições de desvirtuar a nossa preponderância de poder naval. Enquanto, portanto, não há tentativa de retornar aos portos controlados pela Alemanha ou Itália, não devemos molestá-los de qualquer maneira. Essa fase melancólica em nossas relações com a França, no que nos diz respeito, chegou ao fim.

Comuns, 14 de julho de 1940

Negociação Coletiva

Apoiamos os princípios das negociações coletivas entre reconhecidos e responsáveis sindicatos e empregadores, e incluímos em negociações coletivas o direito de greve. Eles [os sindicatos] têm um grande papel a desempenhar na vida do país e achamos que devem manter-se afastados das políticas partidárias.

Congresso Sindical Conservador, Londres, 13 de outubro de 1949

Negociações com a Alemanha

Quando somos perguntados se vamos agarrar a mão de amizade alemã, acho que devemos responder: "Sim", mas, ao mesmo tempo, querem saber o que acontece depois disso. Muitas vezes, quando estas conversas começam a correr, parece que os alemães querem que a paz e a boa vontade sejam traduzidas em tangíveis e sólidos benefícios imediatos para si mesmos. Muitas vezes, é sugerido que devemos prometer fazer algo ou o que é, talvez, ainda mais difícil, aguardar e ver algo ou outro feito que pode não ser desejável. Quando as conversas chegam a esse ponto, eles ficam parados e envergonhados.

Comuns, 21 de dezembro de 1937

Neutralidade

Uma das coisas mais extraordinárias que já conheci em minha experiência é a forma como as ilegalidades alemãs, atrocidades e brutalidades estão sendo aceitas como se fizessem parte das condições de guerra do dia a dia. Porque, senhor, a imprensa neutra faz mais barulho quando faço um discurso dizendo-lhes qual é o seu dever do que quando centenas de seus navios são afundados e muitos milhares de seus marinheiros são afogados ou assassinados, pois essa é a palavra certa, no mar aberto. Aparentemente, de acordo com a doutrina atual de neutralidade dos estados, fortemente endossada pelo governo alemão, a Alemanha vai ganhar um conjunto de vantagens ao quebrar todas as regras, cometer faltas ultrajantes sobre os mares e, depois, continuar e ganhar outro conjunto de vantagens insistindo, sempre que lhe convém, na interpretação mais estrita do Código Internacional que ela rasgou em pedaços. Não é, de modo algum, estranho que o governo de Sua Majestade esteja ficando bastante cansado disso. Eu mesmo estou ficando um pouco cansado.

Comuns, 27 de fevereiro de 1940

Ainda ontem, enquanto os marinheiros de um submarino britânico transportavam em terra, em macas, oito holandeses emaciados que haviam sido resgatados de seis dias de exposição em um barco aberto, aviadores holandeses na Holanda, em nome de uma neutralidade estrita e imparcial, estavam derrubando uma aeronave britânica que havia perdido seu caminho. Eu não censuro os holandeses, nossos valentes aliados de séculos passados; meu coração se dirige a eles em seu perigo e angústia, morando na jaula com o tigre. Mas, quando pedimos para tomar como questão de curso, interpretações de neutralidade, que dão todas as vantagens para o agressor e infligi todas as desvantagens dos defensores da liberdade, lembro-me de um ditado do falecido Lord Balfour: "Este é um mundo singularmente mal-educado, mas não tão mal-educado quanto isso".

Londres, 30 de março de 1940

Eles [as nações neutras] se curvam humildemente e com medo das ameaças alemãs de violência, consolando-se, entretanto, com o pensamento de que os aliados vencerão, que a Grã-Bretanha e a França observarão rigorosamente todas as leis e convenções, e que as violações destas leis só são de esperar do lado alemão. Cada um espera que, se alimentar o crocodilo o suficiente, o crocodilo vai comê-lo por último. Todos eles esperam que a tempestade passe antes da sua vez de ser devorado. Mas, temo - temo muito - a tempestade não passará. Vai se enfurecer e vai rugir, cada vez mais alto, cada vez mais amplamente. Ela se espalhará para o sul; ela se espalhará para o norte. Não há possibilidade de um fim rápido, exceto através de uma ação conjunta; e se, a qualquer momento, a Grã-Bretanha e a França, cansadas da luta, fizessem uma vergonhosa paz, nada restaria dos estados menores da Europa com seus transportes e seus pertences, mas seriam divididos entre os opostos, embora semelhantes, barbarismos do nazismo e do bolchevismo.

Londres, 20 de janeiro de 1940

Neville Chamberlain

Ele era, como seu pai e seu irmão Austen, antes dele, um famoso membro da Câmara dos Comuns e nós estamos aqui, reunidos esta manhã, membros de todos os partidos, sem uma única exceção, para sentir que fizemos e honramos nosso país em saudar a memória de alguém que Disraeli chamaria de um "digno inglês."

Comuns, 12 de novembro de 1940

Coube a Neville Chamberlain, em uma das crises supremas do mundo, ser contrariado pelos acontecimentos, decepcionado com suas esperanças, ludibriado e defraudado por um homem mau. Mas, quais eram esses desejos em que estava frustrado? Qual foi a fé que foi abusada? Eles estavam, certamente, entre os instintos mais nobres e benevolentes do coração humano – o amor pela paz, a labuta pela paz, a luta pela paz, a busca da paz, mesmo em grande perigo e, certamente, para o total desdém de popularidade ou clamor. Tudo que a história pode ou não dizer sobre esses terríveis enormes anos, podemos ter certeza de que Neville Chamberlain agiu com a perfeita sinceridade, de acordo com suas luzes e se esforçou ao máximo de sua capacidade e autoridade, que eram poderosos, para salvar o mundo da luta terrível e devastadora na qual estamos, agora, envolvidos. Isso, por si só, o deixará em boa posição no que diz respeito ao veredicto da história.

Comuns, 12 de novembro de 1940

Niágara

> A gravidade da situação geral não é, de forma alguma, diminuída pelo fato de que se tornou menos excitante do que era há duas ou três semanas. Quando você estiver descendo pela corrente do Niágara, pode facilmente acontecer que, de tempos em tempos, você se depare com um período bastante calmo nas águas, ou que uma curva no rio ou uma mudança no vento possa fazer os ruídos das quedas parecerem muito mais distantes; mas seu perigo e sua preocupação não são, de forma alguma, afetados por isso.
>
> *Comuns, 6 de abril de 1936*

Normandia

É o que espero e é, também, o desejo do General Eisenhower que a batalha pela Normandia seja vista como um todo e como um único conjunto de operações conduzidas por uma força aliada, unida em fraternidade e entremeada de todas as maneiras que possam parecer convenientes. Mas isto, certamente, não deve impedir que a Câmara dos Comuns britânica expresse sua admiração pelas esplêndidas e espetaculares vitórias conquistadas pelas tropas dos Estados Unidos sob o comando do General Bradley, tanto em Cherbourg como na marcha para o sul, como um galope pela península. Os alemães, certamente, tiveram oportunidades notáveis de revisar a estimativa zombeteira e insultuosa que colocaram sobre o valor militar do exército americano na época em que declararam guerra contra a grande república.

Comuns, 2 de agosto de 1944

Esta vasta operação é, sem dúvida, a mais complicada e difícil que já teve lugar. Envolve marés, ventos, ondas, visibilidade, ambos do ponto de vista aéreo e marítimo, e o emprego combinado de forças terrestres, aéreas e marítimas no mais alto grau de intimidade e em contato com condições que não poderiam e não podem ser totalmente previstas.

Comuns, 6 de junho de 1944

Noruega

Devo dizer uma palavra sobre a Noruega. Temos a mais profunda simpatia com o povo norueguês. Nós entendemos o terrível dilema em que foram colocados. Seus sentimentos, como os de todos os outros pequenos países, estavam com os Aliados. Eles escreveram em impotente raiva enquanto dezenas de seus navios foram afundados e muitas centenas de seus marinheiros morreram cruelmente afogados. Eles perceberam plenamente que sua futura independência e liberdade estão ligadas à vitória dos Aliados. Mas, o sentimento de impotência nas garras impiedosas da ira nazista os fez ter esperança contra a esperança até o último momento de que, pelo menos, seu solo e suas cidades não seriam poluídos pelo atropelamento da Alemanha com suas colunas de marcha ou suas liberdades, e seu sustento roubado por tiranos estrangeiros. Mas, esta esperança tem sido em vão. Outro ultraje violento foi perpetrado pela Alemanha nazista contra um poder pequeno amigável e o governo e o povo noruegueses estão hoje em armas para defender seus lares e suas casas.

Comuns, 11 de abril de 1940

Nova Era

O maravilhoso século que se seguiu à Batalha de Waterloo e à queda da dominação napoleônica, que garantiu a esta pequena ilha tão longo e tão resplandecente reinado, terminou. Chegamos a um novo tempo. Vamos perceber isso. E com esse novo tempo, métodos estranhos, enormes forças, combinações maiores - um mundo Titanic - surgiram ao nosso redor. Os fundamentos de nosso poder estão mudando. Ficar parado seria cair; cair seria perecer. Devemos seguir em frente. Nós iremos adiante. Nós seguiremos para um modo de vida mais seriamente visto, mais cientificamente organizado, mais conscientemente nacional do que qualquer outro que tenhamos conhecido. Assim, só seremos capazes de sustentar e renovar através das gerações que estão por vir, a fama e o poder da raça britânica.

Free Trade Hall, Manchester, 23 de maio de 1909

Nova Ordem Mundial

Cicatrizados e armados com a experiência, pretendemos tomar melhores medidas, desta vez, do que jamais poderia ter sido concebido anteriormente, a fim de impedir uma renovação na vida dos nossos filhos ou de nossos netos da horrível destruição dos valores humanos que tem marcado a últimas e as atuais guerras mundiais. Pretendemos estabelecer uma ordem mundial e organização equipadas com todos os atributos de potência necessários para evitar a eclosão de futuras guerras ou o longo planejamento das mesmas por nações inquietas e ambiciosas.

Comuns, 24 de maio de 1944

Nova Riqueza

A produção de novas riquezas deve preceder a riqueza comum, caso contrário, só haverá pobreza comum.

Comuns, 16 de agosto de 1945

Nozes

Exceto por nossos serviços de combate, temos sido, em grande parte, levados a uma grande variedade desde o carnívoro até o herbívoro. Isso pode ser bastante satisfatório para os cientistas dietéticos que gostariam de fazer todos nós vivermos de nozes, mas, sem dúvida, produziu e está produzindo um efeito muito definido sobre a produção energética do trabalhador pesado.

Comuns, 29 de julho de 1941

O

AS PESSOAS BRITÂNICAS SÃO BOAS EM TUDO.

Você pode testá-las como se colocasse um balde dentro do mar e sempre encontrar sal.

A genialidade de nosso povo brota de cada classe e de cada parte da terra.

Londres, 13 de junho de 1945

O Abismo

Há cinco anos, tenho conversado com a Casa sobre esses assuntos - não com muito sucesso. Tenho visto esta famosa ilha descendo, incontinentemente, irresponsavelmente, a escada que leva a um abismo escuro. É uma bela escada larga no início, mas, depois de um pouco, o tapete acaba. Um pouco mais adiante, só há lajes e, um pouco mais adiante ainda, estas quebram sob seus pés.

Comuns, 24 de março de 1938

O Auge do Poder

Os Estados Unidos se encontram, neste momento, no auge da potência mundial. É um momento solene para a democracia americana. Pois, com primazia, o poder também está unido a uma responsabilidade imponente para com o futuro. Se você olhar ao redor, deve sentir não apenas o senso de dever cumprido, mas, também, deve sentir ansiedade para não cair abaixo do nível de realização.

Westminster College, Fulton, Missouri, 5 de março de 1946

O Avião Saqueador

Eu me pergunto por que a Liga das Nações, em Genebra, não oferece um enorme prêmio monetário para incitar inventores de todos os países a descobrir métodos de derrubar o avião saqueador.

Comuns, 7 de junho de 1935

O Brilho da Vitória

O intenso brilho pegou os capacetes dos nossos soldados, aqueceu e aplaudiu todos os nossos corações.

Londres, 10 de novembro de 1942

O Dia Temido

Temo o dia em que os meios de ameaçar o coração do Império Britânico passaria para as mãos dos atuais governantes da Alemanha. Eu acho que deveríamos estar em uma posição que seria odiosa para todo homem que valoriza a liberdade de ação e independência, também, em uma posição de perigo extremo para a nossa população pacífica e aglomerada, engajada na labuta diária. Temo esse dia que, talvez, não esteja muito distante.

Comuns, 8 de março de 1934

O Fim do Começo
A luta entre os britânicos e os alemães foi intensa e feroz ao extremo. Foi uma luta mortal. Os alemães foram superados e derrotados com os mesmos tipos de armas com as quais eles abateram tantos povos pequenos e grandes povos despreparados. Eles foram surrados pelo aparato técnico com o qual contavam para ganhar o domínio do mundo. Isso é especialmente verdade no ar, nos tanques e na artilharia, que voltaram por conta própria do campo de batalha. Os alemães voltaram a receber essa medida de fogo e aço que eles, tantas vezes, ofereceram aos outros.

Mansion House, Londres, 10 de novembro de 1942

O Forte

> É melhor, para os fortes, ajudar os fracos do que para os fracos atrapalhar os fortes.
>
> *Huddersfield, 15 de outubro de 1951*

O Inglês
Somos, ao mesmo tempo, mais experientes e mais verdadeiramente unidos do que qualquer outra pessoa no mundo.

Royal Society of St George, Londres, 24 de abril de 1933

O Inimigo
Os britânicos e americanos não fazem guerra com as raças ou com os governos como tal. A tirania, externa ou interna, é nosso inimigo, quaisquer que sejam as armadilhas e os disfarces que veste, seja qual for a língua que fala ou perverte.

Dorchester Hotel, Londres, 4 de julho de 1953

O Nazismo na Europa

Não podemos nos dar ao luxo de ver a dominância nazista em sua fase atual de crueldade e intolerância, com todos os seus ódios e todas as suas armas cintilantes, primordialmente na Europa.

Comuns, 24 de outubro de 1935

O Novo Século

As vantagens do século XIX, a era literária, têm sido, em grande parte, afastadas por este terrível século XX, com toda a sua confusão e exaustão da humanidade.

Universidade de Londres, 18 de novembro de 1948

O Orador

O orador representa e encarna o espírito da Casa dos Comuns; esse espírito, que se transportou para tantas terras e climas, para países muito fora de nossa esfera, é uma das glórias brilhantes e duradouras dos britânicos e, de uma forma especial, a mensagem inglesa para o mundo.

Comuns, 15 de novembro de 1951

O Parlamento em Guerra

Durante os últimos 250 anos, o parlamento britânico tem travado várias grandes e longas guerras europeias com um zelo insaciável e tenacidade, e levado todas elas a uma conclusão bem-sucedida. Nesta guerra, estão lutando não apenas por si mesmos, mas pelas instituições parlamentares onde quer que tenham sido criadas em todo o mundo.

Free Trade Hall, Manchester, 27 de janeiro de 1940

O Pequeno Povo

Minha esperança é que os generosos instintos de unidade não se afastem de nós...[para que nós] tornemos a presa dos pequenos povos que existem em cada país e que brincam, ao lado do carro de guerra Juggernaut, para ver quanta diversão ou notoriedade podem extrair do processo.

Comuns, 22 de fevereiro de 1944.

O Pior dos Dois Mundos

Há algo a ser dito para o isolamento; há algo a ser dito para as alianças. Mas, não há nada a ser dito para enfraquecer o poder no continente com quem você estaria em aliança e, então, envolvendo-se ainda mais nos emaranhados continentais a fim de levar isso até eles. Dessa forma, você não tem nem uma coisa, nem outra; você tem o pior dos dois mundos.

Comuns, 14 de março de 1934

O Rico

É muito fácil para os ricos pregarem as virtudes da autoconfiança para o pobre. É, também, muito tolo porque, na verdade, os ricos estão longe de serem autossuficientes, são dependentes da atenção constante de, às vezes, até centenas de pessoas que estão empregadas por eles e ministrando seus desejos.

Norwich, 26 de julho de 1909

O Último Prêmio

Se permanecer na vida pública, neste momento, é porque, certamente ou erroneamente, mas sinceramente, acredito que posso ser capaz de fazer uma importante contribuição para a prevenção de uma terceira guerra mundial e para a aproximação daquele acordo de paz duradouro que as massas dos povos de cada raça e em todas as terras, ardentemente, desejam. Rezo para que possa ter esta oportunidade. É o último prêmio que procuro ganhar. Fui abençoado com muita sorte ao longo de minha longa vida e sou tratado com muita gentileza por parte de meus compatriotas muito além das fileiras do partido, nos Estados Unidos e na Europa, que todos os devaneios da minha juventude foram superados.

Plymouth, 23 de outubro de 1951

Se ficar, por enquanto, carregando o fardo da minha idade, não é por causa do amor ao poder ou ao cargo. Tive um amplo banquete de ambos. Se ficar, é porque tenho a sensação de que posso, através de coisas que têm acontecido, ter uma influência sobre o que me importa, acima de tudo – a construção de uma paz segura e duradoura.

Margate, 10 de outubro de 1953

Objetivo

Temos apenas um objetivo e um único e irrevogável propósito. Estamos resolvidos a destruir Hitler e todos os vestígios do regime nazista. Nada irá nos desviar disso - nada. Nunca negociaremos com Hitler ou qualquer membro de sua gangue. Vamos combatê-lo por terra, por mar, lutaremos contra ele no ar, até que, com a ajuda de Deus, tenhamos livrado a terra de sua sombra e libertado seus povos de seu jugo. Qualquer homem ou Estado que luta contra a dominância nazista terá nossa ajuda. Qualquer homem ou Estado que marcha com Hitler é nosso inimigo.

Londres, 22 de junho de 1941

Objetivos de Guerra

Palavras impensadas, diletantes ou cegas, às vezes, nos perguntam: "Pelo o que a Grã-Bretanha e a França estão lutando?". A isto respondo: "Se nós saíssemos da luta você logo descobriria".

BBC, 30 de março de 1940

Eu tenho, como a Casa sabe, até agora, depreciado consistentemente a formulação de objetivos de paz ou objetivos de guerra - como vocês colocam – pelo Governo da Sua Majestade, nesta fase, deprecio isto quando o fim da guerra não está à vista, quando o conflito se agita de um lado para o outro e quando as condições e associações no final da guerra são imprevisíveis.

Comuns, 9 de setembro de 1941

Não buscamos lucro, não cobiçamos território ou engrandecimento. Nós não esperamos recompensas e não aceitaremos nenhum compromisso. É com base nisso que queremos ser julgados, primeiro em nossas próprias consciências e, depois, pela posteridade.

Comuns, 8 de junho de 1943

Há apenas uma coisa certa sobre a guerra, que está cheia de decepções e, também, cheia de erros.

Londres, 27 de abril de 1941

A guerra é muito cruel. Continua por muito tempo.
Comuns, 14 de abril de 1937

A guerra nunca paga seus dividendos em dinheiro sobre o dinheiro que custa.
Comuns, 17 de julho de 1901

Duas vezes, os Estados Unidos tiveram que enviar vários milhões de seus jovens para o outro lado do Atlântico para encontrar a guerra; mas, agora, a guerra pode encontrar qualquer nação, onde quer que se habite, entre o crepúsculo e o amanhecer.
Westminster College, Fulton, Missouri, 5 de março de 1946

A guerra é uma escola difícil, mas os britânicos, uma vez compelidos a ir para lá, são alunos atenciosos.
Comuns, 2 de agosto de 1944.

As guerras vêm muito de repente. Eu vivi um período em que se olhava para frente, como fazemos agora, com ansiedade e incerteza sobre o que pode acontecer no futuro. De repente, algo aconteceu - tremendo, rápido, superpotente, irresistível.
Comuns, 7 de fevereiro de 1934

Obrigações
Há duas obrigações supremas que descansam sobre um governo britânico. Elas são de igual valor e importância. Uma delas é lutar para evitar uma guerra, a outra é estar pronto se a guerra vier.
City Carlton Club, Londres, 28 de junho de 1939

Ódio

O ódio não é um bom guia na vida pública ou privada. Tenho certeza de que o ódio, a guerra de classes e a vingança nacional são os luxos mais caros em que qualquer um pode se entregar.

Comuns, 24 de abril de 1950

O ódio é um mau guia. Eu nunca me considerei um bom odiador, embora reconheça que, de momento em momento, tenho acrescentado estímulos à combatividade.

Comuns, 6 de novembro de 1950

Ódio da Alemanha

Não será por mãos alemãs que a estrutura da Europa será reconstruída ou a união da família europeia alcançada. Todos os países em que os exércitos alemães e a polícia nazista invadiram, brotou do solo um ódio ao nome alemão e um desprezo pelo credo nazista que a passagem de centenas de anos não apagará da memória humana. Ainda não podemos ver como a libertação virá. Ou quando virá, mas nada é mais certo do que o fato de que cada traço dos passos de Hitler, cada mancha de seus dedos infectados e corroídos, será apagada e purgada. E, se necessário, banida da superfície da terra.

St James's Palace, Londres, 12 de junho de 1941

Ódio de Classe

Sempre houve homens de poder e posição que se sacrificaram e se esforçaram na causa popular; é por isso que há tão pouco ódio de classe aqui, apesar de toda a esqualidez e miséria que vemos ao nosso redor.

Kinnaird Hall, Dundee, 14 de maio de 1908

Oferta Única
Eu diria à Câmara, como disse àqueles que se juntaram a este governo: "Não tenho nada a oferecer além de sangue, labuta, lágrimas e suor".

Comuns, 13 de maio de 1940

Oficialidade
O trabalho diário do produtor real não terá um peso maior de encargos impostos a ele pelas enormes hordas de desinteressados e por funcionários públicos que pouco sabem a respeito da gestão privada? E esses funcionários não serão menos eficientes, mais caros e muito mais ditatoriais do que os empregadores privados?

Ayr, 16 de maio de 1947

Oitavo Exército
O Exército do Deserto é o produto de três anos de tentativas e erros, do aperfeiçoamento contínuo dos transportes, comunicações, suprimentos e sinais, do rápido avanço dos aeródromos e afins.

Comuns, 11 de fevereiro de 1943

Operação de Pouso
É completamente impossível para aqueles que não conhecem os fatos e os números da assembleia americana na Grã-Bretanha, ou de nossos próprios poderosos expedicionários exércitos que agora se preparam aqui, que não conhecem as disposições do inimigo nas diversas frentes, que não podem medir suas reservas e seu poder de transferir grandes forças de uma frente para outra sobre o vasto sistema ferroviário da Europa, que não conhecem o estado e as dimensões de nossas frotas e embarcações de desembarque de todos os tipos – e isto deve ser proporcional ao trabalho que têm que fazer - que não sabem como se realizam os processos reais de um desembarque, ou quais são os passos necessários para construí-lo, ou o que tem que ser pensado de antemão em relação ao que o inimigo pode fazer em dias ou semanas - é impossível para aqueles que não conhecem os fatos, que são os estudos de centenas de oficiais habilidosos dia após dia e mês após mês, pronunciar um opinião útil sobre essa operação.

Comuns, 21 de setembro de 1943

Operações Anfíbias

Todas as grandes operações anfíbias, especialmente as que exigirem a cooperação de dois ou mais países, demandam longos meses de organização, com refinamentos e complexidades, até então, desconhecidos na guerra. Atitudes impulsivas, desejos impacientes e flashes repentinos de instinto militar não podem acelerar o curso dos eventos.

Guildhall, Londres, 30 de junho de 1943

Opiniões

É curioso que, enquanto na minha juventude era muito criticado com incoerência e sendo mutável, agora, sou repreendido por aderir aos mesmos pontos de vista que tinha no início da minha vida e até por repetir passagens de discursos que fiz muito antes do nascimento da maioria de vocês. É claro que o mundo avança e vivemos em um clima de constante mudança de opinião. Mas, os grandes princípios e verdades de uma política sábia são ações que não se alteram, necessariamente, com as mudanças de humor de um eleitorado democrático. Nem tudo muda. Dois e dois ainda fazem quatro e poderia lhes dar muitos outros exemplos que vão provar que toda sabedoria não é nova.

Belle Vue, Manchester, 6 de dezembro de 1947

Oportunidade

O povo britânico é bom em todos os aspectos. Você pode testá-lo como colocar um balde no mar e sempre encontrar sal. A genialidade de nossas pessoas brota de todas as classes e de todas as partes da terra. Você não pode dizer onde não vai encontrar uma maravilha. O herói, o lutador, o poeta, o mestre da ciência, o organizador, o artista, o engenheiro, o administrador ou o jurista - pode vir a ganhar fama. Igual oportunidade para todos, sob instituições livres e leis iguais - há uma bandeira para a qual lutaremos contra todos os carimbos de borracha das burocracias ou ditaduras.

Londres, 13 de junho de 1945

Como devemos estar orgulhosos, tanto jovens como velhos, de viver nesta tremenda, emocionante e formativa época na história humana, e como, felizmente, foi para o mundo que quando estas grandes provações se depararam

havia uma geração que o terror não podia vencer e a violência brutal não podia escravizar. Que todos os que estão aqui se lembrem, como as palavras do hino que acabamos de cantar sugerem, que estamos no palco da história e que, seja qual for nossa estação, qualquer que seja o papel que tenhamos de desempenhar, grande ou pequeno, nossa conduta é passível de ser escrutinada não apenas pela história, mas por nossos próprios descendentes. Elevemo-nos ao nível de nosso dever, de nossa oportunidade e agradeçamos a Deus pelas recompensas espirituais que Ele concedeu para todas as formas de serviço corajoso e fiel.
Universidade de Harvard, 6 de setembro de 1943

Oportunidades

> Com oportunidades, vem responsabilidade. A força é concedida a todos quando somos necessários para servir a grandes causas.
> *Nova York, 15 de março de 1946*

Oposição

Ninguém deve ser dissuadido, em tempo de guerra, a cumprir seu dever apenas pelo fato de que ele votará contra o governo e, ainda menos, porque os reguladores dos partidos estão agindo como escrutinadores.
Comuns, 29 de julho de 1941

Ninguém precisa ser de falinhas mansas no debate e ninguém deve ser covarde na votação. Eu votei contra governos para os quais fui eleito para apoiar e, olhando para trás, às vezes, me senti muito feliz por ter feito isso. Todos, nestes tempos difíceis, devem fazer o que pensam ser seu dever.
Comuns, 27 de janeiro de 1942

Opositores

O espetáculo de vários cavalheiros de meia-idade, que são meus opositores políticos, em um estado de tumulto e fúria é realmente bastante eufórico para mim.

Comuns, 21 de maio de 1952

Oriente Médio

No Oriente Médio, você tem países áridos. Na África Oriental, você tem países encharcados. Há uma dificuldade para conseguir que algo cresça num lugar e maior dificuldade para evitar que as coisas sufoquem e o sufoquem por seu crescimento apressado no outro. Nas colônias Africanas há uma população dócil e tratável, que só precisa ser bem e sabiamente tratada para desenvolver grande capacidade e utilidade econômica; enquanto as regiões do Oriente Médio são indevidamente abastecidas com políticos e teólogos apimentados, pugnazes e orgulhosos, que por acaso são, ao mesmo tempo, extremamente bem armados e extremamente exigentes.

Comuns, 14 de julho de 1921

Os Alemães

Eles combinam, da maneira mais mortífera, as qualidades dos guerreiros e dos escravos. Eles não valorizam a liberdade em si, e o espetáculo disso, em outros, é odioso para eles. Sempre que se tornam fortes, procuram a sua presa e vão seguir com disciplina qualquer um que os conduza a ela.

Comuns, 21 de setembro de 1943

Quem luta contra os alemães, luta contra um inimigo teimoso e engenhoso, um inimigo digno, em todos os sentidos, da desgraça preparada por eles.
Comuns, 11 de dezembro de 1941

Não guardo rancor; não tenho preconceitos contra o povo alemão. Eu tenho muitos amigos alemães e tenho uma viva admiração por suas esplêndidas qualidades de intelecto e valentia, por suas conquistas na ciência e na arte. A reentrada no círculo europeu de uma Alemanha em paz, com um coração desprovido de ódio, seria o benefício mais precioso pelo que poderíamos lutar e uma vantagem suprema que libertaria a Europa de seu perigo e de seu medo. Acredito que os britânicos e as democracias francesas percorreriam um longo caminho ao estender a mão de amizade para realizar tal esperança.
Comuns, 24 de outubro de 1935

Os Britânicos

> Eles [os britânicos] são as únicas pessoas que gostam de dizer como as coisas estão ruins – que gostam de ser informados do pior.
> *Comuns, 10 de junho de 1941*

Ando pelo país sempre que posso escapar do meu dever na matriz por algumas horas ou por um dia e vejo o dano feito pelos ataques inimigos; mas, também vejo, lado a lado com a devastação e em meio às ruínas, olhos quietos, confiantes, brilhantes, sorridentes, radiantes com uma consciência de estar associados a uma causa muito maior e mais ampla do que qualquer humano ou questão pessoal. Vejo o espírito de um povo invencível. Vejo um espírito criado em liberdade, amamentado em uma tradição que veio até nós através dos séculos e que, certamente neste momento, neste ponto de virada na história do mundo, permitir-nos suportar nossa parte de tal forma que nenhum de nossa raça, que virá depois de nós, terá qualquer razão para lançar censura em seus senhores.

Universidade de Bristol, 12 de abril de 1941

Os Franceses Lutadores

Os alemães, pela sua opressão, em breve, conseguirão de nós a unidade da França Metropolitana. Essa unidade, agora, só pode assumir uma forma antialemã. Em tal movimento, o espírito dos franceses lutadores deve ser contínuo e ascendente. A recompensa deles voltará para casa na maré. Devemos tentar que se faça um arranjo de trabalho o mais rápido possível e, em última análise, uma consolidação entre todos os franceses fora do poder alemão. O caráter e a constituição do Governo do Almirante Darlan devem ser continuamente modificados pela introdução de novos elementos e, a partir do nosso ponto de vista, limpos. Nós temos o direito, e acredito que tenhamos o poder, de efetuar essas transformações necessárias desde que a Grã-Bretanha e os Estados Unidos ajam junto, harmoniosamente. Mas, enquanto isso, acima de tudo, vamos continuar com a guerra.

Comuns, 10 de dezembro de 1942

P

É O MESMO NA POLÍTICA COMO NA GUERRA.

Quando um cume alçando é deixado, é necessário ir para o próximo.

Parar no meio do caminho, no vale, é a destruição certa.

Comuns, 5 de abril de 1906

Paciência Cristã
Há, creio, em alguns lugares, a sensação de que o caminho para vencer a guerra é fazer com que o governo se esforce, mantenha-os à altura da coleira e se aprece de todos os lados; acho difícil suportar isso com a paciência cristã.

Comuns, 22 de fevereiro de 1944

Pacto da Liga das Nações
Não adianta defender uma causa sem ter, também, um método e um plano pelo qual essa causa pode ser feita para ganhar. Não afrontaria com generalidades. Deve haver uma visão. Deve haver um plano e deve-se agir seguindo este. Expressamos nosso plano e política imediata em uma única frase: "Arma-se e permaneça ao lado da Aliança". Só assim reside a garantia de segurança, a defesa da liberdade e a esperança de paz.

Free Trade Hall, Manchester, 9 de maio de 1938

Acho que devemos depositar nossa confiança naquelas forças morais consagradas no Pacto da Liga das Nações. Não nos deixe zombar deles, pois, certamente, estão do nosso lado. Não zombe deles, porque esse pode ser um momento em que o idealismo mais alto não é separado da prudência estratégica. Não zombe deles, pois estes podem ser anos, por mais estranhos que pareçam, quando o direito pode andar de mãos dadas com a força.

Comuns, 4 de março de 1937

Padrão Ouro
Dizem-nos, muitas vezes, que o padrão ouro nos acorrentará aos Estados Unidos. Vou lidar com isso num momento. Vou dizer a vocês onde isso vai nos acorrentar. Vai nos algemar à realidade. Para o bem ou para o mal, vai nos algemar à realidade.

Comuns, 4 de abril de 1925

País em Primeiro Lugar
Antes deles [os socialistas] nacionalizarem nossas indústrias, deveriam ter se nacionalizado. Deveriam ter estabelecido o país antes do partido e mostrado que eram britânicos primeiro e socialistas depois.

Comuns, 12 de março de 1947

Palavras

As palavras que são, em ocasiões adequadas, o motor mais potente, perdem seu peso, poder e valor quando não são apoiadas por fatos ou aladas pela verdade, quando são obviamente a expressão de um forte sentimento e não estão relacionadas, de forma alguma, com os fatos da situação.

Comuns, 22 de abril de 1926

Palavras Curtas

> As palavras curtas são as melhores e as palavras antigas, quando curtas, são as melhores de todas.
>
> *Londres, 2 de novembro de 1949*

Pessoalmente, eu gosto de palavras curtas e frações ordinárias.

Margate, 10 de outubro de 1953

Palestina

A ideia de que o problema judeu poderia ser resolvido ou mesmo ajudado por uma vasta descarga dos judeus da Europa na Palestina é realmente muito boba para consumir nosso tempo na Câmara, esta tarde.

Comuns, 1º de agosto de 1946

Panaceia

Não acredito na procura de alguma panaceia ou cura nas quais deveríamos apostar nosso crédito e fortuna tentando vendê-las como uma patente medicinal para tudo e todos. É fácil ganhar aplausos ao falar de uma maneira arejada sobre grandes novas partidas na política, especialmente se todos os detalhes propostos são evitados.

Blackpool, 5 de outubro de 1946

Pânico
É muito melhor, às vezes, ter uma sensação de pânico de antemão e, então, estar bastante calmo quando as coisas acontecem do que estar extremamente calmo de antemão e entrar em pânico quando as coisas acontecem.

Comuns, 22 de maio de 1935

Pano de Prato
Quando tiver que segurar uma cafeteira quente, é melhor não quebrar a alça até ter certeza de que receberá outra igualmente conveniente e reparável ou, pelo menos, até que haja um pano de prato à mão.

Comuns, 22 de fevereiro de 1944

Pântano
Há algumas propostas gerais em voga que merecem escrutínio. Deixe-me declará-las em termos de precisão: "Toda a opressão da esquerda é progresso. Toda a resistência da direita é reacionária. Todos os passos em frente são bons e todos os passos para trás são ruins. Quando você está se metendo em um horrível pântano, o único remédio é mergulhar cada vez mais fundo".

Comuns, 5 de junho de 1946

Paridade Aérea
Aeronaves militares e força de primeira linha são duas categorias diferentes, desejo, portanto, esta tarde, examinar o poder aéreo da Grã-Bretanha e da Alemanha em ambas as categorias – a de aeronaves militares e a de força de primeira linha.

Comuns, 28 de novembro de 1934

Parlamento
Deve-se lembrar que a função do parlamento não é apenas passar boas leis, mas acabar com as leis ruins.

Comuns, 4 de abril de 1944

O objetivo do parlamento é substituir argumentos a favor dos socorros.
Comuns, 6 de junho de 1951

O cerimonial e o procedimento de homenagem ao tempo em que a Coroa e o parlamento desempenharam seu papel leva o bálsamo de confiança e serenidade às mentes ansiosas. Quando nosso amado soberano e a rainha vem de seu palácio maltratado para um edifício sem provas dos golpes de guerra, quando o soberano vem para abrir pessoalmente o parlamento e chamar seus fiéis comuns para desempenhar suas funções, a cada passo, em cada medida, em cada formalidade e em cada resolução que aprovamos, tocamos nos costumes e tradições que remontam muito além dos grandes conflitos parlamentares do século XVII; sentimos a inspiração dos velhos tempos, sentimos o esplendor de nossa herança política e moral.

Comuns, 21 de novembro de 1940

O parlamento pode obrigar as pessoas a obedecer ou a se submeter, mas não as obrigar a concordar.
Comuns, 27 de setembro de 1926

Passado
Não estamos em condições de dizer esta noite: "O passado é o passado". Nós não podemos dizer: "O passado é o passado" sem renunciar ao futuro.

Comuns, 14 de março de 1938

Passo Errado
Não é muito fácil refazer um passo errado na política.

Comuns, 22 de fevereiro de 1906

Patriotismo
Homens e mulheres patrióticos, especialmente aqueles que entendem as altas causas da sorte humana que agora estão em jogo, não devem apenas levantar-se contra o medo; eles também devem levantar-se contra os inconvenientes e, talvez, contra o mais difícil de tudo, o tédio.

Londres, 1º de outubro de 1939

PAYE
A extensão do imposto de renda para os assalariados foi um passo notável que deveria ter obtido o assentimento desta Câmara, eleito por sufrágio universal. Isso é um fato notável, mostrando como extremamente próximas as massas assalariadas do país e aqueles que as representam sentem-se associados às questões vitais.

Comuns, 22 de setembro de 1943

Paz
Digo, francamente, embora possa chocar a Câmara, que prefiro ver mais dez ou 20 anos de paz armada unilateralmente do que ver uma guerra entre potências igualmente bem armadas ou combinações de potências – e essa pode ser a escolha.

Comuns, 23 de novembro de 1932

Paciência e perseverança nunca devem ser ressentidas quando a paz do mundo está em jogo.

Comuns, 25 de fevereiro de 1954

Pedra de Scone
As velhas disputas, as antigas rixas que aconteceram em nossa ilha, terminaram há séculos pela união das coroas e pelo feliz cumprimento da profecia de que onde quer que a Pedra de Scone descanse, a raça escocesa deve reinar.

Usher Hall, Edimburgo, 12 de outubro de 1942

Pedreiro

Sempre fui um firme defensor do sindicalismo britânico. Acredito ser a única base sobre a qual as relações dos empregadores e empregados possam ser harmoniosamente ajustadas. Sempre aconselhei conservadores e liberais a se juntar aos sindicatos. Tentei participar do Sindicato dos Pedreiros e é um ponto jurídico complicado, se tenho, na verdade, conseguido fazê-lo.

Woodford Green, 10 de julho de 1948

Pena de Morte

Se tivesse certeza de que a abolição da pena de morte traria todos os assassinatos a um fim, certamente, seria a favor desse caminho.

Comuns, 15 de julho de 1948

Pensamento Ilusório

Há perigo no pensamento ilusório de que a vitória virá por colapso do Eixo. A vitória depende da força dos exércitos. Eu estou apostando em um nocaute, mas quaisquer ganhos inesperados no caminho do colapso interno serão aceitos com gratidão.

Washington, DC, 25 de maio de 1943

Perda de Direitos

Você não terá nenhum meio de abreviar esta guerra, ou, de fato, de emergir dela com segurança, a menos que os riscos sejam tomados. Os riscos implicam que quando a perda de direitos é exata, como pode ser quando um grande navio é afundado ou algum ataque ousado é repelido com um abate pesado, a Casa deve ficar ao lado do governo e dos comandantes militares.

Comuns, 19 de dezembro de 1940

Perdas no Mar

Devo repetir o aviso que dei à Câmara em setembro, que um fluxo constante de perdas deve ser esperado, que desastres ocasionais e que qualquer falha de nossa parte em agir até o nível de circunstâncias seria imediatamente atendida por graves perigos. E é, no entanto, minha convicção de que estamos levando a melhor sobre esta ameaça à nossa vida. Somos fustigados pelas ondas, mas as marés do oceano fluem com firmeza e força em nosso favor.

Comuns, 6 de dezembro de 1939

Perigo

> Quando o perigo está longe, podemos pensar em nossa fraqueza, quando está perto, não devemos esquecer nossa força.
>
> *Comuns, 28 de junho de 1939*

Se hoje apoio ao governo, não é porque mudei meu ponto de vista. É porque o governo tem, em princípio e mesmo em detalhes, adotado a política que pedi: Só espero que não tenha adotado tarde demais para impedir a guerra. Quando o perigo está à distância, quando há tempo suficiente para fazer os preparativos necessários, quando você pode dobrar gravetos em vez de quebrar maciços galhos - é um dever soar o alarme. Mas, quando o perigo se aproxima, quando é claro que não se pode fazer muito mais no tempo disponível, não é um serviço se debruçar sobre as deficiências ou negligências daqueles que foram responsáveis. A hora de se assustar é quando os males podem ser remediados; quando não puderem ser totalmente remediados, devem ser confrontados com coragem.

Comuns, 28 de junho de 1939

Os perigos aéreos são repentinos e podem se tornar catastróficos, mas os perigos no tráfego marítimo amadurecem muito mais lentamente.

Comuns, 5 de novembro de 1940

Não adianta examinar a defesa nacional abstratamente, falar em termos vagos e gerais sobre perigos hipotéticos e combinações que não podem ser expressas.

Comuns, 30 de julho de 1934

Perigo de Submarino

Devido à negligência do passado diante dos avisos mais claros, temos, agora, entrado em um período de perigo maior do que o que se abateu sobre a Grã-Bretanha desde que a campanha do submarino foi esmagada; talvez, de fato, seja um período de campanha mais dolorosa do que este porque, naquela época, pelo menos, possuíamos meios de nos assegurarmos e de derrotarmos essa campanha. Agora, não temos uma garantia como essa.

Comuns, 12 de novembro de 1936

O primeiro de todos os nossos perigos é o marítimo. Esse é um perigo muito grande. Nossa comida, nossos meios de fazer a guerra, nossa vida, tudo depende da passagem de navios através do mar. Todo o poder dos Estados Unidos de manifestar-se nesta guerra depende do poder de mover navios através do mar. Seu poder é restrito, é restrito por aqueles mesmos oceanos que o protegem. Os oceanos que eram seu escudo têm, agora, se tornado uma barreira, uma prisão através da qual estão lutando para trazer exércitos, frotas e forças aéreas para suportar os grandes problemas comuns que tem que enfrentar. Agora, vemos o nosso caminho. Eu digo isso com toda solenidade e sobriedade: vemos através de nosso caminho. Embora seja verdade que haverá muito mais submarinos trabalhando no próximo ano do que há agora, e pode haver de 300 a 400 no trabalho agora, ainda temos uma vasta construção de navios de escolta, navios de caça submarina, flutuantes, bem como a substituição de navios mercantes; os Estados Unidos, que têm, de longe, mais recursos em aço do que nós e que não estão tão próximos e tão profundamente envolvidos no presente, têm desenvolvido um programa sobre linhas astronômicas para a construção tanto de navios de escolta como de navios mercantes. Mas, que desperdício terrível é pensar em todos esses grandes navios afundando, cheios de cargas inestimáveis e como é necessário fazer essa intensificação de esforços que nos permitirá avançar, estabelecer um domínio mais completo e salvar esses navios de serem afundados, bem como acrescentar novos à frota, e só assim vitória da boa causa pode ser alcançada.

Westminster Central Hall, Londres, 31 de outubro de 1942

A Marinha Real atacou, imediatamente, os submarinos e está caçando-os noite e dia – não direi sem piedade, porque Deus nos proíbe de nos separarmos disso, mas, de qualquer forma, com zelo e não completamente sem prazer.

BBC, 1º de outubro de 1939

Período Heroico da História

Que triunfo é a vida dessas cidades maltratadas sobre os piores fogos e bombas que ardem. Que reivindicação da forma civilizada e decente de viver temos tentado trabalhar e trabalhar em nossa ilha. Que prova das virtudes das instituições livres. Que teste de qualidade de nossas autoridades locais e das instituições, costumes e sociedades construídos de forma estável. Esta provação pelo fogo tem, em certo sentido, exaltado a masculinidade e feminilidade da Grã-Bretanha. As sublimes, porém terríveis e sombrias experiências, emoções do campo de batalha que durante séculos eram reservadas para os soldados e marinheiros, agora, são compartilhadas para o bem ou para mau, por toda a população. Todos se orgulham de estar sob o fogo do inimigo. Velhos, crianças pequenas, veteranos aleijados de antigas guerras, mulheres idosas, a cidadã comum ou o súdito do rei, como gosta de se chamar a si mesmo, trabalhadores robustos que balançam os martelos ou carregam os navios, artesãos habilidosos, membros de todo tipo de serviço ARP orgulham-se de sentir que estão juntos com os nossos homens de luta quando uma das maiores causas está sendo combatida. Este é, de fato, o grande período heroico da nossa história e a luz da glória brilha sobre todos.

Londres, 27 de abril de 1941

Perseguição na Guerra

É quase sempre correto perseguir um inimigo abatido com todas as forças e, até mesmo, correr sérios riscos ao fazê-lo; é claro, chega o momento em que os perseguidores ultrapassam os limites máximos de seus próprios suprimentos e o inimigo, caindo de volta em seus próprios depósitos, é capaz, uma vez mais, de formar uma frente.

Comuns, 9 de novembro de 1944

Pérsia

É uma coisa muito melancólica contemplar a possibilidade de uma capital antiga de uma monarquia como a da Pérsia sendo engolida pelas marés da barbárie, uma cultura que, embora primitiva em muitos aspectos, é antiga, ser inundada e espancada sob o calcanhar de uma invasão bolchevique, mas deve haver algum limite para as responsabilidades da Grã-Bretanha.

Comuns, 15 de dezembro de 1920

Personagem Britânico

Alguns discursos críticos ou contundentes, uma série de artigos nos jornais mostrando quão mal a guerra é gerenciada e quão incompetentes são aqueles que carregam a responsabilidade – estes obtêm a maior publicidade; mas, os serviços maravilhosos de navegação, devoção e a organização por trás deles, as quais provam, em cada estágio, a cada passo, a solidez da nossa vida nacional, a inconquistável, inesgotável, adaptável engenhosidade da mente britânica, solidez inabalável, tenacidade infatigável do personagem britânico pelas quais vivemos, pelas quais, sozinhos, podemos ser salvos e pelas quais, certamente, seremos salvos – e salvaremos o mundo – estas, embora plenamente compreendidas por nossos inimigos no exterior, às vezes, são negligenciadas por nossos amigos em casa.

Comuns, 25 de junho de 1941

Pescoço da Inglaterra

Quando os adverti [o governo francês] que a Grã-Bretanha lutaria sozinha, não importa o que fizessem, seus generais disseram a seu Primeiro Ministro e a seu gabinete dividido: "Dentro de três semanas, a Inglaterra terá seu pescoço torcido como uma galinha". Um pouco de frango! Um pescoço de galinha!

Parlamento canadense, Ottawa, 30 de dezembro de 1941

Pesquisa Gallup

Nada é mais perigoso, em tempo de guerra, do que viver na temperamental atmosfera de uma pesquisa Gallup, sempre sentindo o pulso e tomando a temperatura de uma pessoa.

Comuns, 30 de setembro de 1941

Pilhagem

Somos uma presa rica e fácil. Nenhum país é tão vulnerável e nenhum país pagaria melhor a pilhagem do que o nosso. Com nossas enormes metrópoles aqui, o maior alvo do mundo, uma espécie de tremenda, gorda, valiosa vaca amarrada para atrair a besta até a presa, estamos em uma posição em que nunca estivemos antes e na qual nenhum outro país do mundo está, no momento atual.

Comuns, 30 de julho de 1934

Pilotos de Caça

Nunca houve, suponho, em todo o mundo, em toda a história da guerra, uma oportunidade tão grande para a juventude. Os Cavaleiros da Távola Redonda, os Cruzados, todos voltam ao passado: não apenas distantes, mas prosaicos; estes jovens, saindo todas as manhãs para guardar sua terra natal e tudo o que defendemos, segurando em suas mãos estes instrumentos de poder colossal e devastador.

Comuns, 4 de junho de 1940

A gratidão de todas as casas da nossa ilha, em nosso império e, de fato, em todo o mundo, exceto nas moradas dos culpados, vai para os aviadores britânicos que, destemidos pelas probabilidades, indiferentes em seu constante desafio e perigo mortal, estão virando a maré da Guerra por suas proezas e por sua devoção. Nunca, no campo do conflito humano, algo foi tão devido por tantos a tão poucos. Todos os corações vão para os pilotos de caça, cujas ações brilhantes nós vemos com os nossos próprios olhos, dia após dia.

Comuns, 20 de agosto de 1940

Pirataria

É verdade que a Alemanha escapou das garras de nossos cruzadores por um triz, mas o *Spee* ainda se mantém no porto de Montevidéu como um monumento terrível e como uma medida de sorte reservada a qualquer navio de guerra nazista que se dedica à pirataria nas amplas águas.

Londres, 20 de janeiro de 1940

Planadores

Os planadores são um maravilhoso meio de treinamento de pilotos, dando-lhes sentido aéreo.

Comuns, 30 de julho de 1934

Planejamento

É hábito de arquitetos e construtores ser mais otimista quando apresentam seus planos do que posteriormente se considera justificado pelos fatos reais.

Comuns, 28 de outubro de 1943

Não há nada de novo no planejamento. Todo governo, antigo ou moderno, deve olhar para o futuro e planejar. José não aconselhou o Faraó a construir granéis e enchê-los durante os anos das vacas magras quando as águas do Nilo falharam?

Empress Hall, Londres, 14 de outubro de 1949

Planejamento do Estado

Não acredito na capacidade do Estado de planejar e aplicar um plano ativo de alta produtividade econômica sobre seus membros ou súditos. Por mais numerosos que sejam os comitês que criaram, ou a sempre crescente horda de funcionários que empregam, ou a severidade das punições que empregam em infligir ou ameaçar, eles não podem se aproximar do alto nível de produção econômica que, sob livre iniciativa, é de iniciativa pessoal, seleção competitiva, o motivo do lucro corrigido pelo fracasso, e os infinitos processos de boa gestão doméstica e engenhosidade pessoal, constitui a vida de uma sociedade livre.

Comuns, 28 de outubro de 1947

Platitudes

Este não é o momento para platitudes ventosas e anúncios cintilantes. É muito melhor que o partido conservador tenha mais a dizer sobre a verdade e a agir de acordo com as verdades de nossa posição do que ganhar um pouco pela espuma e tagarelice fácil e inconstante.

Central Hall, Westminster, 15 de março de 1945

Plimsoll

Nenhum homem poderia ter ofendido mais as regras da Câmara do que o Sr. Plimsoll por usar linguagem violenta, foi desordeiro no debate, preferiu uma acusação séria, sem fundamento contra outro membro de honra, sacudiu seu punho na cara do Sr. Disraeli, e deixou a Câmara afirmando que não retiraria uma única palavra do que havia dito. Foi dada ao Sr. Plimsoll uma semana para considerar sua posição e, ao retornar, se recusou a retirar as palavras que disse, mas fez reparações por sua conduta desordenada, mostrou que um pedido de desculpas respeitoso não era incompatível nem mesmo com o protesto mais extenuante. Mas, embora o pedido de desculpas do Sr. Plimsoll tenha sido de uma natureza qualificada, a Casa estava disposta a ser generosa, permitiu que ele retomasse sua cadeira e a marca de seu trabalho foi colocada em cada navio que foi para o mar.

Comuns, 11 de fevereiro de 1902

Poder Aéreo

Eu não posso conceber como, no estado atual da Europa e de nossa posição na Europa, podemos atrasar em estabelecer o princípio de ter uma força aérea, pelo menos, tão forte quanto a de qualquer poder que possa chegar até nós. Acho que é uma coisa perfeitamente razoável de se fazer. Isso só começaria a nos colocar de volta à posição em que fomos criados. Nós temos vivido sob o escudo da Marinha. Ter uma força aérea tão forte quanto a força aérea da França ou da Alemanha, qualquer que seja a mais forte, deve ser a decisão que o parlamento deve tomar e que o governo nacional deveria proclamar.

Comuns, 7 de fevereiro de 1934

Poder Atômico

Esta revelação dos segredos da natureza, misericordiosamente retidos do homem, deve despertar as reflexões mais solenes na mente e consciência de cada ser humano capaz de compreensão. Nós devemos, de fato, rezar para que essas horríveis agências sejam feitas para propiciar a paz entre as nações e tornarem-se uma fonte perene da prosperidade mundial em vez de causar estragos imensuráveis sobre o globo inteiro.

Londres, 6 de agosto de 1945

Poder de Ideias

O que é este milagre, pois, não é nada menos que o chamado de homens dos extremos da terra, alguns cavalgando 20 dias antes de poder alcançar os seus centros de recrutamento, alguns exércitos têm que navegar 14.000 milhas através dos mares antes de chegar ao campo de batalha? Que força é esta, este milagre que leva os governos, tão orgulhosos e soberanos, imediatamente, a colocar de lado todos os seus medos e, imediatamente, propor ajuda a uma boa causa e vencer o inimigo comum? Vocês devem olhar muito fundo para o coração do homem e, então, não encontrarão a resposta, a menos que se olhe com o olhar do espírito. É o que se aprende, que os seres humanos não são dominados por coisas materiais, mas por ideias para as quais estão dispostos a dar suas vidas ou o trabalho de suas vidas.

Comuns, 21 de abril de 1944

Poder do Fogo

É notável e até estranho que quanto mais eficientes as armas de fogo se tornaram, menos pessoas são mortas por elas. A explicação para esse aparente paradoxo é, simplesmente, que os seres humanos são muito mais engenhosos em sair do caminho dos mísseis que são disparados sobre eles do que são na melhoria da direção e orientação desses mísseis individuais. De fato, as espingardas semiautomáticas e automáticas já têm, em um certo sentido, ganhado seu triunfo em pôr um fim aos próprios ataques de massas que foram, originalmente, concebidos para destruir.

Comuns, 1º de fevereiro de 1954

Poder e Misericórdia

A melhor combinação do mundo é poder e misericórdia. A pior combinação no mundo é fraqueza e conflitos.

Comuns, 3 de março de 1919

Poder e Responsabilidade

Onde há um grande poder, há uma grande responsabilidade, onde há menos poder, há menos responsabilidade, e onde não há poder, acho que não há responsabilidade.

Comuns, 28 de fevereiro de 1952

Poder Nazista

Você deve ter diplomacia e relações corretas, mas nunca poderá haver amizade entre a democracia britânica e o poder nazista, aquele poder que desdenha da ética cristã, que alegra seu rumo em frente por um paganismo bárbaro, que exalta o espírito de agressão e conquista, que deriva força e prazer pervertido da perseguição e usa com impiedosa brutalidade, como já vimos, as ameaças das forças assassinas. Esse poder não pode, jamais, ser a força de confiança amiga da democracia britânica.

Comuns, 5 de outubro de 1938

Em todo o mundo, homens e mulheres, sob cada céu e clima, de cada raça, credo e cor, todos têm a sensação de que, no abate deste monstruoso motor nazista de tirania, crueldade, ganância e agressão, algo terá sido atingido por toda a raça humana, o que afetará de forma decisiva seus destinos futuros e que, mesmo em nosso próprio tempo, serão marcados por melhorias muito sensatas nas condições em que as grandes massas do povo vivem.

The Royal Albert Hall, Londres, 29 de setembro de 1943

Poderes Grandes e Pequenos

Podemos lamentar, se quisermos, o fato de haver uma diferença entre grandes e pequenos, entre os fortes e os fracos do mundo, mas, sem dúvida, é uma diferença tão grande e seria tolice aborrecer o bem que está a proceder em uma ampla frente para tentar obter, imediatamente, o que é um ideal sem esperança.

Comuns, 15 de março de 1945

Política

A política não é um jogo. É um negócio sério.

Clube Nacional Liberal, Londres, 9 de outubro de 1909

Política Alemã

A política na Alemanha não é como aqui. Lá, você não sai do governo para ir para oposição. Você não deixa a bancada da frente para sentar-se no corredor. Você pode, muito bem, deixar seu alto cargo pouco antes do aviso para dirigir--se até a delegacia e pode ser conduzido, posteriormente, muito rapidamente, para uma provação ainda mais difícil.

Comuns, 13 de julho de 1934

Política de Guerra

Eu digo, deixem as rixas anteriores à guerra morrerem; deixem as brigas pessoais serem esquecidas e deixem-nos manter nossos ódios para o inimigo comum. Permitam que os interesses do partido sejam ignorados, deixem que todas as nossas energias sejam aproveitadas, deixem que toda a habilidade e forças da nação sejam lançadas na luta e que todos os cavalos fortes tomem a liderança. Em nenhum momento, na última guerra, estivemos em maior perigo do que estamos agora, peço encarecidamente à Câmara que lide com estas matérias não em uma votação precipitada, mal debatida e em um amplo campo discursivo, mas em tempo hábil, de acordo com a honra do parlamento.

Comuns, 5 de maio de 1940

Política e Guerra

É a mesma coisa na política e na guerra. Quando um cume é deixado, é necessário ir para o próximo. Parar no meio caminho, no vale, é o corte rápido e a destruição certa.

Comuns, 5 de abril de 1906

Política Poderosas

Fiz ansiosamente a pergunta: "O que são políticas poderosas?". Conheço alguns de nossos amigos do outro lado da água tão bem que estou certo de que sempre poderei falar francamente sem causar ofensa. É ter uma marinha duas vezes maior do que alguma outra marinha na política de poder mundial? Será que é ter a maior força aérea no mundo, com bases em todas as partes da política de poder mundial? É ter todo o ouro da política de poder mundial? Se sim, certamente, não estamos culpados por essas ofensas, lamento dizer. São luxos que têm falecidos de nós.

Comuns, 18 de janeiro de 1945

Políticas Externas

Deve haver uma base moral para a política externa britânica. As pessoas nesse país, depois de tudo o que passamos, não pretendem ser atraídas para outra terrível guerra em nome de alianças do velho mundo ou combinações diplomáticas. Se as profundas causas de divisão forem removidas de nosso meio, se todas as nossas energias forem concentradas na tarefa essencial de aumentar nossa força e segurança, só pode ser por causa dos ideais nobres e altruístas que comandam a lealdade de todas as classes aqui em casa, que despertam seus ecos nos seios até mesmo dos próprios ditadores do povo, para agitar os pulsos da raça de língua inglesa em cada quarto do globo.

Free Trade Hall, Manchester, 9 de maio de 1938

Quando pensamos no grande poder e influência que este país exerce, não podemos olhar para trás com muito prazer em nossas políticas externas dos últimos cinco anos. Certamente, foram anos desastrosos.

Comuns, 26 de março de 1936

Polônia

Nunca enfraquecemos, de forma alguma, em nossa determinação de que a Polônia será restaurada e erguida como uma nação soberana e independente, livre para modelar suas instituições sociais ou qualquer outras instituições da forma que seu povo escolher, desde que, devo dizer, não estejam na linha fascista e desde que a Polônia permaneça leal e amiga da Rússia contra a agressão alemã vinda do Ocidente.

Comuns, 15 de dezembro de 1944

Por toda a Europa, raças e estados cuja cultura e história os fizeram uma parte da vida geral da cristandade nos séculos em que os prussianos não eram melhores do que uma tribo bárbara, e o império alemão não mais do que uma aglomeração de principados de fazedores de pão preto, estão prostrados sob o jugo escuro e cruel de Hitler e sua gangue nazista. Toda semana, seus fuzileiros estão ocupados em uma dúzia de terras, segunda-feira atiram em holandeses; terça-feira, noruegueses; quarta-feira, franceses e belgas ficam contra a parede; quinta-feira são os tchecos que devem sofrer. Agora, há os sérvios e os gregos para preencher sua repulsiva lista de execuções. Mas, sempre, em todos os dias, existem os poloneses. As atrocidades cometidas por Hitler contra os poloneses, a devastação de seus país, a dispersão de suas casas, as afrontas à sua religião e a escravidão de seus homens do poder excedem em gravidade e em escala de vilania perpetuados por Hitler em qualquer outra terra conquistada.

Londres, 3 de maio de 1941

Há poucas virtudes que os poloneses não possuem - e há poucos erros que já evitaram.

Comuns, 16 de agosto de 1945

Pompa e Poder
Em geral, é sábio, nos assuntos humanos e no governo dos homens, separar a pompa do poder.

Ottawa, 14 de janeiro de 1952

Porco-Espinho

> Nosso país deve sugerir à mente de um potencial paraquedista, as costas de um porco-espinho em vez das de um coelho.
>
> *Comuns, 6 de dezembro de 1951*

Portador Padrão
Naturalmente, considerei com muito cuidado qual é meu próprio dever nestes momentos. Seria fácil aposentar-me graciosamente em um ar de liberdades cívicas e este plano me passou pela cabeça, com frequência, há alguns meses. Sinto, agora, entretanto, que a situação é tão grave e o que estar por vir é tão grave que estou decidido a ir em frente, carregando a bandeira por tanto tempo, pois ainda tenho a força e a energia necessárias, e tenho sua confiança. É da maior importância para nosso nome e resistência, como uma grande potência, e para a coesão de nossa vida nacional e imperial, que deve ser restabelecido, o mais cedo possível, algum equilíbrio entre as forças políticas em nossa ilha, e que aqueles que foram tão inesperadamente revestidos de esmagador poder parlamentar devem perceber que eles são os servidores, não os senhores da nação britânica.

Blackpool, 5 de outubro de 1946

Potencial Aéreo

O poder aéreo de qualquer país não pode ser medido pelo número de aviões, nem por nenhuma das definições particulares que são dadas. Ele deve ser medido pelo número de aviões que podem ser colocados no ar simultaneamente e mantidos em ação mês após mês. Isso dependente não só do número de esquadrões organizados, mas sobre o poder expansivo de capacidade da planta industrial.

Comuns, 10 de março de 1936

Precipícios

Você tem que correr riscos. Não há certezas na guerra. Há um precipício de ambos os lados - um precipício de cautela e um precipício de sobreutilização.

Comuns, 21 de setembro de 1942

Prenúncio

Eu mantenho a convicção que expressei há alguns meses, de que, se em abril, maio ou junho, Grã-Bretanha, França e Rússia tivessem declarado que agiriam juntas contra a Alemanha nazista, se Herr Hitler cometesse um ato de agressão não provocado contra este pequeno estado [Tchecoslováquia], se tivessem dito à Polônia, Iugoslávia e Romênia o que pretendiam fazer em tempo hábil e nos convidado a participar da combinação de forças defensoras da paz, sustento que o ditador alemão teria sido confrontado com um conjunto tão formidável que teria sido dissuadido de seu propósito.

Londres, 16 de outubro de 1938

Preocupação

A preocupação tem sido definida por alguns especialistas em nervos como um "espasmo da imaginação". A mente, diz-se, se apodera de algo e simplesmente não pode deixá-lo ir. Razão, argumento, ameaças são inúteis. O aperto se torna ainda mais convulsivo. Mas, se você pudesse introduzir algumas novidades, neste caso, o efeito prático de um propósito comum e de cooperação para um fim comum, então, de fato, pode ser que estes punhos cerrados relaxariam em mãos abertas, que o reinado da paz e a liberdade pudessem começar e que a ciência, em vez de ser um vergonhoso prisioneiro nas galés da matança, poderia derramar sua riqueza abundante por toda a parte.

Comuns, 14 de abril de 1937

Preparado

Não se esqueça disso, em tempo de paz, em política de paz, em assuntos ordinários de assuntos domésticos e em lutas de classe, as coisas acabam, mas nestas grandes questões de defesa e ainda mais no campo das hostilidades reais, as nuvens não rolam. Se as medidas necessárias não forem tomadas, elas se transformam em relâmpagos e caem sobre suas cabeças.

Comuns, 31 de maio de 1935

Quanto mais você estiver preparado e quanto mais souberam que você está preparado, maior é a chance de evitar a guerra e de salvar a Europa da catástrofe que a ameaça.

Comuns, 25 de maio de 1938

Presente da Tagarelice

É um ditado muito antigo que diz que um homem pode fazer mais afirmações no curso de meia hora do que outro pode oferecer em uma semana.

Comuns, 13 de abril de 1927

Presidente Roosevelt

Aquele grande homem que o destino marcou para este clímax de fortuna humana.

Ottawa, 30 de dezembro de 1941

Eu concebi uma admiração por ele como um estadista, um homem de negócios e um líder de guerra. Senti a maior confiança em seu caráter íntegro e inspirador, uma consideração pessoal - carinho devo dizer - por ele além do meu poder de expressar hoje. Seu amor por seu próprio país, seu respeito por sua Constituição, seu poder de medir as marés e correntes da sua opinião pública móvel sempre foram evidentes; mas, a estas qualidades se somaram as batidas daquele coração generoso que sempre foi estimulado pela raiva e pelo combate aos espetáculos de agressão e opressão por parte dos fortes contra os fracos. É, de fato, uma perda, uma amarga perda para a humanidade que esses batimentos cardíacos estejam, eternamente, parados.

Comuns, 17 de abril de 1945

Quando falamos de Franklin Roosevelt, porém, entramos na esfera da história britânica e da história mundial muito acima da vazante e do fluxo da política partidária em ambos os lados do Atlântico. Não hesitarei em afirmar, e repetir, que ele era o maior amigo americano que a Grã-Bretanha já encontrou e o maior campeão de liberdade e justiça que já estendeu as mãos fortes através dos oceanos para resgatar a Europa e a Ásia da tirania ou da destruição.

Londres, 12 de abril de 1948

Prevenção de Guerra

Até o ano de 1933 ou mesmo 1935, a Alemanha poderia ter sido salva do terrível destino que a atingiu e todos nós poderíamos ter sido poupados das misérias que Hitler disparou sobre a humanidade. Nunca houve uma guerra, em toda a história, mais fácil de prevenir, por ação oportuna, do que aquela que acaba de desolar tão grandes áreas do globo. Poderia ter sido evitada, em minha crença, sem o disparo de um único tiro e a Alemanha poderia ser poderosa, próspera e honrada hoje; mas, ninguém quis ouvir e, um a um, fomos todos sugados para dentro desse horrível redemoinho.

Westminster College, Fulton, Missouri, 5 de março de 1946

Previsão

Previsão - uma palavra desagradável e sobrecarregada de trabalho.

Comuns, 5 de março de 1953

Previsões

Acima de tudo, devo abster-me de fazer qualquer previsão sobre o futuro. Foi há um mês que comentei o longo silêncio de Herr Hitler, um que, aparentemente, o provocou a fazer um discurso no qual disse ao povo alemão que Moscou iria cair em poucos dias. Isso mostra, como todos concordarão, o quanto estou certo, o quanto mais sábio ele teria sido em continuar mantendo sua boca fechada.

Comuns, 12 de novembro de 1941

Princípios

É inútil imaginar que a mera percepção ou declaração de princípios de direito, seja em um país ou em muitos países, será valorizada, a menos que seja apoiada por essas qualidades de virtude cívica e coragem viril - sim, e é por esses instrumentos e instituições de força e ciência que, em último recurso, o direito e a razão devem ser preservados.

Universidade de Bristol, 2 de julho de 1938

Em situações críticas e desconcertantes, é sempre melhor recorrer aos primeiros princípios e às ações simples.

Londres, 17 de março de 1951

Prioridade

Sempre fiquei muito impressionado com a vantagem desfrutada pelas pessoas que viveram em um período no mundo anteriormente ao seu. Eles tiveram a primeira oportunidade de dizer a coisa certa. Uma e outra vez, ocorreu-me pensar em algo que achei que valia a pena dizer, apenas para descobrir que já tinha sido explorado e, muitas vezes, minado antes que eu tivesse a oportunidade de dizer isto.

Comuns, 19 de maio de 1927

Prioridade entre as Virtudes

Compaixão, caridade e generosidade são virtudes nobres, mas o governo deve ser justo antes de ser generoso.

Comuns, 12 de março de 1947

Prisioneiro Alemão

Agora, estamos chegando a um período em que os alemães serão completamente conquistados e a Europa será inteiramente liberada de seu domínio. Os brutais anfitriões que marcharam tão entusiasticamente sobre nós, seus olhos vivos com a ganância, a paixão da guerra e o desejo sincero de domínio sobre os outros, chegaram a um momento em que serão adicionados à aqueles longos, melancólicos e humilhantes fluxos de prisioneiros que, tendo feito o pior para o mundo, não têm esperança, senão em sua misericórdia.

Universidade de Bristol, 21 de abril de 1945

Prisioneiros de Guerra

O que é um prisioneiro de guerra? Ele é um homem que tentou matá-lo e, tendo falhado em matá-lo, pede que você não o mate. Muito antes da revelação cristã, o mundo tinha descoberto, pela prática, que a misericórdia para um inimigo derrotado valia bem a pena e que era muito mais fácil ganhar controle sobre vastas áreas fazendo prisioneiros do que fazendo todos lutarem até a morte, contra você.

Comuns, 1º de julho de 1952

Probabilidades Contra

Certamente, é verdade que estamos diante de probabilidades numéricas; mas, isso não é novidade em nossa história. Muitas poucas guerras foram vencidas apenas por números. Qualidade, força de vontade, vantagens geográficas, naturais e financeiras no comando do mar e, acima de tudo, uma causa que desperta o espírito humano em milhões de corações – estes provaram ser os fatores decisivos na história humana. Se não fosse assim, como teria a raça dos homens superado a dos macacos; caso contrário, como os homens teriam conquistado e extirpado dragões e monstros; como teriam evoluído o tema moral; como teriam marchado através dos séculos para amplas concepções de compaixão, de liberdade e de direito? Como, alguma vez, teriam identificado aquelas luzes sinalizadoras que nos convocam e nos guiam através das águas escuras e, atualmente, nos guiarão através das linhas flamejantes de batalha por dias melhores que estão por vir?

Londres, 20 de janeiro de 1940

Problemas

Se continuarmos a discutir em linhas que não têm conexão com a realidade, devemos entrar em problemas.

Comuns, 14 de março de 1933

Processo Churchill

Não faz parte do meu processo que esteja sempre certo.

Comuns, 21 de maio de 1952

Procrastinação

A era da procrastinação, das meias-medidas, do calmante, do expediente desconcertante e de atrasos está chegando ao fim. Em seu lugar, estamos entrando em um período de consequências.

Comuns, 12 de novembro de 1936

Produção de Armas Alemãs

A produção de armas tem a primeira reivindicação sobre toda a indústria da Alemanha. Os materiais necessários para a produção de armamentos são a primeira cobrança no comércio alemão. Toda a sua indústria é tecida em uma prontidão imediata para a guerra. Você tem um estado de preparação na indústria alemã que não foi alcançado pela nossa indústria até depois do fim da Guerra, provavelmente, por dois anos.

Comuns, 31 de maio de 1935

Profecia

Todas as tribos de intelectuais de esquerda nos asseguram que a administração socialista governará por 20 anos.

Blackpool, 5 de outubro de 1946

Programa

Eu mantenho meu programa original - sangue, labuta, lágrimas e suor, ao qual acrescentei, cinco meses depois, muitas deficiências, erros e decepções!

Comuns, 27 de janeiro de 1942

Progresso

Sozinhos, entre as nações do mundo, encontramos os meios que combinam império e liberdade. Sozinhos, entre os povos, reconciliamos democracia e tradição; por longas gerações, não, ao longo de vários séculos, nenhum confronto mortal, abismo religioso ou político se abriu em nosso meio. Sozinhos, encontramos o caminho para levar adiante as glórias do passado através de todas as tempestades, nacionais e estrangeiras, que surgiram e, assim, trazer o trabalho de nossos antepassados como uma esplêndida herança para a democracia moderna e progressista desfrutar.

Caxton Hall, Londres, 9 de outubro de 1940

Não duvido que teremos a força para levar uma boa causa adiante e quebrar as barreiras que se interpõem entre as massas assalariadas de cada terra, da vida diária livre e da abundância que a ciência está pronta para proporcionar.
Comuns, 1º de outubro de 1939

Progresso e Reação
Progresso e reação são, sem dúvida, termos relativos. O que um homem chama de progresso, outro chama de reação. Se você tiver descido, rapidamente, a estrada para a ruína e, de repente, você verifica, para, volta e refaz seus passos, isto é reação e, sem dúvida, seu guia anterior terá todos os motivos para reprová-lo com incoerência.
St Andrew's Hall, Glasgow, 11 de outubro de 1906

Progresso Social
Eu sempre fui um pouco tímido em definir objetivos de guerra, mas se essas grandes comunidades, agora lutando não apenas por suas próprias vidas, mas pela liberdade e progresso do mundo, emergirem vitoriosas, haverá uma atmosfera elétrica no mundo, o que pode tornar possível um avanço para uma unidade social e justiça maior e mais amplo do que poderia ser alcançado de outra forma, em tempos de paz, por uma série de anos. Nós não somos teóricos ou doutrinários. Os sindicalistas são homens práticos, com o objetivo de resultados práticos. Eu poderia dizer que nosso objetivo será construir uma sociedade em que haverá riqueza e cultura, mas onde a riqueza não prenda a comunidade e a cultura degenere em classe e orgulho.
Discurso em um almoço em Londres, 27 de março de 1941

Proibição
Acho que não devemos aprender muito com a legislação sobre bebidas alcoólicas dos Estados Unidos.
Comuns, 11 de abril de 1927

Projeto de Lei dos Estrangeiros
Como a Lei dos Estrangeiros foi aprovada? Foi introduzida na Câmara de Comuns em um tamboril. Eles começaram a debatê-la nos degraus dos ca-

dafalsos e, antes de dois dias, tinham passado no Comitê, foram apressados a estrutura da guilhotina.

Comuns, 31 de julho de 1905

Promessas

Estou decidido a não dar ou fazer qualquer tipo de promessa e a não contar qualquer tipo de contos de fadas para vocês que confiaram em mim e estiveram comigo até agora. Marchamos pelos vales das sombras até chegarmos às regiões de planalto, nas quais estamos, agora, com os pés firmemente plantados.

Londres, 21 de março de 1943

Nada seria mais fácil para mim do que fazer qualquer número de promessas para obter a resposta imediata de aplausos baratos e brilhantes de artigos publicados. Não tenho necessidade de fazer promessas para ganhar apoio político ou para poder continuar no cargo.

Comuns, 11 de fevereiro de 1943

Propaganda

Há um volume extraordinário de propaganda alemã neste país, de declarações equivocadas feitas pelas mais altas autoridades – as quais todos sabem que poderiam ser facilmente refutadas – mas, que obtêm dinheiro e que, como não são contrariadas, são aceitas como parte dos fatos regulares em que o público confia. Ministros e membros que estão de acordo com as políticas do governo devem se esforçar para explicá-las para um público ansioso, porém, leal e corajoso.

Comuns, 26 de março de 1936

Propaganda de Guerra

Quando a propaganda nazista de Herr Goebbels explode e dispara no ar que a Grã-Bretanha e a França perderam a capacidade de fazer guerra, não nos zangamos porque sabemos que não é verdade. Sabemos que nossos sofrimentos serão muito difíceis e estamos determinados a não ser culpados de provocar um acidente, as consequências que nenhum homem pode medir. Sabemos, também, que só poderíamos nos lançar em tal luta se nossas consciências estivessem limpas.

City Carlton Club, Londres, 28 de junho de 1939

Propriedade Privada

Pessoalmente, acho que a propriedade privada tem o direito de ser defendida. Nossa civilização é construída sobre a propriedade privada e só pode ser defendida pela propriedade privada.

Comuns, 11 de agosto de 1947

Prospecto 1942

Chegamos a um período na guerra em que seria prematuro dizer que já superamos o cume, mas, agora, vemos o cume à frente. Nós vemos que a perseverança inabalável, persistente, obstinada, inesgotável, incansável e corajosa irá, certamente, transportar a nós e a nossos aliados, as grandes nações do mundo, e as nações infelizes que foram subjugadas e escravizadas, sobre um dos movimentos mais profundos da humanidade que já tomaram lugar em nossa história. Vemos que eles chegarão ao topo do cume e, então, terão uma chance não apenas de espancar e subjugar aqueles forças malignas que resistiram por tanto tempo, que deixaram, duas vezes, a ruína e caos no mundo, mas terão isso mais longe e mais grandioso na perspectiva de que, além da fumaça da batalha e da confusão da luta, teremos a chance de estabelecer nossos países e o mundo inteiro juntos, avançando pela longa estrada. Essa é a perspectiva que está diante de nós se não falharmos. E nós não falharemos.

Prefeitura, Leeds, 16 de maio de 1942

Prosperidade

A ideia de que uma nação pode se tributar para a prosperidade é um dos mais rudes delírios que já confundiram a mente humana.

The Royal Albert Hall, Londres, 21 de abril de 1948

Prosperidade Irlandesa
Sob total liberdade fiscal, a Inglaterra detém a prosperidade irlandesa na palma da sua mão.

Comuns, 15 de dezembro de 1921

Prostração da Alemanha
Na vanguarda de qualquer pesquisa do mundo está a Alemanha, uma nação derrotada. "Fica", disse - não, prostrada, despedaçada. Setenta ou oitenta milhões de homens e mulheres de uma antiga, capaz e terrivelmente eficiente raça estão em uma condição arruinada de fome no coração da Europa.

Comuns, 12 de novembro de 1946

A verdadeira falácia essencial da proposta protecionista é a ideia de que tributação é uma coisa boa em si mesma, que deve ser imposta para a diversão da coisa e, então, tendo feito isso por diversão, devemos dar a volta e procurar métodos de despesas atraentes a fim de dar apoio ao projeto.

Comuns, 15 de julho de 1907

Proteção do Lar
Nossos olhos estão fixos no futuro, mas podemos dispensar um momento para olhar de volta aos últimos dias de 1940, que tão estranhamente estão gravados em nossas memórias que, dificilmente, podemos dizer se estão próximos ou distantes. Naqueles dias de maio, junho e julho, naquele terrível verão, quando nós ficamos sós, quando o mundo pensava, desesperado, contra o todo-poderoso agressor com seus vastos exércitos e massas de equipamentos, Sr. Anthony Eden, como Secretário de Estado da Guerra, convocou a Defesa de Voluntários locais para se mobilizar em torno das posições dos holofotes. Pistolas, rifles esportivos e paus eram tudo o que podiam encontrar como armas; isso ocorreu até julho, no qual fizemos a travessia segura do Atlântico com 1.000.000 de espingardas e 1.000 armas de campo, com munições proporcionais, que foram dadas para nós pelo Governo e pelo povo dos Estados Unidos por um ato de precioso e oportuno sucesso.

Londres, 14 de maio de 1943

Provação por Batalha

E, agora, veio até nós para ficarmos sozinhos na trincheira e enfrentar o pior que o poder e a inimizade do tirano podem fazer. Suportando humildemente diante de Deus, mas conscientes de que servimos a um propósito desdobrável, estamos prontos para defender nossa terra natal contra a invasão pela qual é ameaçada. Estamos lutando por nós mesmos, sozinhos; mas, não estamos lutando apenas para nós mesmos. Aqui, nesta forte cidade de refúgio, que consagra o título do progresso humano e é de profunda consequência para a civilização cristã; aqui, à beira dos mares e dos oceanos, onde reina a marinha; protegidos do alto pela proeza e devoção de nossos aviadores – aguardarmos o ataque iminente. Talvez, venha hoje à noite. Talvez, venha na próxima semana. Talvez, nunca venha. Devemos mostrar a nós mesmos ser igualmente capazes de enfrentar um choque violento repentino ou o que seja, talvez, um teste mais difícil, uma vigília prolongada. Mas, seja a provação curta, longa ou ambas, não temeremos, não toleraremos nenhuma chefia de governo; podemos mostrar misericórdia - não pediremos por nenhuma.

Comuns, 14 de julho de 1940

Provas

Tenho visto muitas cenas dolorosas de caos, dos edifícios elegantes e casas de campo explodirem em escombros - montes de escombros em ruínas. Mas, é apenas naqueles mesmos lugares onde a maldade do inimigo selvagem fez o seu pior, e onde a provação dos homens, mulheres e crianças tem sido mais severa, que achei sua moral mais elevada e esplêndida. De fato, me senti envolto por uma exaltação de espírito que parecia elevar a humanidade e seus problemas acima do nível dos fatos materiais para aquela alegre serenidade que pensamos pertencer a um mundo melhor do que este.

Londres, 27 de abril de 1941

Pode ser que grandes provações estejam vindo do ar para nós, nesta ilha. Faremos nosso melhor para dar conta de nós mesmos; e devemos, sempre, lembrar-nos de que o comando dos mares nos permitirá trazer os imensos recursos do Canadá e do Novo Mundo como um fator aéreo decisivo, um fator além do alcance do que temos que dar e receber aqui.

Londres, 1º de outubro de 1939

Próximo Melhor

Em outros dias, costumava dizer que quando o ás está fora, o rei é a melhor carta.

Comuns, 16 de março de 1939

Público Americano

Em intervalos, durante os últimos 40 anos, tenho abordado dezenas de grandes públicos americanos, em quase todas as partes da União. Eu aprendi a admirar a cortesia desse público; seu senso de jogo justo; seu senso de humor soberano, nunca se importando com a piada que se volta contra eles mesmos; seu desejo sério e voraz de chegar à raiz da matéria e ser bem e verdadeiramente informado sobre assuntos do Velho Mundo.

Londres, 16 de junho de 1941

Pugnacidade

Há todos os tipos de assuntos que são extremamente importantes, sobre os quais podemos gastar muita energia e combatividade, mas, no momento, devemos fazer nosso melhor para manter nossa pugnacidade para os fins de exportação.

Comuns, 6 de outubro de 1944

Punição da Alemanha

Os aliados estão decididos que a Alemanha deve ser totalmente desarmada, que o nazismo e o militarismo na Alemanha sejam destruídos e que essa guerra criminosa seja justa e rapidamente punida. Que toda a indústria alemã capaz de produção militar deve ser eliminada ou controlada, que a Alemanha deve fazer uma compensação em espécie até o máximo de sua capacidade de danos causados às nações aliadas.

Comuns, 27 de fevereiro de 1945

Q

POR TENTATIVA E ERRO, POR PERSEVERANÇA ATRAVÉS DOS SÉCULOS,

descobrimos um plano muito bom.

Aqui está ele: A rainha não pode cometer erros.

Almoço de Coroação, Westminster Hall, 27 de maio de 1953

Qualificação de Profetas
Uma disposição esperançosa não é a única qualificação para ser um profeta.

Comuns, 30 de abril de 1927

Quebec
Aqui, na porta de entrada do Canadá, em terras poderosas que nunca conheceram as tiranias totalitárias de Hitler e Mussolini, o espírito de liberdade encontrou um lar seguro e duradouro. Aqui, esse espírito não vagueia como um fantasma. Ele está consagrado em instituições parlamentares baseadas em sufrágio e evoluiu ao longo dos séculos pelos povos anglófonos. Ele é inspirado na Carta Magna e na Declaração de Independência. Ele é guardado por milhões de pessoas resolutas e vigilantes, fortes e tão bem armadas como nunca.

Londres, 31 de agosto de 1943

Quebra-Cabeça
Durante os últimos três meses, um elemento de dualismo desconcertante tem complicado todos os problemas de política e administração. Tivemos que planejar a paz e a guerra ao mesmo tempo. Exércitos imensos estavam sendo desmobilizados; outro poderoso exército estava sendo preparado e despachado para o outro lado do globo. Todas as tensões pessoais entre milhões de homens ansiosos para retornar à vida civil e centenas de milhares de homens que teriam que ser enviados para novas e severas campanhas no extremo Oriente se apresentaram com uma tensão crescente. Este dualismo também afetou todos os aspectos de nossa vida econômica e financeira. Preparar as pessoas para usar suas atividades para reviver a vida da Grã-Bretanha e, ao mesmo tempo, para atender às severas exigências da guerra contra o Japão constituiu um dos mais perplexos e angustiantes quebra-cabeças que, em uma longa vida de experiência, já enfrentei.

Comuns, 16 de agosto de 1945

Queda de Cingapura
Cingapura caiu (...) outros perigos se reúnem sobre nós. Este, portanto, é um daqueles momentos em que a raça e a nação britânica podem mostrar a pura qualidade de sua genialidade. Este é um daqueles momentos em que eles podem tirar do infortúnio os impulsos vitais da vitória.

BBC, 15 de fevereiro de 1942

Hoje à noite, os japoneses estão triunfando. Eles gritam sua exultação ao redor do mundo. Nós sofremos. Somos tomados de surpresa. Somos duramente pressionados. Mas, estou certo de que, mesmo nesta hora escura, a "loucura criminosa" será o veredicto que a história irá pronunciar sobre os autores da agressão japonesa.

Comuns, 15 de fevereiro de 1942

Quinto Ano de Guerra

É somente no quadro adequado que podemos tomar qualquer decisão para o tempo que está diante de nós. A tarefa é longa e o trabalho é pesado. O quinto ano da guerra, em que todos deram o máximo, pesa rígido em nossas mentes e em nossos ombros. Não nos deixe aumentar nossas dificuldades por qualquer falta de clareza de pensamento ou qualquer inquietação hesitante na resolução. No conjunto, com todas as nossas falhas e enfermidades das quais estamos conscientes, esta ilha é um modelo para o mundo em sua unidade e sua perseverança em direção ao objetivo. Por mais intensa que seja a tensão do quinto ano sobre nós, será muito pior para nossos inimigos; e nós temos que continuar a mostrar-lhes o que, agora, começam, relutantemente, a perceber, que o nosso sistema flexível de governo democrático livre é capaz de buscar os mais complexos projetos de guerra modernos e de rumos invencíveis de todas as diversas linhagens que vêm sobre os nossos soldados no campo de batalha e sobre todos nós, cujo dever está por trás das frentes de luta.

Comuns, 13 de outubro de 1943

R

NÃO SE PODE PREVER A AÇÃO DA RÚSSIA.

É uma charada envolta num mistério dentro de um enigma; mas, talvez, haja uma chave.

Essa chave é de interesse nacional russo.

Londres, 1º de outubro de 1939

R H S Crossman (MP)
O Honrado Membro nunca teve sorte na coincidência de seus fatos com a verdade.
Comuns, 14 de julho de 1954

Raça Nelson
O espírito de todas as nossas forças que servem na água salgada nunca foi tão forte e alto como agora. Os heróis guerreiros do passado podem olhar para baixo, como o monumento de Nelson olha para nós agora, sem qualquer sentimento de que a raça da ilha perdeu sua ousadia ou que os exemplos de séculos se desvaneceram à medida que as gerações se sucederam. E não foi a toa que o Almirante Harewood, instantaneamente e com completa velocidade, atacou um inimigo que poderia ter afundado qualquer um de seus navios por uma única salva de suas armas muito mais pesadas, voou o imortal sinal de Nelson, do qual nem a nova ocasião, nem a conduta de todas as fileiras e as classificações, nem o resultado final, foram considerados indignos.
Guildhall, Londres, 23 de fevereiro de 1940

Racionamento
Em tempo de guerra, o racionamento é a alternativa para a fome. Em paz, ele pode muito bem tornar-se a alternativa para a abundância.
Devonport, 9 de fevereiro de 1950

Racionamento de Pão
Os submarinos alemães, em seu pior esforço, nunca fizeram o racionamento de pão necessário na guerra. Foi preciso um governo socialista e planejadores socialistas para fixá-lo sobre nós em tempos de paz, quando os mares estão livres e o mundo faz uma boa colheita. Em nenhum momento, nas duas Guerras mundiais, o nosso povo teve tão pouco pão, carne, manteiga, queijo e frutas para comer.
Conferência do Partido Conservador, Blackpool, 5 de outubro de 1946

Radar
Durante a guerra, nós transmitimos muitos segredos aos russos, especialmente em conexão com o radar, mas não estávamos conscientes de nenhuma conexão

adequada de reciprocidade. Mesmo no calor da guerra, ambos os países agiram sob uma considerável reserva.

Comuns, 7 de novembro de 1945

Rainha

Os maus conselheiros podem ser trocados com a frequência com que as pessoas gostam de usar seus direitos para esse fim. Uma grande batalha está perdida: o parlamento acaba com o governo. Uma grande batalha é vencida - multidões aplaudem a rainha.

Almoço de Coroação, Westminster Hall, 27 de maio de 1953

Raiva

Se valorizasse a opinião do honorável cavalheiro [Sir J Lonsdale, MP], poderia ficar com raiva.

Comuns, 1 de janeiro de 1913

Ramsay MacDonald

Lembro-me, quando era criança, de ser levado para o célebre Circo Barnum, que continha atrações de aberrações e monstruosidades, mas a atração do programa que mais desejava ver era a descrita como "A Maravilha Sem Osso". Meus pais julgaram que o espetáculo seria muito revoltante e desmoralizante para meus jovens olhos e esperei por 50 anos para ver a Maravilha Sem Osso sentada no Banco do Tesouro.

Comuns, 28 de janeiro de 1931

Reacionário

Na Rússia, um homem é chamado de reacionário se ele se opuser a ter seus bens roubados e sua esposa e crianças assassinadas.

Comuns, 5 de novembro de 1919

Rearmamento

Estou firmemente convencido de que precisamos fortalecer nosso armamento aéreo e sobre os mares a fim de garantir que ainda sejamos juízes de nossa própria sorte, de nosso próprio destino e de nossa própria ação.

Comuns, 14 de março de 1933

As fábricas de munição alemãs estão trabalhando, praticamente, sob as condições de guerra, o material de guerra está fluindo delas e tem sido assim nos últimos 12 meses, em um fluxo cada vez maior. Muito disto é, sem dúvida, uma violação aos tratados que foram assinados. A Alemanha também está se rearmando em terra; está se rearmando também, em certa medida, no mar; mas o que nos preocupa, acima de tudo, é o rearmamento da Alemanha no ar.

Comuns, 28 de novembro de 1934

O Sr. Lansbury disse, há pouco, que ele e o partido socialista nunca consentiram no rearmamento da Alemanha. Mas, ele está bastante seguro de que os alemães virão e lhe pedirão seu consentimento antes de se rearmarem? Será que ele não acha que podem omitir essa formalidade e ir em frente sem sequer votar no cartão do TUC?

Comuns, 7 de novembro de 1933

Rearmamento Alemão

Agora, a exigência é que a Alemanha seja autorizada a se rearmar. Não se iludam. Não deixem o governo de Sua Majestade acreditar - estou certo de que não acredita - que tudo o que a Alemanha está pedindo é um status igual. Acredito que o termo refinado agora é um status qualitativo equivalente ou, como uma alternativa, um status quantitativo equivalente por etapas indefinidamente diferidas. Isso não é o que a Alemanha está buscando. Todas essas bandas de jovens teutônicos robustos, marchando pelas ruas e estradas da Alemanha, com a luz do desejo de sofrer por sua Pátria em seus olhos, com armas, acredite, vão pedir a devolução de territórios e colônias perdidas e, quando essa demanda for feita, possivelmente, lançarão seus alicerces para cada um dos países que tenho mencionado e para alguns outros que não mencionei.

Comuns, 23 de novembro de 1932

Rearmamento da Alemanha

Qual é o grande fato novo que nos invadiu durante os últimos 18 meses? A Alemanha está se rearmando. Esse é o grande fato novo que desperta a atenção de todos os países da Europa - aliás, do mundo - e que joga quase todas as outras questões para segundo plano.

Comuns, 28 de novembro de 1934

A Alemanha já está no caminho certo para se tornar, e deve se tornar incomparavelmente, a nação mais fortemente armada do mundo e a nação mais completamente pronta para a guerra. Há o fator dominante; há o fator que anula todos os outros, que afeta os movimentos da política e diplomacia em todos os países da Europa; e este tornou-se uma melancólica reflexão nas últimas horas deste parlamento, de que temos sido desamparados, talvez, até mesmo, os espectadores passivos dessa vasta transformação à angústia aguda da Europa e à nossa própria desvantagem.

Comuns, 24 de outubro de 1935

Reconhecimento

O reconhecimento de uma pessoa não é, necessariamente, um ato de aprovação. Eu não serei pessoal ou darei instâncias. É preciso reconhecer muitas coisas e pessoas de quem não se gosta neste mundo de pecado e infortúnio.

Comuns, 17 de novembro de 1949

Recriminação

Tenho certeza de que, se abrirmos uma disputa entre o passado e o presente, descobriremos que nós perderemos o futuro.

Comuns, 18 de junho de 1940

Recrutamento

Considero a compulsão não como a reunião de homens como se fossem montes de telhas, mas o encaixe deles em seus lugares como cada pedaço no modelo de um mosaico. O grande princípio da igualdade exige, na prática, que seja aplicado de acordo com a máxima: "Um lugar para todo homem e todo homem em seu lugar".

Comuns, 23 de maio de 1916

Há muitos países onde um exército nacional em uma base obrigatória é a principal base do Estado e é considerado como uma das mais importantes salvaguardas da liberdade democrática. Não é assim aqui. Ao contrário, o caráter civil de nossas instituições governamentais é uma das convicções mais profundamente apreciadas em nossa vida na ilha, uma convicção que a posição isolada da nossa ilha nos permitiu desfrutar.
Comuns, 23 de fevereiro de 1920

Regra de Herrenfolk
O que é esta Nova Ordem que procuram fixar, primeiro na Europa e, se possível - pois as suas ambições são ilimitadas - em todos os continentes do globo? É a regra de Herrenfolk - a raça master - para acabar com a democracia, com os parlamentos, com as liberdades fundamentais e decências dos homens e mulheres comuns, os direitos históricos de nações; e dar-lhes, em troca, a regra de ferro da Prússia, a universal marcha passo de ganso, uma disciplina rigorosa e eficiente imposta às classes trabalhadoras pela polícia política, com os campos de concentração alemães e festas de disparos, agora, em uma dúzia de terras, sempre à mão no histórico. Aí está a Nova Ordem.
Londres, 24 de agosto de 1941

Regras da Britânia
As tarefas que a Marinha tem realizado em tempos de paz, dificilmente, são menos magníficas do que aquelas que conseguiram na guerra. De Trafalgar em diante, por mais de 100 anos, a Britânia governou as ondas. Houve uma grande medida de paz, a liberdade dos mares foi mantida, o comércio escravo foi extirpado, a Doutrina Monroe dos Estados Unidos encontrou sua sanção no poder naval britânico - e tem sido muito bem reconhecido do outro lado do Atlântico - e nesses dias felizes, o custo foi de cerca de 10 milhões de libras por ano.
Comuns, 8 de março de 1948

Rei George VI
Eu vi o rei, alegre, flutuante e confiante quando as pedras e escombros do Palácio de Buckingham estavam espalhados em montes sobre os seus relvados.
Edimburgo, 12 de outubro de 1942

Rei Leopoldo

No último momento, quando a Bélgica já estava invadida, o rei Leopoldo nos pediu para vir em seu auxílio e, mesmo no último momento, viemos. Ele e seu exército corajoso e eficiente, quase meio milhão de homens fortes, guardaram nosso flanco esquerdo e, assim, mantiveram aberta nossa única linha de retiro para o mar. De repente, sem o conselho de seus ministros e em seu próprio ato pessoal, enviaram um plenipotenciário para o comando alemão, entregaram seu exército e expuseram todos os nossos flancos e meios de retirada.

Comuns, 4 de junho de 1940

Reinado do Direito

O futuro para o qual estamos marchando através de campos sangrentos e manifestações assustadoras de destruição deve ser baseado nas virtudes amplas e simples e sobre a nobreza da humanidade. Deve ser baseado em um reinado de direito que defende os princípios da justiça e do jogo limpo, que protege os fracos contra os fortes, se os fracos tiverem a justiça ao seu lado. Deve haver um fim à exploração predatória e às ambições nacionalistas.

Comuns, 24 de maio de 1944

Reiteração

> Nunca se deve ter medo ou vergonha de insistir em um ponto. É a reiteração que importa. Nunca se deve ter vergonha de insistir nos grandes pontos de controvérsia pública, que fazem seu apelo ao senso comum e à consciência da nação.
>
> *The Royal Albert Hall, Londres, 30 de abril de 1948*

Os bolcheviques russos descobriram que a verdade não importa desde que haja reiteração. Eles não têm qualquer dificuldade em combater um fato com uma mentira que, se repetida com frequência e em voz alta o suficiente, se torna aceita pelo povo.

Brighton, 4 de outubro de 1947

Relações Diplomáticas

A razão de ter relações diplomáticas não é para elogiar, mas para garantir uma conveniência.

Comuns, 17 de novembro de 1949

Religião

A religião tem sido a rocha na vida e no caráter sobre a qual o povo britânico construiu suas esperanças e lançou seus cuidados. Este elemento fundamental nunca deve ser retirado de nossas escolas e me regozijo para saber do enorme progresso que está sendo feito entre todos os religiosos que se libertam de ciúmes e rixas sectárias enquanto preservam, fervorosamente, os princípios de sua própria fé.

Londres, 21 de março de 1943

Renânia

Conseguimos assegurar as desvantagens de todos os cursos sem as vantagens de alguns. Pressionamos a França para um curso de ação que não foi longe o suficiente para ajudar os Abissínios, mas foi longe o suficiente para separá-los da Itália, com o resultado de que a ocasião foi dada a Herr Hitler em rasgar tratados e reocupar a Renânia.

Comuns, 6 de abril de 1936

Rendição Incondicional

Foi somente depois de uma consideração plena e fria, sóbria e madura de todos estes fatos, dos quais nossas vidas e liberdades certamente dependem, que o presidente, com minha total concordância como agente do Gabinete de Guerra, decidiu que a nota da Conferência de Casablanca deve ser a rendição incondicional de todos os nossos inimigos. Nossa insistência inflexível na rendição incondicional não significa que mancharemos nossos braços vitoriosos por qualquer tratamento cruel de populações inteiras.

Mas, a justiça deve ser feita sobre o perverso e culpado, dentro dos seus próprios limites, a justiça deve ser austera e implacável.

Comuns, 11 de fevereiro de 1943

A paz, embora baseada na rendição incondicional, trará à Alemanha e ao Japão uma imensa e imediata melhoria do sofrimento e agonia que agora estão diante deles. Nós, os Aliados, não somos monstros, mas homens fiéis, tentando levar adiante a luz do mundo, tentando levantar a humanidade da confusão sangrenta em que está agora mergulhada, uma estrutura de paz, de liberdade, de justiça e de direito, cujo sistema deve ser um abrigo permanente e duradouro para todos.

Comuns, 18 de janeiro de 1945

> A política de rendição incondicional não exclui a rendição fragmentada incondicional. Não se aplica, necessariamente, ao atacado.
>
> *Comuns, 12 de abril de 1945*

Não sou da opinião de que uma exigência de rendição incondicional prolongue a guerra. De qualquer forma, a guerra será prolongada até que se torne incondicional. A rendição foi obtida.

Comuns, 16 de janeiro de 1945

Reno

Eu pensei que a observação do primeiro ministro, que foi feita há alguns anos, sobre nossa fronteira ser o Reno, era responsável, na época, por ser mal compreendida; mas, se ele quisesse dizer que era um perigo mortal para a Grã Bretanha ter os Países Baixos nas garras fortificadas dos poderes militares mais fortes do continente, e agora, nestes dias, ter todas as bases alemãs de aviação ali estabelecidas, ele estava apenas repetindo a lição ensinada em quatro séculos de história.

Comuns, 6 de abril de 1936

Reparações da Alemanha

Deixe-me dar um exemplo marcante que veio ao meu conhecimento quando estava atravessando o Oceano Atlântico. Nós e a América tomamos, sob o Tratado de Paz, três grandes transatlânticos da Alemanha. Os alemães se renderam e, depois, pediram dinheiro emprestado para construir dois muito melhores. Eles capturaram, imediatamente, o Blue Riband do Atlântico e eles ainda o têm. Agora, os empréstimos com os quais os alemães construíram estes navios estão sujeitos a uma moratória, enquanto nós não podemos seguir com o nosso novo Cunarder por causa de nossa crise financeira. Ou seja, a Alemanha não tem quase tantos motivos para reclamar, como alguns supõem.

Comuns, 11 de julho de 1932

Qual é o verdadeiro problema, o verdadeiro perigo? Não é a reocupação do Rhineland, mas este enorme processo de rearmamento da Alemanha. Aí está o perigo. O Sr. Lansbury diz que, na eleição, parecia estar assombrado por este pensamento. Confesso que tenho estado ocupado com essa ideia das grandes rodas que giram e dos grandes martelos que descem no dia e noite na Alemanha, transformando toda a sua população em uma máquina de guerra disciplinada. Aí está o problema. Isso é o que está aproximando a guerra. Este episódio de Rhineland é apenas um passo, um incidente neste processo. Há medo em todos os países, em todos os lugares. Mesmo aqui, nesta ilha, com alguma proteção à distância, existe o medo, medo profundo. Qual é o medo e qual é a questão que surge a partir dele? É: "Como vamos parar esta guerra que parece estar se movendo para nós de tantas maneiras?".

Comuns, 26 de março de 1936

Represálias

A questão das represálias está sendo discutida em alguns quadrantes como se fosse uma questão moral. O que são represálias? O que estamos fazendo é bater, continuamente, em cada um dos pontos da Alemanha que acreditamos que farão os alemães mais feridos e muito rapidamente diminuirão seu poder para nos atacar. Isso é uma represália? Parece-me muito semelhante a uma.

Comuns, 8 de outubro de 1940

Representação Proporcional
É bem verdade que expressei um ponto de vista há muitos anos de que eu não via razão alguma para ignorar o princípio teórico da região em favor de representação proporcional nas grandes cidades. Eu não expressei nenhum ponto de vista em favor da representação proporcional em razão de provar os efeitos nocivos que teve sobre tantos parlamentos.

Comuns, 17 de fevereiro de 1953

Reprovação
Devo encontrar a linha estreita entre a reprovação da complacência em casa e o incentivo ao inimigo no exterior.

Comuns, 22 de fevereiro de 1944

Resgate da Europa
Ainda que grandes extensões da Europa e muitos estados antigos e famosos caíram ou podem cair nas garras da Gestapo e de todos os odiosos aparelhos do governo nazista, não devemos sinalizar ou falhar. Vamos até o fim, lutaremos na França, lutaremos nos mares e oceanos, lutaremos com confiança crescente e força crescente no ar, defenderemos nossa ilha, seja qual for o custo, lutaremos na praias, lutaremos no local de desembarque, lutaremos nos campos e nas ruas, lutaremos nas colinas; nunca nos renderemos e, mesmo se, o que não acredito, esta ilha ou grande parte dela estiver subjugada e faminta, então, nosso império além dos mares, armado e vigiado pela frota britânica, transportaria para a luta, até que, no bom tempo de Deus, o Novo Mundo, com todo seu poder e força, avançaria para o resgate e a libertação do Antigo.

Comuns, 4 de junho de 1940

Resistência
Estamos passando por um mau momento agora e, provavelmente, será pior antes que fique melhor, mas será melhor se resistirmos e perseverarmos, não tenho dúvidas.

Comuns, 15 de novembro de 1915

Uma e outra vez, ficou provado que a resistência feroz e teimosa, mesmo contra fortes probabilidades e sob condições excepcionais de desvantagem, é um elemento essencial para a vitória.

Comuns, 10 de junho de 1941

Resistência à Mudança

O hábito mais antigo do mundo para resistir à mudança é reclamar que, a menos que o remédio para a doença possa ser aplicado universalmente, ele não deve ser aplicado a todos. Mas, deve começar em algum lugar.

Comuns, 25 de maio de 1911

Respeito

> Não cobiçamos nada, de nenhuma nação, exceto seu respeito.
>
> *Londres, 21 de outubro de 1940*

Responsabilidade

Há uma grande diferença entre ser responsável por dar uma ordem na qual a perda de vários navios valiosos poderia rapidamente seguir e, simplesmente, expressar uma opinião, por mais bem informada, por mais sincera e corajosa que seja, sem tal responsabilidade.

Comuns, 8 de maio de 1940

Restrições

Todo o empreendimento, a capacidade e a genialidade da nação britânica estão cada vez mais paralisados pelas restrições do tempo de guerra com as quais todas as outras nações livres se abalaram claramente, mas, estas ainda são impostas sobre nosso povo em nome de uma filosofia política equivocada e um modo de pensar, em grande parte, obsoleto.

Londres, 21 de janeiro de 1950

Retribuição
O grande transatlântico está afundando em um mar calmo. Um anteparo após o outro cede; um compartimento após o outro é fechado, a lista aumenta; está afundando, mas o capitão, os oficiais e a tripulação estão todos na dança do salão, com a banda de jazz. Mas, espere até que os passageiros descubram qual é a posição deles!

Comuns, 26 de janeiro de 1931

A potência aérea foi a arma que os dois estados saqueadores selecionaram como sua principal ferramenta de conquista. Esta era a esfera na qual eles deveriam triunfar. Este foi o método pelo qual as nações deveriam ser subjugadas à sua regra. Não moralizarei mais do que dizer que há uma estranha e severa justiça no longo balanço dos acontecimentos.

Comuns, 22 de fevereiro de 1944

Retrospectiva
Nada é mais fácil, nada é mais barato, nada é mais fútil do que criticar os perigosos, os incalculáveis eventos e tendências da guerra após ela já ter ocorrido.

Comuns, 21 de fevereiro de 1917

Reunião do Atlântico
Esta foi uma reunião [com o Presidente Roosevelt] que marca para sempre as páginas da história da adoção, pelas nações de língua inglesa, em meio a todos estes perigos, tumultos e confusões, da orientação da sorte das grandes massas trabalhadoras em todos os continentes; e nosso esforço leal, sem obstrução de interesse egoísta, para levá-las adiante das misérias nas quais foram mergulhadas de volta à ampla estrada da liberdade e justiça. Esta é a mais alta honra e a mais gloriosa oportunidade que poderia ter chegado a qualquer ramo da raça humana.

Londres, 24 de agosto de 1941

A reunião foi, portanto, simbólica. Essa é a sua importância primordial. Simboliza, de uma forma e maneira que todos podem entender, em todas as terras e climas, as profundas unidades subjacentes que agitam e, em momentos decisivos, dominam os povos de língua inglesa em todo o mundo. Seria presunçoso para mim dizer que simboliza algo ainda mais majestoso – a saber, a organização das forças boas do mundo contra as forças malignas que agora são tão formidáveis e triunfantes e que lançaram seu feitiço cruel sobre toda a Europa e sobre uma grande parte da Ásia?

Londres, 24 de agosto de 1941

Rifles
Nada é mais vital para o autorrespeito de um soldado do que ter seu rifle e baioneta, com os quais ele pode defender sua vida e sua honra.

Comuns, 1º de dezembro de 1948

Rio de Sangue
Um rio de sangue fluiu e está fluindo entre a raça alemã e os povos de quase toda a Europa. Não é o sangue quente da batalha, onde bons golpes são dados e devolvidos. É o sangue frio do pátio de execução e do cadafalso, o que deixa uma mancha indelével para gerações, por séculos.

Mansion House, Londres, 10 de novembro de 1941

Riqueza
O que desejamos é liberdade; o que precisamos é de abundância. Liberdade e abundância - estes devem ser nossos objetivos. A produção de novas riquezas é muito mais benéfica e em escala incomparavelmente maior do que a luta de classes partidárias pela liquidação de riquezas antigas. Devemos tentar compartilhar bênçãos e não misérias.

Risco de seguro
Ninguém é capaz de prever o momento exato de sua morte. Isso é um mistério que nos é escondido. Ainda assim, à medida que os anos passam, cada um de nós atinge o pico e desce, lenta e gradualmente, ou rapidamente, conforme o caso, a posição atuarial de cada contribuinte é definitiva e efetivamente alterada.

Comuns, 21 de junho de 1926

Rixas Irlandesas
O Império Britânico não pode se dar ao luxo de ser atraído continuamente por esses brutais feudos irlandeses em uma posição desonrosa para seus interesses gerais e reputação.
Comuns, 12 de abril de 1922

Rosnado
Um rosnado saudável dessas bancadas, há três anos - e quão diferente seria hoje todo o layout da nossa produção de armamentos! Ai de mim, que serviço não estava disponível. Nós nos desviamos para o bem, em geral, na aquiescência, por três anos inteiros - não três anos inteiros de inconsciência, mas por três anos inteiros com os fatos estourando em nossas mãos.
Comuns, 17 de novembro de 1938

Rússia
Não posso prever a ação de Rússia. É uma charada envolta em um mistério dentro de um enigma; mas, talvez, haja uma chave. Essa chave é de interesse nacional russo.
Londres, 1º de outubro de 1939

A impressão que trouxe da Crimeia, e de todos os meus outros contatos, é que o Marechal Stalin e os líderes soviéticos desejam viver em honrosa amizade e igualdade com as democracias ocidentais. Eu sinto, também, que suas palavras são suas obrigações. Eu não conheço nenhum governo que se mantenha em suas obrigações, mesmo em seu próprio país, mais solidamente do que o Governo Soviético Russo. Recuso-me, absolutamente, a embarcar em uma discussão sobre a boa fé russa. É bastante evidente que estes assuntos tocam todo o futuro do mundo. Sombria seria, de fato, a sorte da humanidade se surgisse um cisma terrível entre as democracias ocidentais e a União Soviética Russa, se a futura organização mundial fosse desmantelada e se novos cataclismos de violência inconcebível destruíssem tudo o que resta dos tesouros e das liberdades da humanidade.
Comuns, 27 de fevereiro de 1945

O regime nazista é indistinguível das piores características do comunismo. Ele é desprovido de toda matéria e princípio, exceto apetite e dominação racial. Ele supera todas as formas de maldade humana na eficiência de sua crueldade e agressão feroz. Ninguém tem sido mais opositor consistente do comunismo do que eu nos últimos 25 anos. Não direi palavra alguma do que falei. Mas, tudo isso se desvanece antes do espetáculo que agora está se desenrolando. O passado, com seus crimes, suas loucuras e suas tragédias, lampeja distante. Eu vejo os soldados russos de pé, no limiar de sua terra natal, guardando os campos que seus pais cultivaram desde tempos imemoriais. Eu os vejo guardando suas casas onde as mães e esposas rezam - ah sim, pois há momentos em que todos rezam - para a segurança de seus entes queridos, o retorno do ganha-pão, de seu defensor, de seu protetor. Eu vejo as milhares de aldeias da Rússia, de onde os meios de existência foram retirados de forma difícil do solo, mas onde ainda existem as alegrias humanas primordiais, onde as donzelas riem e as crianças brincam. Vejo, avançando sobre tudo isso, um ataque hediondo da máquina de guerra nazista, com seus oficiais prussianos tinindo, calcanhares batendo e afetados, seus espertos agentes especialistas recém-saídos da intimidação e de uma dúzia de países. Vejo, também, as massas perfuradas, dóceis e brutais dos soldados hunos avançando como um enxame de gafanhotos rastejantes. Eu vejo os bombardeiros e caças alemães no céu, ainda alertas pelas muitas chicotadas britânicas, felizes por encontrar o que eles acreditam ser uma presa mais fácil e segura.

Londres, 22 de junho de 1941

Rússia Soviética

Aqui, temos um Estado cujos súditos estão tão felizes que são proibidos de sair de seus limites sob as penas mais severas; cujos diplomatas e agentes enviados em missões no exterior têm, frequentemente, que deixar suas esposas e filhos em casa como reféns para garantir seu eventual retorno.

Comuns, 29 de julho de 1919

Mudanças profundas aconteceram na Rússia soviética. A forma Trotskyniana do comunismo foi completamente dizimada. As vitórias dos exércitos russos têm sido assistidas por um grande aumento da força do Estado russo e uma ampliação notável de seus pontos de vista. O lado religioso da vida russa tem tido um renascimento maravilhoso. A disciplina e a etiqueta militar dos exércitos russos são insuperáveis. Há um novo Hino Nacional, o qual o Marechal Stalin me enviou e pedi à BBC para tocar nas frequentes ocasiões em que há grandes vitórias russas para comemorar.

Comuns, 24 de maio de 1944

S

TODOS AS GRANDES COISAS SÃO SIMPLES

e muitas podem ser expressas em uma única palavra:

liberdade; justiça; honra; dever; misericórdia; esperança.

The Royal Albert Hall, Londres, 14 de maio de 1947

Sabedoria

Eu tenho uma confiança invencível na genialidade da Grã-Bretanha. Eu acredito na sabedoria instintiva de nossa bem testada democracia. Tenho certeza de que vão falar, agora, em tons musicais e que sua decisão vai reivindicar as esperanças de nossos amigos, em todas as terras, e nos permitirá marchar na vanguarda das Nações Unidas, em majestoso gozo da nossa fama e poder.

Londres, 30 de junho de 1945

Eu sempre me surpreendi, tendo visto o fim dessas duas guerras, como é difícil fazer as pessoas entenderem a sabedoria romana, "poupe o conquistado e combata o orgulhoso". Acho que vou ao ponto de dizer isso no original: *Parcere subjectis, et debellare superbos*. A prática moderna tem sido, com demasiada frequência, punir os derrotados e rastejar para os fortes.

Comuns, 14 de dezembro de 1950

Sabotagem

Você pode duvidar que os tempos são graves quando a palavra "sabotagem" é usada para acusar uma das maiores potências do mundo pelo Sr. Marshall, nos Estados Unidos, e pelo Ministro das Relações Exteriores nesta Casa? Tal linguagem, em qualquer período anterior, teria sido incompatível com a manutenção de qualquer forma de relações diplomáticas entre os países afetados.

Comuns, 23 de janeiro de 1948

Salvação

Trabalhar a partir da fraqueza e do medo é a ruína. Trabalhar a partir da sabedoria e do poder pode ser a salvação.

Saltram Park, Plymouth, 15 de julho de 1950

Salvação da Inglaterra

Nada pode salvar a Inglaterra se ela não se salvar dela mesma. Se perdermos a fé em nós mesmos, em nossa capacidade de guiar e governar, se perdermos nossa vontade para viver, então, de fato, nossa história será contada.

Sociedade Real de São Jorge, Londres, 24 de abril de 1933

São Jorge
Tenho que falar com vocês sobre São Jorge e o Dragão. Eu tenho sido perguntando o que aconteceria se essa lenda fosse repetida nas condições modernas. São Jorge chegaria a Capadócia, acompanhado não por um cavalo, mas por um secretariado. Ele estaria armado não com uma lança, mas com várias fórmulas flexíveis. Ele seria, é claro, bem-vindo pela filial local da União da Liga das Nações. Ele proporia uma conferência com o dragão - uma Conferência de Mesa Redonda, sem dúvida - que seria mais conveniente para a cauda do dragão. Ele faria um acordo comercial com o dragão. Ele emprestaria ao dragão muito dinheiro dos contribuintes da Capadócia. A libertação da donzela seria encaminhada para Genebra, o dragão reservando, entretanto, todos os seus direitos. Finalmente, São Jorge seria fotografado com o dragão (inserindo - a donzela).
Sociedade Real de São Jorge, Londres, 24 de abril de 1933

Satélites da Alemanha
Um a um, em rápida sucessão, os estados satélites têm se contorcido ou se livrado da tirania nazista e, como é habitual nesses casos, não tem sido um processo desde a aliança com a Alemanha até a neutralidade, mas da aliança com a Alemanha à guerra. Isto se deu na Romênia e na Bulgária. Já existe uma luta entre os finlandeses e os alemães. Os alemães, de acordo com sua prática e caráter habituais, estão deixando um rastro de vilarejos queimados e enegrecidos atrás deles, mesmo na terra dos infelizes finlandeses ludibriados.
Comuns, 28 de setembro de 1944

Saturação de Vitória
Durante a guerra [1914-1918] nos colocamos, repetidamente, a questão: Como vamos vencer? E ninguém foi capaz de respondê-la com muita precisão, até que, no final, de repente, nosso terrível inimigo colapsou diante de nós e ficamos tão saturados de vitória que em nossa loucura, nós a jogamos fora.
Comuns, 18 de junho de 1940

Schadenfreude

> É um hábito estranho e de espírito anticristão que facilita suportar infortúnios porque se vê que outros estão sendo infligidos a eles também.
>
> Liverpool, 2 de outubro de 1951

Scharnhorst e Gneisenau

Eu li este documento [Relatório do Ministério da Marinha sobre os navios de guerra alemães] à Câmara porque estou ansioso para que os membros percebam que nossos assuntos não são conduzidos inteiramente por simplórios e idiotas.

Comuns, 23 de abril de 1942

Se

Não dou nenhuma garantia, não faço nenhuma promessa ou previsão para o futuro. Mas, nos próximos seis meses, durante os quais devemos esperar por lutas ainda mais duras e muitas desilusões, não devemos nos encontrar em pior posição do que nos encontramos hoje; se, depois de termos lutado tanto tempo desamparados, sozinhos, contra o poder da Alemanha, contra a Itália, contra as intrigas e traições de Vichy, devemos, ainda, encontrar os fiéis e guardiões invictos do Vale do Nilo e das regiões que nele se encontram, então, digo que um famoso capítulo terá sido escrito na história marcial do Império Britânico e da Comunidade das Nações.

Comuns, 10 de junho de 1941

Segurança

Nunca vivemos à mercê de ninguém. Nunca vivemos da boa vontade de qualquer nação continental em relação às nossas exigências fundamentais. Nunca confiamos a defesa deste país a qualquer potência estrangeira. Nós nunca pedimos ajuda a ninguém. Nós temos dado ajuda a muitos, mas para garantir a segurança de nossa própria ilha não pedimos ajuda a ninguém.

Comuns, 8 de março de 1934

Segurança em primeiro lugar
Não há maneira menos provável de vencer uma guerra do que aderir à máxima "segurança em primeiro lugar".

Comuns, 10 de abril de 1941

Seguro Nacional
Pessoalmente, estou muito interessado em um esquema para a fusão e a extensão dos nossos atuais e incomparáveis sistemas de seguros que devem ter um lugar de liderança no nosso Plano de Quatro Anos. Tenho estado conectado a todos estes esquemas de economia nacional obrigatória organizada desde o tempo em que trouxe o meu amigo, Sir William Beveridge, ao serviço público, há 35 anos, quando eu estava criando as bolsas de trabalho em que ele era uma grande autoridade e quando, com Sir Hubert Llewellyn Smith, enquadrei o primeiro esquema de seguro desemprego. O principal pai de todos os sistemas nacionais de seguros é o Sr. Lloyd George. Eu era o seu tenente nesses dias distantes e, depois, coube a mim, como chanceler do Tesouro, há 18 anos, baixar a idade da reforma para 65 anos e trazer as viúvas e os órfãos.

Londres, 21 de março de 1943

Seguro Social
Grosso modo, creio que não é exagero dizer que as taxas para cobrir um homem até 70 são, em muitos casos, pouco mais da metade do que seriam se tivessem que cobri-lo até a morte. Veem o que isso significa? É um fato prodigioso. É o tipo de fato através da descoberta de que pessoas fazem fortunas gigantescas; e sugiro que façamos esta fortuna gigantesca para John Bull.

Free Trade Hall, Manchester, 23 de maio de 1909

Seguros
Se tivesse que resumir o futuro imediato da política democrática em uma única palavra diria "segura". Esse é o futuro - segura contra perigos do exterior, segura contra perigos pouco menos graves, muito mais próximos e constantes que nos ameaçam aqui em casa, em nossa própria ilha.

Free Trade Hall, Manchester, 23 de maio de 1909

Sentido de Proporção

O curioso fato de a Câmara preferir dar dois dias para o *White Paper* da televisão e apenas um dia para as relações exteriores poderá ser notado por historiadores futuros como exemplo de um senso de proporção variável no pensamento moderno.

Comuns, 17 de dezembro de 1953

Sentido de Responsabilidade

Nesta ilha livre, antiga e independente, não estamos vivendo na Idade Média. Vemos grandes esperanças para o futuro de todo o mundo. Vemos a oportunidade de levantar, com a ajuda da ciência, todos os homens, em todas as terras, a um nível de bem-estar e cultura muito mais elevado do que jamais foi possível. É uma oportunidade que nunca chegou à humanidade e que pode não se repetir se for descartada, até que gerações e, talvez, séculos tenham se passado. Estamos determinados a não permanecer com a culpa e a vergonha de ficarmos entre as massas trabalhadoras do mundo e as perspectivas sempre animadoras que estão ao seu alcance. É este senso de responsabilidade perante os altos monumentos da história que tem regido nossa política, nossa conduta e nenhum insulto ou injúria nos afastará desta determinação.

Comuns, 28 de junho de 1939

Sentido de Unidade

Seja pelos laços de sangue do lado de minha mãe, pelas amizades que desenvolvi aqui durante muitos anos de vida ativa ou pelo sentimento de camaradagem na causa comum de grandes povos que falam a mesma língua, que se ajoelham nos mesmos altares e que, em grande medida, perseguem os mesmos ideais, não posso me sentir um estranho no centro e na cúpula dos Estados Unidos. Eu sinto uma sensação de unidade e associação fraterna que, somada à bondade de seu acolhimento, me convencem de que tenho o direito de me sentar à sua lareira e compartilhar de suas alegrias de Natal.

A Casa Branca, Washington, DC, 24 de dezembro de 1941

Serviço Nacional

É discutível que tenhamos tentado desempenhar um papel muito importante nos assuntos europeus entre as guerras e antes da primeira guerra, sem poder ou querer aceitar as mesmas condições de serviço, ou colocar a mesma mão de obra como nossos aliados ou potenciais aliados foram forçados a fazer. Deveríamos ter carregado muito mais peso nos conselhos de paz se tivéssemos tido serviço nacional.

Comuns, 31 de março de 1947

Serviço Sênior

É sempre mais fácil para a marinha conseguir dinheiro do que para o exército.

Comuns, 17 de maio de 1916

Serviço Submarino

> Não há um ramo das Forças de Sua Majestade que, nesta guerra, tenha sofrido a mesma proporção de perda fatal que nosso serviço submarino. É o mais perigoso de todos os serviços. Essa, talvez, seja a razão pela qual o Primeiro Senhor me diz que a entrada nele é a mais procurada por oficiais e homens.
>
> *Comuns, 9 de setembro de 1941*

Os submarinos britânicos sofrem a séria desvantagem de ter poucos alvos a atacar. A eles não é permitido, pelo costume do mar e pelas convenções que subscrevemos, afundar os navios comerciante sem aviso prévio ou sem poder prover a segurança das tripulações dos comerciantes. Os submarinos britânicos não fazem guerra aos navios neutros. Eles não atacam os barcos de pesca humildes.

Londres, 18 de dezembro de 1939

Sessões a Noite Toda

Muitas objeções poderiam ser instadas contra as sessões durante toda a noite, mas os ancestrais dos presentes membros não tinham medo de submeter-se a uma tensão considerável e esforço no interesse do público e da discussão livre.

Comuns, 16 de março de 1905

Seu Melhor Momento

Acredito que a batalha da Grã-Bretanha esteja prestes a começar. Dessa batalha, depende a sobrevivência da civilização cristã. Dela, dependem a nossa própria vida britânica, a longa continuidade das nossas instituições e do nosso Império. Toda fúria e poder do inimigo devem ser ativados, muito em breve, sobre nós. Hitler sabe que terá que nos destruir nesta ilha ou perderá a guerra. Se conseguirmos enfrentá-lo, toda a Europa poderá ser livre e a vida do mundo pode avançar para os amplos e ensolarados planaltos. Mas, se falharmos, então, o mundo inteiro, incluindo os Estados Unidos, incluindo tudo o que temos conhecido e cuidado, vai afundar no abismo de um nova Era Negra, tornando-se mais sinistra e, talvez, mais demorada pelas luzes da ciência pervertida. Portanto, vamos nos apoiar aos nossos deveres e, assim, nos aguentar, pois, se o Império Britânico durar por mil anos, os homens dirão: "Este foi o seu melhor momento".

Comuns, 18 de junho de 1940

Sindicatos

> Os sindicatos deste país têm feito uma contribuição notável ao esforço de guerra.
>
> *Londres, 6 de fevereiro de 1945*

Sempre fui um firme adepto do sindicalismo britânico. Acredito que este seja o único alicerce sobre o qual as relações de empregadores e empregados possam ser harmoniosamente ajustadas.

Woodford Green, 10 de julho de 1948

Sionismo
Se nossos sonhos para o sionismo forem acabar na fumaça das pistolas dos assassinos e nosso trabalho para o futuro produzir apenas um novo conjunto de gângsteres digno da Alemanha nazista, muitos como eu terão que reconsiderar a posição que temos mantido de forma tão consistente e por tanto tempo. [Ref. ao assassinato de Lord Moyne].

Comuns, 17 de novembro de 1944

Sir Stafford Cripps
Sir Stafford Cripps é um homem capaz e íntegro, torturado e obcecado por seus princípios socialistas.

Ayr, 16 de maio de 1947

Stafford Cripps era um homem de força e chama. Sua paixão intelectual e moral era tão forte que não só inspirou, mas não raramente, dominou suas ações. Foram fortalecidas e governadas pelo trabalho de uma inteligência poderosa, lúcida, por uma profunda e animada fé Cristã. Caminhou pela vida com uma indiferença notável para satisfação material ou vantagens mundanas.

Comuns, 23 de abril de 1952

Soberania
Estou firmemente convencido de que precisamos fortalecer nosso armamento aéreo e sobre os mares, a fim de garantir que ainda sejamos juízes de nossas próprias sortes, nossos próprios destinos e nossas próprias ações.

Comuns, 14 de março de 1933

Sobre Balanço de Potência
Ao olhar para o futuro de nosso país, no cenário das mudanças do destino humano, sinto a existência de três grandes círculos entre as nações livres e democráticas. Eu quase queria ter um quadro negro. Eu gostaria de fazer uma pintura para vocês. Suponho que não ficaria pendurado na Royal Academia, mas isso ilustraria o ponto que estou ansioso para que mantenham em suas mentes. O primeiro círculo para nós é, naturalmente, a comunidade e o Império britânico, com tudo o que isso engloba.

Depois, há o mundo anglófono no qual nós, Canadá e as outras dominações britânicas e os Estados Unidos desempenhamos um papel tão importante. E, finalmente, existe a Europa unida. Estes três círculos majestosos são coexistentes e se eles estão ligados entre si não há força ou combinação que pode derrubá-los ou desafiá-los.

Llandudno, 9 de outubro de 1948

Socialismo

O socialismo está inseparavelmente entrelaçado com o totalitarismo e com a abjeta adoração do Estado... Este Estado deve ser o arque empregador, o arqui-planejador, o arqui-administrador e governante, o arqui-chefe de convenção de partido.

Londres, 4 de junho de 1945

O socialismo é a filosofia do fracasso, o credo da ignorância e o evangelho da inveja.

Perth, 28 de maio de 1948

O socialismo se baseia na ideia de um Estado todo-poderoso que possui tudo, que planeja tudo, que distribui tudo e assim, através de seus políticos e funcionários, decide a vida cotidiana do cidadão individual.

Londres, 21 de janeiro de 1950

Socialistas

Um bom número daqueles cavalheiros que têm uma visão maravilhosa de um nobre e brilhante futuro para o mundo estão tão distantes dos fatos difíceis da vida cotidiana e da política comum que não estou muito certo de que trarão qualquer influência útil ou efetiva para o curso imediato dos eventos.

Kinnaird Hall, Dundee, 14 de maio de 1908

Sociedade

Devemos nos precaver de tentar construir uma sociedade na qual ninguém vale nada, exceto um político ou um funcionário, uma sociedade onde a empresa não ganha recompensa e a economia não tem privilégios.

BBC, 21 de março de 1943

O esquema de sociedade para o qual os conservadores e os liberais nacionais se posicionam é o estabelecimento e a manutenção de um padrão básico de vida e de trabalho abaixo do qual um homem ou uma mulher, por mais velho ou fraco que seja, não se deve permitir cair.

Londres, 21 de janeiro de 1950

Solidariedade

Você não esperaria que três grandes potências tão diferentes como a Grã-Bretanha, os Estados Unidos e a Rússia soviética não tivessem muitas visões diferentes sobre o tratamento aos vários e numerosos países pelos quais lutaram. A maravilha é que tudo tem sido mantido, até agora, tão sólido, seguro e consistente entre todos nós. Mas, este processo não surge de si mesmo. Ele precisa de cuidado e atenção constantes. Além disso, há aqueles problemas de distância, ocasião e personalidade que tantas vezes mencionei para a Câmara e que tornam extremamente difícil reunir três dos principais Aliados em um só lugar. Não hesito, portanto, em viajar de tribunal em tribunal como um trovador errante, sempre com a mesma canção para cantar - ou o mesmo conjunto de canções.

Comuns, 27 de outubro de 1944

Solidariedade Anglo-Americana

Golpes de martelo prodigiosos foram necessários para nos unir novamente, ou se você me permitir usar outra linguagem, vou dizer que ele deve ter uma alma cega que não pode ver que algum grande propósito e desenho está sendo trabalhado aqui abaixo, do qual temos a honra de ser os servos fiéis. Não é facultado a nós espiar os mistérios do futuro. Ainda assim, repudio minha esperança e fé, clara e inviolável, que nos dias que virão aos povos britânico e americano, para sua própria segurança e para o bem de todos, andarão juntos, lado a lado, em maestria, na justiça e em paz.

Discurso no Congresso, Washington, 26 de dezembro de 1941

Solidariedade com a América

Caso os Estados Unidos se envolvam em uma guerra com o Japão, a declaração britânica será feita dentro de uma hora.

Comuns, 10 de novembro de 1941

Solidariedade de Boas Pessoas

Quando boas pessoas se metem em problemas porque são atacadas e fortemente golpeadas pelos vis e perversos, elas devem ter muito cuidado para não serem hostis umas com as outras. O inimigo comum está sempre tentando fazer isso e, é claro, com azar, muitas coisas acontecem e as jogam nas mãos do inimigo. Devemos apenas fazer o melhor das coisas à medida que vão surgindo.

BBC, 21 de outubro de 1940

Soluções

A solução perfeita de nossas dificuldades é não estar procurado por um mundo imperfeito.

Sheffield, 17 de abril de 1951

Sra. Chiang Kai-Shek

Madame Chiang Kai-Shek é uma das mais notáveis e fascinantes personalidades. Seu domínio perfeito de inglês e completa compreensão da luta mundial como um todo, permite que seja a melhor intérprete de todos em assuntos em que ela mesma desempenha um papel notável.

Comuns, 22 de fevereiro de 1944

Staff Geral Alemão

O sistema de staff geral alemão, que não conseguimos liquidar após a última guerra, representa uma ordem composta por milhares de oficiais altamente treinados e uma escola de doutrina de continuidade longa e ininterrupta. Possui grande habilidade, tanto no manuseio de tropas em ação como em sua rápida movimentação de lugar para lugar. Os recentes combates na Itália devem partir, sem dúvida, sobre estes pontos.

Comuns, 22 de fevereiro de 1944

Stalin

Ele é um homem de grande personalidade, adequado para os tempos sombrios e tempestuosos em que sua vida foi lançada; um homem de inesgotável coragem e força de vontade, um homem direto e, até mesmo, brusco na fala, que

tendo sido criado na Câmara dos Comuns, não me importo, especialmente, quando tem algo a dizer a meu respeito. Acima de tudo, ele é um homem com aquele senso de humor salvador, o que é de grande importância para todos os homens e todas as nações, mas, particularmente, aos grandes homens e às grandes nações. Stalin também deixou em mim a impressão de uma profunda e fria sabedoria, e uma ausência completa de qualquer tipo de ilusões.
Comuns, 8 de setembro de 1942

Subavaliação
É sempre verdade, penso eu, que um dos principais alicerces do senso de humor britânico é a subavaliação.
Comuns, 27 de julho de 1950

Submissão
É possível construir paz, boa vontade e confiança sendo submetido a ações erradas, apoiadas pela força? Pode-se colocar esta questão na maior forma. Algum benefício ou progresso já foi alcançado pela raça humana através da submissão à violência organizada e calculada?
Londres, 16 de outubro de 1938

Suborno
Foi muito melhor subornar uma pessoa do que matá-la e muito melhor ser subornado do que ser morto.
Comuns, 30 de abril de 1953

Sudeto
Nós, neste país, como em outros países liberais e democráticos, temos o direito perfeito de exaltar o princípio da autodeterminação, mas isso soa doentio vindo da boca daqueles que, nos Estados totalitários, negam até mesmo o menor elemento de tolerância a cada seção e credo dentro de

seus limites. Mas, embora digam, este bloco de terra em particular, esta massa de seres humanos, nunca expressou o desejo de ficar sob domínio nazista. Eu não acredito que, mesmo agora, se pudessem dar sua opinião, eles expressariam tal desejo.

Comuns, 5 de outubro de 1938

Suficiente
O suficiente é tão bom quanto um banquete.

Comuns, 25 de abril de 1918

Superioridade Aérea
Estamos entrando em um período de perigo e dificuldade. E, como ficar neste longo período de perigo? Não há dúvida de que os alemães são superiores a nós no ar no presente momento e é minha crença de que até o final do ano, a menos que sua taxa de construção e desenvolvimento seja bloqueada por algum acordo, eles serão, possivelmente, três e até mesmo quatro vezes maiores que nossas forças.

Comuns, 22 de maio de 1935

O único método que está aberto para que nós recuperemos nossa antiga independência da ilha é adquirindo essa supremacia no ar que nos foi prometida, essa segurança em nossas defesas aéreas que acreditamos que possuíamos e, assim, fazer de nós mesmos uma ilha mais uma vez. Que em toda essa perspectiva sombria, brilha como o fato esmagador. Um esforço para o rearmamento, diferente do que tem sido visto, deve ser feito imediatamente, todos os recursos deste país e toda a sua força unida devem ser curvadas a essa tarefa.

Comuns, 5 de outubro de 1938

Superioridade Aérea Alemã
Se a Alemanha continuar esta expansão e se continuarmos a realizar o nosso em 1936, então, em algum tempo, a Alemanha estará, definitiva e substancialmente, mais forte do que a Grã-Bretanha no ar.

Comuns, 30 de julho de 1934

T

NÃO PODEMOS FALHAR OU VACILAR.

Não devemos enfraquecer ou cansar. Nem o súbito choque da batalha, nem as provações da longa vigilância e do esforço nos desgastarão.

Dê as ferramentas
e nós terminaremos o trabalho.

Londres, 9 de fevereiro de 1941

Tamanho do Parlamento da Câmara

A segunda característica de uma Câmara formada nas linhas da Câmara dos Comuns é que não deve ser grande o suficiente para comportar todos os seus membros de uma só vez sem superlotação e nenhum membro deve ter um assento reservado e separado para ele. A razão para isso tem sido um quebra-cabeça para os forasteiros desavisados, frequentemente, tem aguçado a curiosidade e, até mesmo, a crítica dos novos membros. No entanto, não é tão difícil de entender se olhar a partir de um ponto de vista prático. Se a Casa é grande o suficiente para conter todos os seus deputados, nove décimos de seus debates serão realizados na deprimente atmosfera de uma Câmara quase vazia ou meio vazia. A essência da boa Câmara dos Comuns é o estilo conversacional, a facilidade para interrupções rápidas, informais e intercâmbios. Sermões de uma tribuna seriam um mau substituto para o estilo conversacional em que muitos dos nossos negócios são feitos. Mas, esse estilo requer um espaço bastante pequeno e deve haver uma sensação da importância de muito do que é dito, um sentido de que grandes assuntos estão sendo decididos.

Comuns, 28 de outubro de 1943

Tanque

Na última guerra, foram construídos tanques para percorrer três ou quatro milhas por hora e para resistir às balas de fuzil ou metralhadora. No intervalo, o processo da ciência mecânica havia avançado tanto que se tornou possível fazer um tanque que poderia ir a 15, 20 ou 25 milhas por hora e aguentar até fogo de canhão. Essa foi uma grande revolução da qual Hitler lucrou. Este é um fato simples que era perfeitamente conhecido pelos militares e serviços técnicos três ou quatro anos antes da guerra. Não nasceu dos cérebros alemães. Surgiu de cérebros britânicos e de cérebros como o do General de Gaulle, na França, e tem sido explorado e voltado para nossos ferimentos graves por parte de pessoas não convencionais, mas altamente competentes e imitativas como os alemães.

Comuns, 7 de maio de 1941

Como se faz um tanque? As pessoas o projetam, discutem sobre ele, planejam e o fazem, então, você pega o tanque, testa-o e testa-o novamente. Quando o tem absolutamente resolvido, então, e só então, você entra em produção.

TCHECOSLOVÁQUIA

Mas, nunca fomos capazes de nos dar ao luxo de ter esse preciso e demorado processo. Tivemos que tirá-lo diretamente da prancheta de desenho, entrar em plena produção e aproveitar da oportunidade dos muitos erros que a construção mostrará depois de centenas e milhares serem feitos.

Comuns, 2 de julho de 1942

Tarde Demais

Há dois anos, era seguro [fazer frente aos ditadores], há três anos, era seguro e era fácil, há quatro anos, um simples despacho poderia ter retificado a posição. Mas, onde estaremos daqui a um ano? Onde devemos estar em 1940?

Comuns, 24 de março de 1938

Tarefa Sublime

Para reconstruir a Europa de suas ruínas e fazer brilhar novamente sua luz sobre o mundo, devemos, antes de tudo, conquistar a nós mesmos. É somente desta maneira que o sublime, com suas maravilhosas transmutações de coisas materiais, pode ser trazido para nossa vida diária.

Haia, 7 de maio de 1948

Tchecoslováquia

Para os ouvidos ingleses, o nome Tchecoslováquia soa estranho. Sem dúvida, é apenas um pequeno Estado democrático, sem dúvida, têm um exército apenas duas ou três vezes maior que o nosso, sem dúvida, têm um fornecimento de munições apenas três vezes maior do que o da Itália, mas, ainda assim, são um povo viril; têm seus pactos de direitos, têm uma linha de fortalezas e têm uma vontade clara de viver livremente.

Comuns, 14 de março de 1938

Muitas pessoas, na época da crise de setembro, pensavam que estavam apenas denunciando os interesses da Tchecoslováquia, mas, a cada mês que passa, verão que elas também estavam denunciando os interesses da Grã-Bretanha, os interesses da paz e da justiça.

Abadia de Waltham, 14 de março de 1939

Vamos olhar, por um momento, no que a Alemanha nazista infligiu sobre os povos que ela subjugou ao seu governo. Os invasores alemães perseguem com todos os métodos de opressão cultural, social e econômico sua intenção de destruir a nação tcheca. Estudantes são atingidos por contagens e atormentados em campos de concentração. Todos as universidades thecas foram fechadas – entre elas, a Universidade Charles de Praga que, fundada em 1348, foi a primeira Universidade da Europa Central; as clínicas, os laboratórios, as bibliotecas das universidades thecas foram saqueadas ou destruídas. As obras de seus escritores nacionais foram removidas das bibliotecas públicas. Mais de dois mil periódicos e jornais foram suprimidos. Proeminentes escritores, artistas e professores foram rebanhados para os campos de concentração. A administração pública e a judiciária foram reduzidas ao caos. As terras tchecas foram saqueadas e cada pedaço de alimento e artigo útil portátil levado para a Alemanha por organizados ladrões de estradas ou ladrões comuns. A propriedade das Igrejas é mal administrada e absorvida por comissários alemães. Cem mil trabalhadores tchecos foram levados para a escravidão para trabalhar até a morte na Alemanha. Oito milhões de tchecos – uma nação famosa e reconhecível como uma comunidade distinta por muitos séculos passados na Europa – se contorce em agonia a tirania alemã e nazista.
Free Trade Hall, Manchester, 27 de janeiro de 1940

Técnicos
Queremos muitos engenheiros no mundo moderno, mas não queremos um mundo de engenheiros. Queremos alguns cientistas, mas devemos mantê-los em seu devido lugar.
Universidade de Londres, 18 de novembro de 1948

Tempestade de Guerra
Quando olho para trás, para os perigos que foram superados, para as grandes ondas montanhosas através das quais o galante navio atravessou, quando me lembro de tudo o que correu mal e lembro-me, também, de tudo o que tem dado certo, tenho certeza de que não temos necessidade de temer a tempestade. Deixem-na bramir, deixem-na enfurecer-se. Nós vamos passar.
Comuns, 7 de maio de 1941

Tempo e Dinheiro

> Tempo e dinheiro são, em grande parte, termos permutáveis.
>
> Comuns, 19 de julho de 1926

Tendência da População

Não há nenhum ramo do conhecimento humano no qual possamos perfurar os mistérios do futuro tão claramente como na tendência da população. Aqui, há profecias que repousam na certeza; os holofotes das estatísticas apontam com precisão para os próximos 30 ou 40 anos. O destino do nosso país, que afinal de contas, prestou notáveis serviços à humanidade na paz e, ultimamente, na guerra, depende de uma fonte sempre fluida de crianças nascidas no que confiamos ser uma sociedade mais ampla e uma sociedade em um mundo menos distraído. A ciência, agora tão pervertida até a destruição, deve levantar seu escudo brilhante não apenas sobre as crianças, mas sobre as mães, não apenas sobre a família, mas sobre a casa.

Royal College of Physicians, Londres, 2 de março de 1944

Tensão

Para manter 50.000 ou 60.000 homens, como nós temos feito há quase 100 anos na Índia, tem sido uma extraordinária tensão sobre esta ilha. É como estar segurando um haltere à distância de um braço.

Comuns, 1º de dezembro de 1948

Tensão da Guerra

A tensão da guerra prolongada é dura e severa para os homens na cúpula executiva de grandes países, por mais leve que pareça estar na posição deles. Eles têm necessidade de toda a ajuda e conforto que seus companheiros e conterrâneos possam lhes dar.

Guildhall, Londres, 30 de junho de 1943

Terceira Frente

Pessoalmente, penso sempre na Terceira Frente, assim como na Segunda. Sempre pensei que as democracias ocidentais deveriam ser como um boxeador que luta com duas mãos e não com uma. Acredito firmemente que o grande movimento de cercamento para o Norte da África, feito sob a autoridade do presidente Roosevelt e do Governo de Sua Majestade, para quem sou um agente principal, será considerado, depois de algum tempo, como uma coisa muito boa de se fazer, em todas as circunstâncias.

Londres, 31 de agosto de 1943

Terra no Controle Aéreo

Gostaria de chamar a atenção da câmara e do público para uma questão ligada à defesa aérea. O ponto é limitado e, em grande parte, técnico e científico em seu caráter. No entanto, é importante. Preocupa-nos com os métodos que podem ser inventados, adotados ou descobertos para possibilitar à terra controlar o ar, para permitir o exercício da defesa a partir do controle do solo - dominação - sobre aviões bem acima de sua superfície.

Comuns, 7 de junho de 1935

Terror e Paz

Moralistas podem achar um pensamento melancólico que a paz não possa encontrar fundações mais nobres do que o terror mútuo.

Comuns, 5 de março de 1952

The Times

O Times está sem palavras e leva três colunas para expressar sua falta de palavras. [Sobre o governo irlandês].

Kinnaird Hall, Dundee, 14 de maio de 1908

Tirania

A tirania se apresenta de várias formas, mas é sempre a mesma, seja qual for o slogan que exprima, seja qual for seu nome, seja qual for o padrão que use. É sempre a mesma e faz uma exigência a todos os homens livres para arriscar e fazer tudo o que puderem para resistir a ela.

Amsterdã, 9 de maio de 1948

Não fazemos guerra, principalmente, com as raças como tal. A tirania é nossa inimiga: seja qual for o adorno ou disfarce que usa, seja qual for o idioma que fala, seja ela externa ou interna, devemos estar sempre em guarda, sempre mobilizados, sempre vigilantes, sempre prontos para atacá-la na garganta. No geral, marchamos juntos. Não somente marchamos e nos esforçamos, ombro a ombro, neste momento, sob o fogo do inimigo nos campos de guerra ou no ar, mas, também, naqueles reinos de pensamento que são consagrados aos direitos e à dignidade do homem.

Universidade de Harvard, 6 de setembro de 1943

Tito

Eu sou o mais antigo apoiador estrangeiro do Marechal Tito. Já faz mais de um ano que, nesta Casa, elogiei suas virtudes guerrilheiras para o mundo. Alguns dos meus melhores amigos e o Honorável e galante Membro de Preston [O filho do Primeiro Ministro, Major Churchill] está lá com ele ou com suas forças agora. Espero, sinceramente, que ele possa provar ser o salvador e o unificador de seu país já que é, sem dúvida, neste momento, seu indiscutível mestre.

Comuns, 18 de janeiro de 1942

Tito dos Partisans

No outono de 1941, o Marechal Tito dos Partisans começou uma selvagem e furiosa guerra pela resistência contra os alemães. Eles arrancaram armas das mãos dos alemães, cresceram rapidamente em número; no entanto, sem represálias sangrentas seja sobre os reféns ou sobre as aldeias, os dissuadiram. Para eles, era a morte ou a liberdade. Logo, começaram a infligir ferimentos graves sobre os alemães e se tornaram mestres das amplas regiões. Liderados com grande habilidade, organizados segundo o princípio da guerrilha eram, ao mesmo tempo, esquivos e mortais. Eles estavam aqui, estavam ali, estavam em toda parte. Em grande escala, ofensivas foram lançadas contra os Partisans pelos alemães, mas em todos os casos, mesmo quando estavam cercados, escapavam depois de infligir grandes perdas e labuta sobre o inimigo.

Comuns, 22 de fevereiro de 1944

Tobruk

Os historiadores podem explicar Tobruk. O Oitavo Exército tem feito melhor; tem se vingado.

Comuns, 11 de novembro de 1942

Foi nesta Casa que recebi a notícia da queda de Tobruk. Não pensei que qualquer inglês, nos Estados Unidos, ficasse tão infeliz como eu estava naquele dia; certamente, nenhum inglês, desde que o General Burgoyne, entregou Saratoga.

Washington, DC, 25 de maio de 1943

Trabalhadores Britânicos

O trabalhador britânico médio, com boa saúde, em pleno emprego, com salário padrão, não considera a si mesmo e à sua família como objetos de compaixão.

Comuns, 28 de abril de 1925

Tradição

Confesso que sou um grande admirador da tradição. Quanto mais tempo você puder olhar para trás, mais longe você pode olhar adiante. Isto não é filosofia ou argumento político - qualquer oculista lhe dirá que isto é verdade. Quanto mais amplo, quanto maior for a continuidade, maior é o sentido do dever em homens e mulheres individuais, cada um contribuindo com seu breve trabalho de vida para a preservação e progresso da terra em que vivem, a sociedade de que são membros e o mundo do qual são os servidores.

Royal College of Physicians, 2 de março de 1944

Tragédia Evitada

A longa e terrível marcha que os Poderes de Resgate estão fazendo está sendo realizada etapa por etapa, e agora podemos dizer, não apenas com esperança, mas com razão, que chegaremos ao fim de nossa jornada bem e em ordem, e que a tragédia que ameaçou o mundo inteiro, que poderia ter apagado todas as suas luzes e ter deixado nossos filhos e descendentes na escuridão e escravidão – talvez, por séculos - essa tragédia não vai acontecer.

Londres, 26 de março de 1944

Transferência de População

A transferência de vários milhões de pessoas teria de ser feita do leste para o oeste ou norte, bem como a expulsão dos alemães - porque é isso que se propõe: a expulsão total dos alemães - das áreas a serem adquiridas pela Polônia no oeste e norte. Pois a expulsão é o método que, na medida do possível, tem sido e será a mais satisfatória e duradoura. Não haverá mistura de populações para causar problemas incessantes, como tem sido o caso em Alsácia-Lorena. Uma varredura limpa será feita. Eu não estou alarmado com a perspectiva de desarranjo das populações, nem mesmo por estas grandes transferências, que são mais possíveis nas condições modernas do que foram no passado.

Comuns, 15 de dezembro de 1944

Transferência de Território

A frase que eu mesmo contribuí para a Carta Atlântica, sobre a não transferência de território além da vontade dos habitantes locais, tem provado, em muitos casos, ser um ideal inalcançável e, em qualquer caso, pela minha experiência, não se aplicam aos países inimigos.

Comuns, 5 de junho de 1946

Tratado Naval com a Alemanha

Anulamos e estilhaçamos, por mais involuntário que seja, a condenação da Liga das Nações pela violação de tratados em matéria de armamentos, a respeito do que nós mesmos estávamos preocupados e, de fato, assumimos uma liderança à parte. Parece-me que revelamos, mais uma vez, sem querer, uma parte muito considerável de indiferença aos interesses de outros poderes, particularmente aos poderes no Báltico, que foram encorajados por nosso exemplo a juntar-se a nós na Liga das Nações para condenar a violação de tratados. Em o nome do que se chama realismo prático, parecemos partir do princípio da segurança coletiva de uma forma muito notável. [Concluindo o Tratado com a Alemanha].

Comuns, 11 de julho de 1935

Três Grandes

O futuro do mundo inteiro e, certamente, o futuro da Europa, talvez, por várias gerações, depende da cordial, confiável e compreensiva associação entre Império Britânico, Estados Unidos e Rússia Soviética, e nenhuma dor deve ser poupada, nenhuma paciência relutante, necessária para fazer a esperança suprema se concretizar.

Comuns, 28 de setembro de 1944

Nenhuma reunião durante esta guerra teria tanto significado para o futuro do mundo como um encontro entre os chefes dos três governos, pois, sem a associação próxima, cordial e duradoura entre a Rússia Soviética e os outros grandes aliados, poderíamos chegar ao final da guerra apenas como um período de profunda confusão.

Comuns, 21 de setembro de 1943

Tribunais de Justiça

Somos lembrados de que, em um estado de selvageria, cada homem está armado e há uma lei para si mesmo, mas que a civilização significa que os tribunais são estabelecidos, que os homens colocam de lado as armas e carregam suas causas para o tribunal. Isso pressupõe um tribunal ao qual os homens, quando estão em dúvida ou com medo, podem recorrer livremente. Pressupõe um tribunal que não é incapaz de dar um veredicto.

Comuns, 2 de maio de 1935

U

UMA FALHA, UM CRIME E, SOMENTE UM CRIME,

pode roubar das Nações Unidas e do povo britânico a vitória da qual suas vidas e honra dependem.

Um enfraquecimento em nosso propósito e, portanto, em nossa unidade - esse é o crime mortal.

Londres, 15 de fevereiro de 1942

Um homem

O povo e o exército da Itália nunca foram consultados. Ninguém foi consultado. Um homem, um homem sozinho, mandou soldados italianos para devastar o vinhedo de seu vizinho. Certamente, chegou o tempo em que a monarquia italiana e o povo, que guardam o centro sagrado da cristandade, devem ter uma palavra a dizer sobre estas inspiradoras questões? Certamente, o exército italiano, que lutou tão corajosamente em muitas ocasiões no passado, agora, evidentemente, não tem disposição para o trabalho, deveria cuidar um pouco da vida e do futuro da Itália?

Londres, 23 de dezembro de 1940

Unanimidade

O parlamento não descansa sobre unanimidade. Assembleias democráticas não agem por unanimidade. Elas agem por maiorias.

Comuns, 21 de setembro de 1945

Unidade

Esta é uma guerra muito dura. Seus numerosos e temerosos problemas se resumem aos próprios fundamentos da sociedade humana. Seu escopo é mundial, envolve todas as nações e cada homem, mulher e criança nelas. Estratégia e economia estão entrelaçadas. Mar, terra e ar são apenas um único serviço. Os últimos aperfeiçoamentos da ciência estão ligados com as crueldades da Idade da Pedra. A oficina e a linha de luta são uma só. Todos podem cair, todos ficarão em pé juntos. Devemos ajudar uns aos outros, devemos apoiar uns aos outros.

Caxton Hall, Londres, 26 de março de 1942

Unidade Anglo-Americana

Não é exagero dizer que o futuro do mundo inteiro e das esperanças de uma civilização ampliada, fundada pela ética cristã, dependem da relação entre o Império Britânico ou Comunidade das Nações e os EUA. A identidade do propósito e persistência da determinação prevalecendo em todo o mundo de língua inglesa, mais do que qualquer outro fato único, determinará o modo de vida que será aberto a gerações e, talvez, através dos séculos que seguem o nosso próprio.

Londres, 9 de janeiro de 1941

Unidade Nacional

O que significa unidade nacional? Significa, certamente, que sacrifícios razoáveis de opiniões do partido, opinião pessoal e interesse do partido devem ser feitos por todos, a fim de contribuir para a segurança nacional.

Comuns, 2 de agosto de 1939

Utopia Comunista

> Na seita comunista é uma questão de religião sacrificar a terra nativa para o bem da utopia comunista. Pessoas que na vida comum iriam se comportar de maneira bastante honrosa, se fossem infectadas com a doença da mente, não hesitariam um momento em trair seu país ou seus segredos.
>
> *Comuns, 5 de junho de 1946*

V

VOCÊ PERGUNTA, QUAL É O NOSSO OBJETIVO?

Eu posso responder em uma palavra: Vitória - vitória a todo custo, vitória apesar de todo o terror,

vitória por mais longo e difícil que seja o caminho; pois, sem vitória não há sobrevivência.

Comuns, 13 de maio de 1940

Vantagem na Guerra

Mesmo tendo a visão mais baixa da natureza humana, as nações em guerra, geralmente, não fazem coisas que não lhes dão alguma vantagem especial e que podem complicar, gravemente, sua própria posição.

Comuns, 8 de março de 1934

Varsóvia

A queda de Varsóvia, numa época em que os exércitos aliados estão por toda parte vitoriosa e quando a derrota final da Alemanha está à vista, deve vir como um golpe muito amargo para todos os poloneses. Em tal momento, desejo expressar o nosso respeito por todos aqueles poloneses que caíram, lutaram ou sofreram em Varsóvia e nossa simpatia com a nação polonesa nesta nova e dolorosa perda. Nossa confiança de que os dias de sua tribulação estão terminando é inabalável. Quando a derradeira vitória aliada for alcançada, a epopeia de Varsóvia não será esquecida. Continuará uma memória imortal para os poloneses e para os amigos da liberdade, em todo o mundo.

Comuns, 5 de outubro de 1944

> Eu saúdo esta oportunidade de prestar homenagem ao heroísmo e tenacidade do Exército Doméstico Polonês e à população de Varsóvia que, após cinco anos de opressão, ainda luta com tudo o que tem ao seu alcance, há quase dois meses, para contribuir com a expulsão dos alemães da capital da Polônia.
>
> *Comuns, 26 de setembro de 1944*

Vegetarianos

Todos conhecem os distintos talentos que o Honrável Cavalheiro [Sir Stafford Cripps] traz sem artifícios aos serviços de seus compatriotas. Ninguém tem feito esforços mais sustentados para contribuir pelo pote comum e poucos tiram menos do que ele do pote. Eu tenho também meu vegetariano, meu honorável amigo Lord Cherwell. Estes seres etéreos, certamente, produzem um nível muito alto e um grande volume de produção intelectual, com o mínimo de custos de trabalho em combustível.

Comuns, 6 de dezembro de 1945

Velocidade

No mundo moderno, tudo se move rapidamente. Tendências que há 200 ou 300 anos influenciavam várias gerações, podem, agora, chegar a decisões definitivas em uns dois meses.

Comuns, 24 de abril de 1950

Vencedores vencidos

Agora, os vencedores são os vencidos e aqueles que jogaram seus exércitos nos campos e processaram por um armistício estão caminhando para o domínio mundial.

Comuns, 24 de março de 1938

Verdade

Esta verdade é indiscutível. O pânico pode se ressentir; a ignorância pode ridicularizá-la; a malícia pode distorcê-la; mas lá está ela.

Comuns, 17 de maio de 1915

Verdade da Glória

Mais uma vez, a comunidade britânica e o Império emergem seguros, não diminuídos, unidos por uma luta mortal. Tiranias monstruosas que ameaçaram a nossa vida foram espancadas até o chão, em ruína, por uma brilhante e iluminada irradiação da Coroa Imperial como nunca se viu em nossos registros de anais. A luz é mais brilhante porque não vem apenas do brilho feroz e fraco de conquistas militares (...) mas, porque mistura com ela, em suave esplendor, as esperanças, alegrias e bênçãos de quase toda a humanidade. Esta é a verdadeira glória e, por muito tempo, brilhará nosso caminho de progresso.

Comuns, 15 de agosto de 1945

Veredicto

Não seremos julgados pelas críticas de nossos oponentes, mas pelas consequências de nossos atos.

Comuns, 22 de abril de 1926

Veto na ONU

Nunca foi considerado, em momento algum, que o veto deveria ser usado da maneira abrupta, arbitrária e quase contínua que temos visto, mas que deveria ser reservado como uma última garantia para um grande poder que não seria votado, para um assunto sobre o qual eles estão preparados para lutar.

Comuns, 23 de outubro de 1946

Vichy, França

Eu nunca tive a menor dúvida de que Hitler iria quebrar o Armistício, invadir toda a França e tentar capturar a frota francesa em Toulon; tais acontecimentos deveriam ser bem-vindos pelas Nações Unidas porque implicaram na extinção de todos os fins práticos da desculpa da farsa e da fraude do Governo de Vichy. Este foi um prelúdio a essa reunião da França sem a qual a ressurreição francesa é impossível. Demos um longo passo em direção a essa unidade. A unidade artificial e a divisão entre território ocupado e não ocupado foram varridas para longe. Na França, todos os franceses estão igualmente sob o jugo alemão e aprenderam a odiá-lo com igual intensidade. No exterior, todos os franceses irão atirar ao inimigo comum. Podemos ter certeza de que, depois do que aconteceu, os ideais e o espírito do que chamamos de Lutadores Franceses exercitará uma influência dominante sobre toda a nação francesa.

Londres, 29 de novembro de 1942

Vida

Aqueles cujas mentes são atraídas ou compelidas à rigidez e simetria dos sistemas de governo devem lembrar-se de que a lógica, como a ciência, deve ser o servo e não o mestre do homem. O ser humano e as sociedades humanas não são estruturas construídas ou máquinas forjadas. São plantas que crescem e devem ser cuidadas como tal. A vida é um teste e este mundo, um lugar de julgamento. Sempre os problemas, ou pode ser o mesmo problema, serão apresentados a cada geração, de diferentes formas.

Instituto de Tecnologia de Massachusetts, Boston, 31 de março de 1949

Qual é a utilidade de viver se não for para lutar por causas nobres e fazer deste mundo confuso um lugar melhor para aqueles que viverão nele depois? De que outra forma podemos nos colocar em relação harmoniosa com as grandes verdades e consolações do infinito e do eterno? Declaro minha fé de que estamos caminhando para dias melhores. A humanidade não será lançada para baixo. Vamos em frente – balançando, corajosamente, para a frente, ao longo da estrada - e atrás das montanhas distantes, está a promessa do sol.

Kinnaird Hall, Dundee, 10 de outubro de 1908

Vigor

> Devemos colocar de lado todos os obstáculos; esforçar-nos até unir toda a força e espírito de nosso povo para ressuscitar uma grande nação britânica diante de todo o mundo. Tal nação, crescendo em seu antigo vigor, pode, mesmo agora, salvar a civilização.
>
> *Comuns, 24 de março de 1938*

Vingança
A vingança é, de todas as satisfações, a mais cara e a mais longa; a perseguição retributiva é, de todas as políticas, a mais perniciosa.

Comuns, 28 de outubro de 1948

> Nada é mais caro, nada é mais estéril do que a vingança.
>
> *Comuns, 5 de junho de 1946*

Vítimas
Nós provocamos no inimigo perdas que são cerca do dobro daquelas que sofremos. É notável, considerando que fomos os desafiantes, e incomum, comparado com as experiências da última guerra.

Comuns, 2 de agosto de 1944

Excluindo Dominion e esquadrões aliados que trabalham com a Força Aérea Real, os ilhéus britânicos perderam 38.300 pilotos e tripulações aéreas mortas e 10.400 desaparecidos, e mais de 10.000 aeronaves desde o início da guerra – e fizeram quase 900.000 missões nas operações do Norte Europeu.

Comuns, 22 de fevereiro de 1944

Agora sabemos exatamente quais foram nossas baixas. Sobre essa particular noite de quinta-feira, 180 pessoas foram mortas em Londres como resultado de 251 toneladas de bombas. Ou seja, foi preciso uma tonelada de bombas para matar três quartos de uma pessoa.

Comuns, 8 de outubro de 1940

O total de pessoas, oficiais e homens da Marinha Real perdidos desde o começo da guerra representa pouco mais de 30% de sua força pré-guerra, sendo 41.000 mortos em 133.000, o que era sua força total no início da guerra.

Comuns, 22 de fevereiro de 1944

Quase não tivemos perdas no mar em nossos comboios de tropa fortemente escoltados. Dos cerca de 3.000.000 de soldados que foram transportados ao redor do mundo sob a proteção da Marinha Britânica, de um lado para o outro, através dos mares e oceanos, cerca de 1.348 foram mortos ou afogados, incluindo desaparecidos. São cerca de 2.200 para um se afogando ao viajar em comboios de tropas britânicas nesta guerra atual.

Comuns, 11 de fevereiro de 1943

Vitória

> Eu nunca prometi nada além de sangue, lágrimas, labuta e suor. Agora, no entanto, temos uma nova experiência. Temos a vitória – uma vitória notável e definitiva. O brilho ilumina os capacetes de nossos soldados, aquece e anima todos os nossos corações.
>
> *Mansion House, Londres, 10 de novembro de 1942*

Vamos manter o bom ânimo. Tanto no ocidente como no oriente, esmagando as forças que estão oscilando ao nosso lado. A vitória militar pode estar distante, ela certamente será cara, mas não há mais dúvidas. A força física e científica que nossos inimigos lançou sobre nós, nos primeiros anos, mudou de lado e a comunidade britânica, os Estados Unidos e a União Soviética, sem dúvida, possuem o poder de colocar no chão, em pó e cinzas, o poder prodigioso das nações beligerantes e das conspirações que nos assaltaram. Mas, como a sensação de perigo mortal já passou do nosso lado para os dos nossos inimigos cruéis, eles ganham o estímulo do desespero e tendemos a perder o vínculo de autopreservação combinada ou estamos em perigo de perdê-lo.

Comuns, 18 de janeiro de 1945

Temos, diante de nós, uma provação do tipo mais dolorosa. Temos, diante de nós, muitos, muitos e longos meses de luta e sofrimento. Você pergunta, o que é nossa política? Direi: É travar uma guerra por mar, terra e ar com todos os nossos poderes e com toda a força que Deus pode nos dar: travar uma guerra contra uma tirania monstruosa, nunca ultrapassada no escuro rol lamentável de crime humano. Essa é a nossa política. Você pergunta, qual é o nosso objetivo? Eu posso responder em uma palavra: Vitória - vitória a todo custo, vitória apesar de todo o terror, vitória por mais longo e difícil que seja o caminho; pois, sem vitória, não há sobrevivência.

Comuns, 13 de maio de 1940

Há duas máximas que devem ser sempre seguidas na hora da vitória. Toda a história, toda a experiência, todos os frutos do raciocínio exigem sobre nós. Elas são quase banalidades. Elas são tão óbvias que, dificilmente, ousaria mencioná-las à Câmara. Mas, aqui estão elas. A primeira é: "Não ousem ser levados pelo sucesso a exigir mais do que é certo ou prudente". A segunda é: "Não desmembrem seu exército até que tenham conseguido seus termos".

Comuns, 3 de março de 1919

Vitória do Correto

Não podemos dizer qual será o curso dessa luta, a que regiões nos transportará, quanto tempo durará ou quem cairá pelo caminho. Mas, estamos certos de que, no final, o correto vencerá, a liberdade não será pisoteada, um progresso mais verdadeiro se abrirá e uma justiça mais ampla reinará. Estamos determinados a desempenhar nosso papel dignamente, com fidelidade, até o fim.

Manchester, 27 de janeiro de 1940

Vitória Final

Como na última guerra, assim, estamos passando por muitas reviravoltas e derrotas para a completa e final vitória. Só temos que suportar e perseverar para conquistar. Agora, não estamos mais desarmados; estamos bem armados. Agora, não estamos sozinhos; temos poderosos aliados, irrevogavelmente ligados por fé solene e interesses comuns para estar conosco nas fileiras das Nações Unidas. Só pode haver um fim. Quando virá ou como virá, não posso dizer. Mas, quando pesquisamos os recursos esmagadores que estão à nossa disposição, uma vez que são totalmente mobilizados e desenvolvidos – como eles podem ser, como eles serão – podemos avançar para o desconhecido com confiança crescente.

Londres, 10 de maio de 1942

Viver sob Fogo

Nós temos que fazer um trabalho deste negócio de viver e trabalhar sob fogo, e não tenho a menor dúvida de que, quando tivermos acalmado isso, estabeleceremos condições que serão um crédito para a nossa sociedade da ilha e à toda a família britânica, e nos permitirá manter a produção dessas armas em tempo hábil, sobre as quais toda a nossa segurança e futuro dependem.

Comuns, 8 de outubro de 1940

Você Nunca Pode Dizer

Há momentos em que muitas coisas acontecem e acontecem tão rapidamente, e há momentos em que o tempo parece passar de tal forma que você não pode dizer se é longo ou curto, que é fácil esquecer-se do que se disse três meses antes. Você pode falhar em conectá-lo com o que está defendendo no momento particular. Ao longo de uma longa e diversificada vida parlamentar, esta consideração me levou a tentar ficar atento a esse perigo. Nunca dá para perceber.

Há, também, pessoas que falam e suportam como se tivessem se preparado para esta guerra com grandes armamentos e uma longa elaboração cuidadosa. Mas, isso não é verdade. Em dois anos e meio de luta, só agora conseguimos manter a cabeça acima da água.

Comuns, 27 de janeiro de 1942

Z

NÃO HÁ UM ESPAÇO, AGORA, PARA O DILETANTE, O FRACO,

para o ocioso
ou o preguiçoso.

Da mais alta para a mais humilde tarefa,
todas são de igual honra; todas têm
o seu papel a desempenhar.

Senado e Comuns do Canadá, Ottawa, 30, 19 de dezembro

Zangões

Não podemos nos dar ao luxo de ter pessoas ociosas. As polias no topo fazem as polias no inferior. Ninguém deve ficar de lado no seu auge laboral para perseguir uma vida de prazer egoísta. Há desperdiçadores em todas as classes. Felizmente, são apenas uma pequena minoria em todas as classes. Mas, de qualquer forma, não podemos ter um bando de zangões em nosso meio, sejam da aristocracia antiga, da plutocracia moderna ou o tipo comum de rastreador de pub.

Londres, 21 de março de 1943

Zelo Incansável

De acordo com meu senso de proporção, este não é o momento de falar sobre as esperanças do futuro ou do mundo em geral, que está além de nossas lutas e nossas vitórias. Temos que ganhar esse mundo para nossos filhos. Nós temos que ganhá-lo pelos nossos sacrifícios. Ainda não o ganhamos. A crise está sobre nós. O poder do inimigo é imenso. Se tivéssemos, de alguma forma, subestimado a força, os recursos ou a selvageria impiedosa desse inimigo, colocaríamos em risco não só nossas vidas, pois serão oferecidas gratuitamente, mas a liberdade humana e o progresso a que nos comprometemos e tudo o que temos. Não podemos, por um momento, nos dar ao luxo de relaxar. Pelo contrário, devemos nos impulsionar com um zelo implacável. Nesta estranha e terrível guerra mundial há um lugar para todos, homem e mulher, idoso e jovem, disposto e manco; há serviço em mil formas. Agora, não há espaço para o diletante, o fraco, para o ocioso ou o preguiçoso. A mina, a fábrica, o estaleiro, as ondas do mar salgado, os campos para cultivar, a casa, o hospital, a cadeira do cientista, o púlpito do pregador - das mais altas às mais humildes tarefas, todas são de igual honra; todas têm o seu papel a desempenhar.

Senado e Comuns canadenses, Ottawa, 30 de dezembro de 1941

Zeppelins

Nenhum oficial responsável no Gabinete de Guerra ou no Ministério da Marinha, com quem me encontrei antes da guerra, antecipou que os Zeppelins seriam usados para jogar bombas indiscriminadamente sobre as cidades indefesas e sobre os campos. Isto não foi por causa de qualquer crença extravagante na virtude humana ou na virtude alemã em particular, mas porque é razoável supor que seu inimigo será governado pelo bom senso e por uma viva consideração de seus interesses próprios.

Comuns, 17 de maio de 1916

LINHA DO TEMPO

DOS EVENTOS MAIS IMPORTANTES DA VIDA DE SIR WINSTON CHURCHILL

1874
- Winston Leonard Spencer Churchill, filho do Lorde e da Senhora Randolph Churchill, nasce prematuramente no Palácio Blenheim (30 de novembro).

1888
- Entra na Harrow na forma inferior (abril).

1892
- Deixa Harrow (dezembro) e é gravemente ferido em um acidente.

1893
- Entra no Colégio Militar Real, Sandhurst, como cadete de cavalaria (28 de junho).

1894
- Preparado, mas não exigido, para fazer um discurso em nome da Liga de Proteção do Entretenimento.
- Desistência de Sandhurst (dezembro).

1895
- O pai dele morre (24 de janeiro).
- Publica para o 4º Hussardos (1º de abril).
- Visita Cuba para estudar a luta lá (novembro). Escreve o seu primeiro artigo, uma carta descritiva para o *Daily Graphic* (publicado 6 de dezembro).

1896
- Parte para a Índia com o 4º Hussardos, assume o polo e descobre Gibbon e Macaulay.

1897
- Durante a licença, acompanha a Malakand Field Force contra a Pathans como correspondente de guerra.

1898
- Participa da Batalha de Omdurman, às suas próprias custas (02 de setembro).
- Veleja para a Índia para reingressar no seu regimento (1º de dezembro).
- Publicado: *The Malakand Field Force*.

1899

- Deixa o Exército.
- Combate sua primeira eleição, sem sucesso, em Oldham (julho).
- Enviado para a África do Sul como um correspondente de guerra pelo *Morning Post* (outubro).
- Capturado pelos Bôeres (15 de novembro), mas foge (13 de dezembro).
- Uma recompensa de £25 é oferecida por sua recaptura.
- Publicado: *The River War*.

1900

- Aceita uma comissão no South African Light Horse.
- Um dos primeiros a entrar capturado na Pretória (5 de junho).
- Retorno à Inglaterra (julho).
- Eleito Membro Conservador de Parlamento por Oldham em uma Eleição Geral (1º de outubro).
- Dá a primeira palestra de uma turnê americana em Nova York, com Mark Twain na cadeira (16 de dezembro).
- Publicado: *Savrola, London to Ladysmith via Pretoria, Ian Hamilton's March*.

1901

- Toma seu assento no Parlamento (janeiro).
- Faz seu discurso de debutante (fevereiro).
- Ataca as Estimativas (13 de maio).

1903

- Ataca a política de Proteção de Joseph Chamberlain (28 de maio).
- Publicado: *Mr. Brodrick's Army*.

1904

- Um grande número de sindicalistas sai da câmara da Casa quando ele sobe para falar (21 de março).
- Forçado a abandonar seu discurso no Projeto de Lei de Disputas Comerciais quando sua memória falha (22 de abril).
- Atravessa a Casa para sentar-se com o Partido Liberal (31 de maio).

1906

- É eleito Membro Liberal da Parlamento por Manchester Noroeste, nas eleições gerais.
- Ingressa no governo como subsecretário para as Colônias.
- Publicado: *Lord Randolph Churchill*.

1907

- Vira um Conselheiro Privado.

1908

- Nomeado Presidente do Conselho de Administração de Comércio com assento no Gabinete e, portanto, tem que buscar a reeleição. É derrotado em Manchester (24 de abril), mas eleito para representar Dundee (23 de maio).
- Casa-se com a Srta. Clementine Hozier, na Igreja de Santa Margarida, Westminster (12 de setembro).
- Publicado: *My African Journey*.

1909

- Participa da criação de Intercâmbios Laborais.
- Nasce sua filha Diana.

Linha do tempo

1910
- Torna-se Secretário do Lar e apresenta as Lei de Acidentes de Minas.
- Participa das manobras do Exército alemão perto de Wurzburg.

1911
- Presente no "cerco da Sidney Street" (3 de janeiro).
- Chama os militares na ocasião de uma greve ferroviária (agosto).
- Torna-se um membro do Comitê de Defesa Imperial e circula para o Gabinete (13 de agosto) um memorando sobre *Aspectos Militares do Problema Continental*.
- Torna-se o Primeiro Senhor do Almirantado (25 de outubro) e nomeia um novo Conselho de Almirantados (28 de novembro).
- Nasce seu filho Randolph. (28 de maio).

1912
- Aumenta a velocidade de construção de navios de guerra de dois para quatro ao ano, embora exortando a Alemanha a concordar com um "feriado da construção naval".

1913
- Torna-se um Irmão Mais Velho da Casa da Trindade.

1914
- Garante a aprovação parlamentar de um plano de controle de compra de um campo petrolífero persa para garantir o abastecimento para navios navais recém convertidos para queima de óleo (17 de junho).
- Ordena um exercício de mobilização para a frota, que não se dispersa quando o exercício terminar (julho).
- Ordena a mobilização naval completa (2 de agosto).
- Organiza a defesa da Antuérpia durante a Batalha de Ypres (2 de outubro).
- Nasce sua filha Sarah. (outubro).
- Eleito Senhor Reitor da Universidade de Aberdeen.

1915
- Em uma reunião do Conselho de Guerra, propõe uma estratégia de ataque conjunta, naval e militar, aos Dardanelles (3 de janeiro).
- Removido do Almirantado no novo Governo de Coalizão e nomeado Chanceler do Ducado de Lancaster (28 de maio).
- Faz experiências com as caixas de tintas e óleo de seus filhos e toma a pintura como hobby.
- Renuncia ao Gabinete, retorna para o Exército e parte para a França (19 de novembro) com o 6º Royal Scots Fusiliers.

1916
- Retorna à vida política em Londres (maio).

1917
- Torna-se Ministro das Munições no Governo de Lloyd George (16 de julho).

Linha do tempo

1918
- Visita a França para pesquisar a posição para Lloyd George (março).
- Torna-se Secretário de Estado para a Guerra e Ministro da Aeronáutica (dezembro).

1921
- Sucede Lord Milner como Secretário Colonial e frequenta uma Conferência do Centro do Leste no Cairo (março).
- Acompanha Lloyd George em negociações com os líderes do Sinn Fein.
- Apela às Dominações para apoio contra as ameaçadoras invasões turcas da Trácia.
- Sua mãe morre.

1922
- Renuncia ao cargo de Secretário Colonial após sua derrota em Dundee, nas Eleições Gerais: durante a sua campanha o seu apêndice é removido.
- Torna-se um Companheiro de Honra.

1923
- Está em uma eleição por Leicester Ocidental como Liberal Free Trader e é derrotado.
- Publicado: *The World Crisis* (6 volumes, 1923-31).

1924
- Deixa o Partido Liberal (fevereiro) e se apresenta como um Constitucionalista pela Divisão da Abadia de Westminster em uma eleição, mas é derrotado (20 de março).
- Ganha um processo de calúnia contra o Senhor Alfred Douglas.
- Em uma eleição geral é eleito Membro do Parlamento por Epping como Constitucionalista e Antissocialista, com apoio Conservador.
- Torna-se chanceler do Tesouro no Governo de Stanley Baldwin (novembro).

1925
- Apresenta seu primeiro orçamento e anuncia a decisão de retornar ao Padrão Ouro (28 de abril).
- Recebe o grau honorário de DCL da Universidade de Oxford.

1926
- Organiza e edita a *British Gazette* durante a Greve Geral (maio).

1928
- Assume a colocação de tijolos como um hobby e se junta à União Amalgamada de Trabalhadores da Construção Civil.

1929
- Perde o escritório quando Baldwin se demite, após a derrota do seu partido na Eleição Geral (maio).
- Eleito Senhor Reitor da Universidade de Edimburgo.

1930
- Demite-se do "Gabinete das Sombras" Conservador depois de um desacordo com Baldwin sobre a política na Índia (janeiro).

LINHA DO TEMPO

- Torna-se Chanceler da Universidade de Bristol (janeiro).
- Renuncia à presidência do Comitê das Finanças Conservadoras (abril).
- Em Oxford, entrega a palestra os Romanes, sobre Governo do Partido e o Problema Econômico.
- Publicado: *My Early Life*.

1931
- É membro da maioria Conservadora apoiando o Governo, mas sem cargo (agosto).

1932
- Publicado: *Thoughts and Adventures*.

1933
- Publicado: *Marlborough, Volume I*.

1934
- Publicado: *Marlborough, Volume II*.

1936
- Tentativas, sem sucesso, de evitar a abdicação do Rei Eduardo VIII.
- Publicado: *Marlborough, Volume III*.

1937
- A exclusão do cargo continua quando Neville Chamberlain sucede a Baldwin.
- Publicado: *Great Contmporaries*.

1938
- Protesta contra a política de Chamberlain de "comprar alguns anos da paz" (abril).
- Ataca o acordo de Munique como "uma derrota total e incontestável" (setembro).
- Publicado: *Marlborough, Volume IV*.

1939
- Ingressa no Gabinete de Chamberlain como Primeiro Senhor do Almirantado (setembro) e define o sistema de comboio em operação.
- Insta à criação de um sistema de governo multipartidário.
- Publicado: *Step by Step*.

1940
- Dá ordens diretas para o embarque do *Altmark* e resgate de prisioneiros britânicos (16 de fevereiro).
- Nomeado chefe do Comitê de Ministros de Serviço (abril).
- Faz uma declaração sobre as operações da Marinha após a primeira batalha de Narvik (11 de abril).
- Sucede a Chamberlain como Primeiro Ministro, formando um Governo de Coligação incluindo o Partido dos Trabalhadores e Liberal (10 de maio).
- Em seu primeiro discurso como Primeiro Ministro na Casa dos Comuns, oferece nada mais que "sangue, labuta, lágrimas e suor" (13 de maio).
- Em sua primeira transmissão como Primeiro Ministro adverte a nação da vinda da "batalha pela nossa ilha" (19 de maio).
- Reporta para a Câmara dos Comuns as notícias de Dunkirk e a determinação de não se render (4 de junho).

Linha do tempo

- Convida a França a aderir à Grã-Bretanha em uma União Federal (16 de junho).
- Faz uma declaração sobre a possibilidades de invasão (18 de junho).
- Faz uma declaração sobre Oran, onde uma frota britânica causou grandes danos a navios franceses que se recusaram a se juntar aos britânicos ou por se deixarem ser aprisionados (4 de julho).
- Na Câmara dos Comuns paga tributo à galhardia dos pilotos lutadores (20 de agosto).
- Faz uma declaração sobre os preparativos alemães para a invasão, na Casa dos Comuns (17 de setembro).
- Eleito líder do Partido Conservador (9 de outubro).
- Participa do batizado de seu neto, Winston (1º de dezembro).

1941

- Torna-se *Lord Warden of the Cinque Ports*.
- Responde aos críticos da campanha de Creta, na Casa dos Comuns (10 de junho).
- Quando a Rússia é invadida, transmite uma garantia de ajuda (22 de junho).
- No mar, assina a Carta Atlântica com o Presidente Roosevelt (9 de agosto).
- Visita à Islândia (17 de agosto).
- Conclui o Acordo Anglo-Americano (setembro).
- Introduz um novo Serviço Nacional de Contas, que inclui provisões para o recrutamento de mulheres (2 de dezembro).

- Dirige uma reunião conjunta de ambas Casas do Congresso em Washington (26 de dezembro).
- Discursa na Legislatura Canadense em Ottawa (30 de dezembro).

1942

- Transmissões por ocasião do queda de Cingapura (15 de fevereiro).
- Anuncia a missão do Senhor Stafford Cripps para a Índia, oferecendo status de domínio (11 de março).
- Voa para os Estados Unidos para discutir a proposta de invasão do Norte da África, com o Presidente Roosevelt (18 de junho).
- Depois de visitar o Cairo, El Alamein e Teerã, chega a Moscou (12 de agosto).

1943

- Participa da Conferência Aliada em Casablanca, concordando que a paz deve vir somente pela rendição incondicional do Eixo dos Poderes (14 de janeiro).
- Mantém discussões com o Presidente da Turquia, em Adana (30 de janeiro).
- Eleito Honorário Acadêmico Extraordinário da Academia Real.
- Discursa no Congresso dos EUA (19 de maio).
- Visita o Norte da África para consultar com os Generais de Gaulle e Giraud (30 de maio).
- Em um discurso no Guildhall, dá um compromisso de esmagar o Japão, depois da Alemanha (30 de junho).
- Chega ao Canadá para mais conferências com o Presidente Roosevelt (10 de agosto).

- Em um discurso em Harvard, defende o ensino mundial do inglês básico (setembro).
- Participa de uma conferência dos líderes Aliados, no Cairo, seguida por outra em Teerã, onde ele e o Presidente Roosevelt têm a companhia do Marechal Stalin. Retorna ao Cairo para discussões com o Presidente da Turquia (novembro).
- Cai doente, com pneumonia, mas é salvo por uma nova droga, M e B 693. Vai a Marrakesh para a sua convalescença (dezembro).

1944
- Volta a Londres (janeiro).
- Abre a conferência da Comunidade de Primeiros Ministros, em Londres (1º de maio).
- Seis dias após o Dia D, percorre a frente de batalha na França (12 de junho).
- Chega à Itália para se encontrar com o Papa e representantes iugoslavos (11 de agosto).
- Reunião com o Presidente Roosevelt, em Quebec (10 de setembro).
- Reunião com o Marechal Stalin, em Moscou (9 de outubro).
- No momento do convite para a França se tornar membro da Comissão Consultiva Europeia, visita Paris (10 de novembro).
- Chega para uma conferência com representantes políticos gregos, em Atenas (25 de dezembro).

1945
- Encontra-se com o Presidente Roosevelt, em Malta (2 de fevereiro).

- Ele e o Presidente Roosevelt se juntam ao Marechal Stalin, em Yalta (4 de fevereiro).
- Reunião com os governantes dos estados do Meio Leste, no Cairo (16 de fevereiro).
- Divulga as notícias da rendição incondicional de todas as forças de combate alemãs (8 de maio).
- Renuncia à chefia do governo e é convidado a formar uma nova administração (23 de maio).
- Participa de uma Conferência das Três Potências, em Potsdam (17 de julho).
- Renuncia à chefia do governo quando o Partido Conservador é derrotado em uma Eleição Geral (26 de julho).

1946
- Recebe a Ordem do Mérito (8 de janeiro).
- Discurso em Fulton, Missouri, cunhando a frase "a Cortina de Ferro" e defendendo "associação fraterna dos povos de língua inglesa" (5 de março).
- Publicado: *Victory*.

1947
- Defende o Movimento Europeu em um discurso no Royal Albert Hall, Londres (14 de maio).
- Exposições na Royal Academy.

1948
- Discursa ao Congresso da Europa, em Haia (maio).
- Publicado: *Painting as a Pastime*, *The Gathering Storm*.

1949
- Premiado com a Medalha Grotius (3 de fevereiro).
- Discursos no Massachusetts Institute of Technology (31 de março).
- Discursa, desanimadamente, na primeira reunião do Conselho da Europa, em Strasburgo (9 de agosto).
- Publicado: *Their Finest Hour*.

1950
- Em reunião do Conselho da Europa, defende um exército europeu (agosto).
- Visita a Dinamarca e recebe um prêmio da Sonning Foundation (9 de outubro).
- Publicado: *The Grand Alliance*.

1951
- Após uma vitória dos Conservadores, em uma Eleição Geral, torna-se Primeiro Ministro novamente (26 de outubro).
- Publicado: *The Hinge of Fate*.

1952
- O *Daily Mirror* publica uma completa desculpa pela manchete histórica "De quem é o dedo no gatilho?" (24 de maio).
- Publicado: *Closing the Ring*.

1953
- Feito um *Knight of the Garter* (24 de abril).
- Premiado com o Prêmio Nobel de Literatura (15 de outubro).
- Participa da conferência nas Bermudas com o Presidente dos EUA e o Primeiro Ministro frânces (dezembro).

1954
- Visita Washington para discussões com o Presidente Eisenhower (junho).
- Apoia a Conferência Nine-Power, em Londres (setembro).
- Em um discurso em seu eleitorado de Woodford, começa uma controvérsia com a menção de um telegrama enviado para Field-Marshal Montgomery sobre o tema das armas alemãs (23 de novembro).
- Para comemorar seu 80° aniversário, é presenteado por ambas as Casas do Parlamento com seu retrato pintado por Graham Sutherland (30 de novembro).
- Publicado: *Triumph and Tragedy*.

1955
- Renuncia à chefia do governo e à Liderança do Partido Conservador (5 de abril).
- Aceita o Prêmio Liberdade (9 de outubro) e o Prêmio Williamsburg (16 de outubro).

1956
- Recebe a Medalha Benjamin Franklin (11 de janeiro).
- Publicado: *History of the English-Speaking Peoples, Vol. 1*.

1965
- Morre e recebe funeral de Estado.